# Souvenirs
## de la
# banlieue

Catalogage avant publication de Bibliothèque et Archives nationales
du Québec et Bibliothèque et Archives Canada

Souvenirs de la banlieue
Sommaire: t. 3. Sonia.
ISBN 978-2-89585-233-9 (v. 3)
I. Titre. II. Titre: Sonia.
PS8623.A24S68 2012    C843'.6    C2011-942894-6
PS9623.A24S68 2012

Les Éditeurs réunis bénéficient du soutien financier de la SODEC
et du Programme de crédit d'impôt du gouvernement du Québec.

Nous remercions le Conseil des Arts du Canada
de l'aide accordée à notre programme de publication.

Nous reconnaissons l'aide financière du gouvernement du Canada
par l'entremise du Fonds du livre du Canada pour nos activités d'édition.

*Édition :*
LES ÉDITEURS RÉUNIS
www.lesediteursreunis.com

*Distribution au Canada :*          *Distribution en Europe :*
PROLOGUE                               DNM
www.prologue.ca                        www.librairieduquebec.fr

 *Suivez Les Éditeurs réunis sur Facebook.*

Pour communiquer avec l'auteure : rosette.laberge@cgocable.ca

Imprimé au Canada

Dépôt légal : 2012
Bibliothèque et Archives nationales du Québec
Bibliothèque nationale du Canada
Bibliothèque nationale de France

ROSETTE LABERGE

# Souvenirs de la banlieue

## Tome 3
### *Sonia*

LES ÉDITEURS RÉUNIS

# De la même auteure

*Souvenirs de la banlieue – tome 1. Sylvie*, roman, Les Éditeurs réunis, 2012.

*Souvenirs de la banlieue – tome 2. Michel*, roman, Les Éditeurs réunis, 2012.

*Maria Chapdelaine – Après la résignation*, roman historique, Les Éditeurs réunis, 2011.

*La noble sur l'île déserte – L'histoire vraie de Marguerite de Roberval, abandonnée dans le Nouveau Monde*, roman historique, Les Éditeurs réunis, 2011.

*Le roman de Madeleine de Verchères – Sur le chemin de la justice*, roman historique, Les Éditeurs réunis, 2010.

*Le roman de Madeleine de Verchères – La passion de Magdelon*, roman historique, Les Éditeurs réunis, 2009.

*Sous le couvert de la passion*, nouvelles, Éditions du Fada, 2007.

*Histoires célestes pour nuits d'enfer*, nouvelles, Éditions du Fada, 2006.

*Ça m'dérange même pas!*, roman jeunesse, Éditions du Fada, 2005.

*Ça s'peut pas!*, roman jeunesse, Les Glanures, 2001.

*Ça restera pas là!*, roman jeunesse, Les Glanures, 2000.

*À Claudine,*

*Ma douce amie d'un autre ailleurs*
*que j'aime beaucoup.*

# Chapitre 1

*Longueuil, le 24 avril 1968*

— Tu ne sais pas la meilleure? lance Sonia. Maman veut me faire suivre des cours de personnalité.

— Des cours de quoi? demande Junior, les sourcils froncés.

Avec sa sœur il ne s'ennuie jamais. Sonia a toujours des tas de choses captivantes à raconter. Junior songe parfois qu'il a de la chance que leur relation soit revenue au beau fixe – d'autant plus que celle-ci s'améliore au fil du temps. Sans pouvoir affirmer que Sonia lui confie tout, il peut au moins s'enorgueillir d'être son confident. Et ça lui plaît beaucoup. Depuis qu'elle fait partie de la famille, il a toujours eu un faible pour elle. Il en sera ainsi tant et aussi longtemps qu'il vivra.

— Des cours de personnalité, répète Sonia en articulant avec exagération. Dans le temps de maman, cela s'appelait des cours de charme. Selon maman, j'en ai grand besoin. Elle trouve que j'ai le dos rond, que je me tiens mal, que je n'articule pas bien… Elle a même téléphoné pour obtenir des informations. La silhouette, la garde-robe, les bonnes manières, le maquillage… tout y passe!

— C'est la première fois que j'en entends parler.

— En tout cas, pas moi! s'exclame Sonia. Depuis qu'elle a découpé une publicité dans le journal, maman ne manque pas de me rebattre les oreilles avec ce cours-là chaque fois qu'on est juste toutes les deux. « Tu vas apprendre tout ce qu'il faut pour devenir une femme accomplie. Toutes les filles voudraient suivre ce cours », ajoute-t-elle d'un ton moqueur pour imiter sa mère. Toutes les filles, toutes les filles! Pourtant, aucune de mes amies n'en rêvent. Et je n'ai pas envie de devenir une femme accomplie… Plutôt mourir ! Hier, elle m'a même sorti un manuel d'économie domestique pour les femmes. C'était tordant ! Le livre est dans mon sac ; je vais pouvoir t'en lire un extrait.

— Pourquoi tu le traînes avec toi ? s'enquiert Junior.

— Pour rire, voyons ! Je l'ai montré aux filles à l'école et on n'a pas arrêté de se moquer des conseils qu'on y trouve. Je te garantis que tu vas rire toi aussi. Arrêtons-nous un peu et je vais te faire la lecture.

Sonia sort le livre de son sac. Un seul coup d'œil à celui-ci suffit pour constater qu'il est dans un bien piètre état. Sa mère lui a dit qu'elle l'avait emprunté à Suzanne, sa grand-mère maternelle. Dans le pire des cas, Sonia lui en achètera un neuf. Elle s'est tellement amusée avec les filles de l'école que ça valait le coup. Elle tourne les pages et prend le temps de lire quelques titres. Dès qu'elle trouve ce qu'elle cherchait, elle commence sa lecture.

### Soyez prête

*Prenez quinze minutes pour vous reposer afin d'être détendue lorsqu'il rentre. Retouchez votre maquillage, mettez un ruban dans vos cheveux et soyez fraîche et avenante. Il a passé la journée en compagnie de gens surchargés de soucis et de travail. Soyez enjouée et un peu plus intéressante que ces derniers. Sa dure journée a besoin d'être égayée et c'est un de vos devoirs de faire en sorte qu'elle le soit.*

— Je rêve d'avoir une telle femme ! plaisante Junior.

— Si tu veux mon avis, tu es mieux de commencer à chercher tout de suite parce que je ne suis pas certaine que tu vas en trouver une. En attendant, je vais te lire un autre passage.

### *Écoutez-le*

*Il se peut que vous ayez une douzaine de choses importantes à lui dire, mais son arrivée à la maison n'est pas le moment opportun. Laissez-le parler d'abord ; souvenez-vous que ses sujets de conversation sont plus importants que les vôtres. Faites en sorte que la soirée lui appartienne.*

— Ma foi du bon Dieu, ce n'est pas une femme, c'est une esclave !

— C'est pire qu'une esclave, renchérit Sonia. C'est un chien qui fait tout pour plaire à son maître.

— Je ne peux pas croire qu'il y ait des femmes comme ça.

— Selon maman, c'est plutôt chez les riches que ça se passe ainsi. Il paraît que c'est très populaire aux États-Unis. Elle aussi, elle trouvait que c'était exagéré. Elle m'a juré que je n'avais pas à m'inquiéter, que les cours qu'elle voulait que je suive étaient plus modernes. Et puis, il faut avoir du temps…

— Et une bonne pour s'occuper des enfants, la coupe Junior.

— … pour toujours être à son meilleur pour son mari comme on le mentionne dans le livre. Quand je lis des choses semblables, je suis contente de ne pas être née dans une famille de riches.

Le frère et la sœur restent silencieux un moment ; chacun est perdu dans ses pensées. Sonia songe qu'elle n'aurait pas pu vivre dans un monde de conventions comme celui qui est décrit dans le livre. Elle aime trop sa liberté pour la sacrifier pour qui que ce soit. Plus le temps passe, plus son envie de parcourir le monde devient forte. Elle se rappelle toujours avec plaisir son voyage en Belgique. Elle n'a qu'à fermer les yeux pour se souvenir du goût unique du chocolat belge. Chaque jour, elle rêve de pralines et de manons – des manons blanches bien rondes avec une grosse noix de Grenoble au sommet. Avant, elle adorait la Caramilk au point de dépenser beaucoup trop d'argent pour en acheter ; voilà maintenant qu'elle a perdu toute envie d'en manger. Toutes les tablettes qu'elle a achetées ces derniers mois se sont retrouvées dans les mains des jumeaux ou de Luc avec un petit carré en moins seulement. Chaque fois, les garçons ont regardé leur sœur d'un drôle d'air, incapables de comprendre comment elle osait lever le nez sur la Caramilk. Pour eux, c'est une chose inimaginable. Sonia rêve aussi de toutes les églises qu'elle a visitées, mais surtout des cathédrales. Elle aime particulièrement se souvenir de l'histoire que leur a racontée le guide de la ville de Bruxelles alors que l'autobus s'était arrêté devant la cathédrale Saint-Michel. « Un jour, c'était il y a de ça très, très longtemps, trois hommes sirotaient une bière dans une auberge après leur journée de travail quand un étranger leur a demandé s'il pouvait s'asseoir avec eux. Aussitôt installé, celui-ci leur a demandé ce qu'ils faisaient dans la vie. Le premier a dit : "Je pose des pierres." Le deuxième : "Je fais des murs de pierre." Et le troisième a répondu : "Moi, je construis une cathédrale." Il fallait voir la fierté dans les yeux du dernier. » Même si elle n'a pas l'habitude de retenir les histoires, Sonia sait que jamais elle n'oubliera celle-là pour la simple et unique raison qu'elle aussi, elle veut construire une cathédrale. Ce sera comme peintre ou comme comédienne – elle n'a pas encore arrêté son choix –, et elle se donnera corps et âme pour arriver à ses fins afin de laisser sa trace.

De son côté, Junior réfléchit au fait qu'il n'aurait aucun plaisir à vivre avec une femme plus docile que Prince 2. Les Québécoises commencent à peine à avoir un peu de liberté, c'est du moins ce qu'il a appris dans son cours d'histoire, alors ce n'est certes pas lui qui va les obliger à retourner en arrière. Elles reviennent de tellement loin… Jusqu'à il n'y a pas si longtemps, elles n'avaient même pas le droit de voter. De toute façon, avec le métier qu'il va exercer, il serait bien mal placé pour exiger que sa femme, s'il se marie un jour, reste là à l'attendre. Non ! Tout comme sa sœur, Junior veut parcourir le monde. Avec ses photos ou sa guitare. Et pourquoi pas avec les deux ? Il n'est pas encore un guitariste émérite, loin de là, mais il s'en tire plutôt bien même s'il ne joue pas depuis longtemps. La semaine dernière, il est allé écouter un groupe de musique avec Sonia à

Montréal. Il était à peine entré dans la salle qu'il savait que ce n'était pas la dernière soirée qu'il passerait dans un tel endroit. Quand le groupe est entré en scène, il s'est vu à la place du guitariste. Cette sensation était tellement forte qu'il en avait des sueurs froides. Il ignore encore dans quel genre de musique il versera, mais il est prêt à faire tous les efforts nécessaires pour arriver à ses fins. Lui, Michel Pelletier, sera un jour un grand musicien.

Sonia referme son sac d'école après y avoir rangé le livre. Junior lui dit d'un ton solennel :

— Moi aussi, je construirai une cathédrale, comme dans l'histoire que tu m'as racontée quand tu es revenue de Belgique.

— Je pensais justement à ça. Tape là-dedans, formule Sonia en levant les deux mains. Moi aussi, j'ai l'intention de faire de grandes choses. Il faut que tu me jures de ne laisser personne t'éloigner de ton but.

— C'est toi qui devrais me le jurer. Tu es bien plus susceptible de te faire détourner de ta route.

— Qu'est-ce qui te fait dire ça ?

— Parce que tu es une fille et qu'un beau jour tu vas sûrement vouloir avoir des enfants.

Sonia se sent envahie par une vague de colère incommensurable. Alors que Junior s'apprête à poursuivre, elle s'écrie :

— Est-ce que tu m'écoutes quand je parle ?

— Hé ! Ne monte pas sur tes grands chevaux, je n'ai rien dit de mal.

Les deux mains sur les hanches, la jeune fille se place devant son frère. Puis, elle lui demande sur un ton impatient :

— M'as-tu déjà seulement entendue dire que je voulais avoir des enfants ? Allez, réponds !

Surpris par la réaction explosive de sa sœur, Junior réfléchit pendant quelques secondes. Sonia en profite pour revenir à la charge.

— Qu'est-ce que tu attends pour répondre ? Allez ! Je t'ai posé une question toute simple. Tu n'as qu'à répondre par oui ou par non.

— Je n'aime pas ça quand tu es en colère. Tu me fais peur.

— Vas-tu finir par répondre à ma question ?

— Tu as toujours dit que tu ne voulais pas avoir d'enfants, mais…

Sonia rugit de plus belle :

— Il n'y a pas de mais. Crois-moi, ce ne sont pas des paroles en l'air. Il n'est pas question que je consacre ma vie à éduquer des petits morveux comme les jumeaux. Merci pour moi, mais j'ai bien mieux à faire que de passer ma vie à élever des enfants… pour qu'ils meurent avant même d'avoir vécu. Comme Martin… C'est trop pour moi.

La jeune fille éclate en sanglots. Junior la serre dans ses bras. Il y a plus de quatre mois que Martin est décédé, mais la peine de Sonia est encore aussi vive. Entre deux hoquets, elle ajoute :

— Il n'avait pas le droit de mourir. À cause de lui, notre vie ne sera plus jamais pareille.

— Ne dis pas ça, l'implore Junior au bord des larmes. Tu sais bien que s'il avait eu le choix, Martin serait resté avec nous. Il aimait beaucoup trop la vie pour s'en aller. Il avait des tas de projets et il avait enfin retrouvé Violaine. Crois-moi, notre frère n'a pas choisi de partir. À moi aussi, il me manque.

Junior prend une grande respiration avant de poursuivre :

— Chaque fois que je mets la main dans mon sac pour prendre un journal, je pense à lui. Lorsque je lance le journal pour qu'il arrive à l'endroit exact où le client souhaite le recevoir, je l'entends m'expliquer quoi faire. Chaque fois que quelqu'un s'en prend à moi, je l'entends prendre ma défense. Martin, c'était mon ange gardien. Quand j'avais besoin de lui, il était toujours là pour moi. Tous les soirs depuis sa mort, je m'endors en pleurant et je ne vois pas le jour où cela va changer. Tu as raison de dire que notre vie ne sera plus jamais pareille, mais j'ai vraiment hâte qu'elle s'améliore. Même quand elle chante, maman n'est plus comme avant. C'est comme si elle chantait seulement des mots, sans aucune émotion. Papa est de plus en plus silencieux. Lorsque je lui donne ses cours de guitare, j'ai l'impression qu'il est ailleurs. Je dois constamment le sortir de ses pensées pendant la petite heure qu'on passe ensemble.

— Même les jumeaux ont changé, émet Sonia entre deux sanglots. Depuis la mort de Martin, ils s'élèvent tout seuls. Je ne me souviens même plus de la dernière fois où maman les a disputés alors qu'avant, on avait de la misère à se souvenir de la journée où elle n'avait pas crié après eux ou ne les avait pas mis en punition. Je me demande même s'ils font encore des mauvais coups tellement on n'entend plus parler d'eux.

— Et Luc, le pauvre, a recommencé à collectionner les crises d'asthme alors qu'il n'en faisait pratiquement plus. Alain aussi a de la misère. La dernière fois qu'il est venu à la maison, il était tellement cerné qu'il faisait peur à voir.

— C'est normal. Martin et lui ont toujours été très proches. Ça ne peut pas continuer comme ça, il faut qu'on fasse quelque chose.

— Que veux-tu qu'on fasse ?

— Je ne sais pas. On pourrait en parler avec maman.

— Tu crois vraiment qu'elle va nous écouter ? Chaque fois que quelqu'un prononce le prénom de Martin, elle a les larmes aux yeux.

À moins qu'on commence par en parler avec Alain. Si on se met tous ensemble – les enfants, je veux dire –, il va bien falloir que maman nous écoute.

— Et papa ?

— On pourrait demander à oncle Paul-Eugène de nous aider. Papa et lui sont de grands amis.

— C'est une bonne idée, approuve Sonia. Si tu veux, je m'occupe de téléphoner à Alain et à oncle Paul-Eugène.

— Et moi, je me chargerai des jumeaux et de Luc quand on sera fixés.

Junior s'éloigne de sa sœur. La seconde d'après, il s'essuie les yeux sur sa manche de chemise. Sonia fait de même. De tempérament joyeux la plupart du temps, le garçon s'efforce de sourire à sa sœur. Cette dernière prend quelques secondes avant de lui rendre son sourire.

— Je ne sais pas si tu es comme moi, mais je prendrais bien une petite liqueur aux fraises, émet Junior.

— Payée ou volée ? lui demande Sonia de but en blanc.

Sa boutade provoque un éclat de rire de la part de Junior. Ce dernier revoit les jumeaux le jour où ils ont volé une caisse de petites bouteilles de boisson gazeuse aux fraises. François et Dominic en avaient tellement bu qu'ils ont eu mal au cœur ; ils n'avaient même pas été capables de souper.

— Payée, voyons ! Même que je te l'offre.

— Si c'est comme ça, j'accepte. En revanche, je peux payer les petits gâteaux au caramel, si tu veux.

— Bien sûr que je veux ! On pourrait aller s'asseoir au parc. Qu'en dis-tu ?

— Allons-y !

Ils se trouvent à quelques minutes de marche du dépanneur le plus proche. Sans s'en rendre compte, ils pressent le pas tous les deux.

— Il faut que tu m'expliques une chose, déclare Junior. Comment se fait-il que tu manges encore des petits gâteaux au caramel alors que tu n'es même plus capable d'avaler une Caramilk ?

— C'est simple ! C'est parce que je les aime trop pour m'en priver.

— Oui mais, si je me fie à la manière dont tu as vanté les petits gâteaux belges…

— Je maintiens mon opinion. Les pâtisseries sont excellentes là-bas, mais tu sais à quel point j'aime le sucré… Eh bien, comme je ne retournerai pas en Belgique avant un bon moment, j'ai décidé de continuer à aimer les petits gâteaux au caramel, car je ne veux pas maigrir à vue d'œil.

— Surtout que tu ne peux pas te permettre de maigrir. Tu n'as que la peau et les os.

— Préférerais-tu que je sois grosse et laide ? Franchement, je m'aime bien comme je suis.

— Tu m'étonnes ! Tu es bien la seule fille de ton âge à être contente de ce qu'elle est. Chaque fois que je dis à Francine que je la trouve belle, elle se dépêche de parler de son microscopique bourrelet, de ses dents qui sont croches, ou encore de ses jambes qui sont un peu trop fines. Alors que je voulais juste lui faire plaisir, je me mets à la détailler à mon tour. Je ne sais pas si un jour j'arriverai à comprendre les femmes. Personne n'est parfait et c'est très bien ainsi. Moi, par exemple, je suis loin d'être taillé au couteau – je pourrais même dire que j'ai quelques livres en trop –, mais je m'aime comme je suis.

— Eh bien, nous sommes deux ! Tu ne dois pas en vouloir à Francine pour son comportement ; toutes mes amies sont comme elle. L'autre jour, j'ai complimenté mon amie Lise. Elle m'a alors débité toute une liste de points qu'elle n'aime pas chez elle. Je l'ai regardée dans les yeux et je lui ai annoncé que c'était le dernier compliment qu'elle recevrait de ma part. Moi, quand un garçon me fait un compliment, je réponds qu'il a parfaitement raison. Certains me trouvent arrogante et trop sûre de moi, mais la majorité éclatent de rire. J'aime me faire dire que je suis belle.

— Si tu n'étais pas ma sœur, moi aussi je te dirais à quel point je te trouve belle !

— Rien ne t'empêche de me louanger de temps en temps, tu sais. Je te promets de ne pas te lancer au visage la liste de mes petites imperfections, tellement minuscules en réalité.

— Non ! Tu finirais par t'enfler la tête. Mais changeons de sujet. Il y a un sacré bout de temps que tu ne m'as pas parlé du voyage que tu dois faire cet été.

— Si je ne t'en parle pas, c'est tout simplement parce qu'il n'y aura pas de voyage. Dans les circonstances, tante Chantal croit que c'est mieux de reporter notre projet à l'an prochain. Elle pense que ce serait trop difficile pour maman.

— Je suis vraiment désolé pour toi.

— C'est gentil. Dans le pire des cas, je me reprendrai l'été prochain. La dernière fois que j'ai vu tante Irma, nous en avons discuté toutes les deux. Elle est d'accord pour laisser passer un peu de temps avant de revenir à la charge auprès de maman.

Sonia ne prend pas les choses aussi facilement que son air détaché le laisse croire. En réalité, elle est furieuse de devoir remettre son voyage en Angleterre, en Irlande et en Écosse, surtout qu'elle avait réussi à amasser tout l'argent nécessaire, grâce à la vente de ses toiles. Parfois, elle en veut à Martin et, à d'autres moments, à sa mère. Parfois, elle se reproche d'être aussi égoïste. Même si elle n'a fait qu'un seul voyage jusqu'à présent, elle souhaitait que celui-ci soit le premier d'une longue série. Les deux semaines passées en Belgique ont nourri son imaginaire à bien des égards. Par exemple, elles lui ont permis d'améliorer sa manière de peindre. Avant, elle évitait d'utiliser le noir et le gris, les trouvant trop tristes et sans éclat ; voilà maintenant qu'elle arrive à les incorporer dans ses toiles de façon très harmonieuse. Le fait de vivre quelques jours dans un pays où tout est gris a contribué à changer sa perception du noir et de toutes ses déclinaisons. Ça lui a permis de voir les choses différemment. D'ailleurs, ses dernières toiles lui ont valu un appel non seulement de monsieur Laprise, mais du père d'Antoine également. Ce dernier l'a encouragée à poursuivre dans cette direction : « Tu es en train de trouver ton style. Ne lâche pas. » La dernière fois qu'elle l'a vu, il lui a dit qu'il réservait une de ses toiles pour l'exposition de juin. La première fois qu'une telle chose est arrivée à Sonia, sa mère était folle de joie et ne cessait de l'encenser. Cette fois, c'est à peine si elle a levé la tête de ses timbres-primes pour la féliciter.

— Est-ce que ça signifie que maman n'est pas au courant de votre projet de voyage ? demande Junior.

— C'est exact. On avait prévu de lui en parler à Noël. Avec ce qui est arrivé à Martin, inutile de te dire qu'on n'a pas abordé le sujet. C'est de loin le Noël le plus triste que j'ai vécu de toute ma vie.

— Tu as bien raison. Même quand on est allés à Jonquière, c'était triste. En plus, grand-papa n'en menait pas large. Je n'ai pas hâte qu'il meure.

— Moi non plus, mais on ne peut pas faire grand-chose. Hier soir, papa a discuté avec tante Madeleine au téléphone. D'après moi, grand-papa ne doit plus en avoir pour très longtemps. Quand papa a raccroché, il avait les larmes aux yeux.

— L'autre jour, j'ai entendu maman lui lancer : « Si tu attends trop pour lui dire que tu l'aimes, tu vas le regretter le reste de ta vie. »

— Et alors ?

— Je n'en sais pas plus. J'ignore si c'est la même chose pour toi, mais j'ai trop de doigts sur une main pour compter le nombre de fois où papa m'a dit qu'il m'aimait.

— C'est pareil pour moi. Mais il me le dit de toutes sortes d'autres manières : quand il me défend auprès de maman, qu'il me serre dans ses bras parce que j'ai de la peine, qu'il fait la vaisselle à ma place pour me permettre d'aller chez Lise. Et aussi, lorsqu'il déclare que mon Jell-O était très bon.

— Avoue que c'est difficile de manquer un Jell-O !

— C'est vrai, mais pour moi c'est comme s'il me disait qu'il m'aime. Quand il s'assoit avec toi pour apprendre à jouer de la guitare, c'est sa manière d'exprimer son amour pour toi.

Junior regarde sa sœur et lui sourit.

— Je ne voudrais pas avoir une autre sœur que toi.

La seconde d'après, il l'embrasse sur la joue. Il s'exclame ensuite :

— En tout cas, moi, ça ne me gêne pas de te dire à quel point je t'aime !

Il passe son bras autour des épaules de Sonia et lui ouvre la porte du dépanneur. Quand ils ressortent du commerce, ils tiennent chacun une bouteille de boisson gazeuse aux fraises et un sachet de petits gâteaux au caramel. Ils prennent ensuite la direction du parc.

# Chapitre 2

Assis au pied d'un arbre, leurs vélos bien en vue, les jumeaux ne sont pas pressés de rentrer à la maison. En fait, ils viennent de décider de faire un test pour voir si leur mère va réagir. Il n'y a pas si longtemps, il suffisait qu'ils arrivent quelques minutes en retard pour subir les foudres de Sylvie alors que, désormais, elle se contente de leur dire qu'elle va leur acheter une montre – ce qu'elle n'a pas encore fait. Ils n'aiment pas se faire réprimander, mais entre avant et maintenant, le contraste est trop grand ; ils ne comprennent pas pourquoi les choses ont tant changé. Ils ont l'étrange impression de ne plus être importants pour leur mère – pas plus que pour leur père, d'ailleurs. Leurs mauvais coups passent tous dans le beurre. Personne n'en parle, pas même leurs frères ou leur sœur. Pire que ça, leurs derniers bulletins, pourtant catastrophiques, leur ont juste valu un petit commentaire du genre : « Vous allez devoir vous reprendre en main. »

— C'est vraiment une excellente idée ! lance Dominic. Il nous reste juste à trouver de la craie.

— Pas besoin : j'ai tout ce qu'il faut ! répond fièrement François. Regarde.

Le sourire fendu jusqu'aux oreilles, ce dernier sort une grosse poignée de craies de couleur de sa poche de pantalon. Dominic le regarde avec de grands yeux.

— Wow ! Des craies de couleur, c'est encore mieux. Où les as-tu eues ?

— Où veux-tu que je les aie prises ? À l'école, voyons ! rétorque François en haussant les épaules. Cet après-midi, je suis sorti de la classe pendant qu'on faisait des exercices de mathématiques. Tu ne t'en souviens pas?

Avant même que son frère ait le temps de réagir, François poursuit:

— En levant la tête pour réfléchir, j'ai vu qu'il restait seulement un tout petit bout de craie sur le bord du tableau. J'ai saisi l'occasion. Je me suis dépêché de finir mes exercices, et j'ai ensuite offert à notre maîtresse d'aller lui chercher des craies dans la réserve. Comme tu peux voir, je me suis servi en même temps.

— Ça va être bien plus beau qu'avec de la craie blanche. On devrait en avoir assez pour faire les autos de tous nos voisins et celle d'oncle Paul-Eugène et de tante Chantal.

— Les quatre roues, à part ça! s'écrie joyeusement François. Comme prévu, on va se lever plus tôt demain matin afin de faire notre coloriage. Ça ne devrait pas être long.

— Il faudrait qu'on soit revenus avant que Junior parte faire sa ronde de journaux. Comme ça, on n'éveillera pas les soupçons.

— Il va falloir prévoir une gâterie pour Prince 2. Sinon, il va vouloir venir avec nous. J'imagine déjà la tête des gens quand ils vont voir que les roues de leur auto ont été colorées à la craie.

— On pourrait faire une roue de chaque couleur…

— C'est une bonne idée. Je suis sûr que la moitié des personnes ne s'apercevront de rien jusqu'à ce que quelqu'un le leur fasse remarquer à leur travail. J'aimerais bien être un petit oiseau pour voir ça!

— Est-ce qu'on va faire les roues de l'auto de papa? demande Dominic.

— Oui, sinon il va se douter que c'est nous qui avons fait le coup.

— Alors, il ne faudrait pas s'occuper de l'auto de tante Chantal.

— Tu as raison, étant donné qu'elle n'habite pas dans la même rue que nous.

— Bon, c'est l'heure de rentrer. J'espère que Luc ne nous en veut pas trop de ne pas l'avoir emmené avec nous…

— À moins qu'il se soit tapé une crise d'asthme pour attirer l'attention de maman.

— Ouais! C'est son genre ces temps-ci, gémit Dominic. Il faudrait qu'on téléphone à grand-maman pour lui demander si on va pouvoir aller la voir cet été.

— Il n'est pas question qu'on n'y aille pas. On a bien trop de plaisir avec nos cousins.

— Mais si grand-papa Adrien meurt…

— Je suis certain que grand-maman va vouloir qu'on aille la voir, elle nous aime tellement. Et grand-papa va peut-être guérir, on ne sait jamais.

* * *

Pendant ce temps, à la maison, Sylvie s'affaire à préparer le souper. D'une main assurée, elle lisse la purée de patates sur le pâté chinois avec un couteau à beurre. Puis, elle ajoute quelques flocons de persil séché ici et là sur le dessus et se dépêche de mettre le plat au four. Elle a eu beau faire vite, pour une rare fois, ils ne pourront pas manger à cinq heures; ils souperont plutôt à cinq heures et quart. Il faut à présent qu'elle fasse un dessert. Elle réfléchit quelques secondes seulement. Elle prend deux boîtes de pouding à la vanille dans l'armoire, sort une pinte de lait, un plat, une tasse à mesurer et la mixette. Une fois le tout mélangé, elle place rapidement le pouding au réfrigérateur. Il aura tout juste le temps de prendre. Elle sortira une boîte de gros biscuits Viau pour l'accompagner et tout le monde sera content. Elle n'avait pas prévu revenir aussi tard. Au départ, elle devait seulement aller faire l'épicerie, ce qui lui aurait laissé largement le temps de tout faire et même de répéter ses chansons. Mais alors qu'elle se garait dans le stationnement du Metro, à son grand étonnement, sa sœur Chantal a stationné son auto juste à côté de la sienne. Comme les deux sœurs ne s'étaient pas vues depuis plusieurs jours parce que Chantal était en voyage, elles sont allées prendre un café au petit restaurant à côté du supermarché. Elles ont parlé sans se soucier de l'heure jusqu'à ce que Sylvie réalise qu'il était presque trois heures. En se dépêchant, elle avait à peine le temps de faire l'épicerie. Elle a eu envie de remettre la corvée au lendemain, mais il ne restait plus grand-chose dans le réfrigérateur pour préparer le souper. Ce n'est pas rare qu'il n'y ait plus rien à manger le jeudi midi, à l'exception de quelques boîtes de sardines et de Paris Pâté. Quand elle est mal prise, Sylvie peut faire des miracles avec deux petites boîtes de conserve, mais ce n'est pas l'idéal.

Échanger avec sa sœur lui a fait beaucoup de bien. Sylvie aimerait être aussi sage que Chantal. Comme chaque fois qu'elles se voient, elles ont parlé de Martin. Mais aujourd'hui, la conversation a pris une tout autre tournure. Au lieu d'écouter Sylvie s'apitoyer sur son sort comme elle a l'habitude de le faire, d'une certaine façon, Chantal lui a fait la morale. Elle lui a dit qu'il était grand temps qu'elle se prenne en main, qu'elle n'avait pas le droit de passer le reste de sa vie à se lamenter car son attitude n'aide en rien le reste de la famille. Mais ce qui a le plus bouleversé Sylvie, c'est quand Chantal a ajouté qu'il était urgent qu'elle réagisse si elle ne voulait pas perdre d'autres enfants.

— Ne dis pas ça, a-t-elle lancé d'une voix sourde. C'est déjà assez terrible. Je ne sais même pas si je vais pouvoir m'en sortir un jour.

Chantal a posé ses mains sur celles de sa sœur et a murmuré :

— Je ne plaisante pas. Observe tes six autres enfants et ton mari et tu vas voir à quel point ils sont perdus sans toi. Tu n'as pas le droit de les abandonner comme tu le fais.

— Mais je ne les ai pas abandonnés ! Je m'occupe de tout comme avant.

— C'est vrai que tu fais tout pour eux, mais pas comme avant. Tu es comme un robot. Tu leur fais à manger. Tu laves leurs vêtements. Tu leur parles. Mais tu n'es pas là. Tu es quelque part ailleurs, en train de pleurer Martin. Il va falloir que tu te fasses à l'idée qu'il ne reviendra pas, même si tu le pleures jusqu'à la fin de tes jours. Sa mort est injuste, c'est vrai. Toute mort est injuste quand on aime quelqu'un, mais ni toi ni moi n'y pouvons rien changer. Tu n'as pas le droit de penser seulement à toi. Tu n'es pas seule au monde, tu as six autres enfants qui attendent que tu refasses enfin surface. Je suis certaine que c'est ce que Martin aurait souhaité. Tu devrais aller voir ton médecin.

— Pour qu'il me donne des pilules ?

— Si c'est tout ce qu'il te faut pour reprendre ta vie en main…

— Non merci ! Je refuse d'avaler des pilules pour engourdir mon mal.

— C'est toi qui le sais. L'important, c'est que tu prennes les bons moyens pour t'en sortir. Même papa est inquiet pour toi. Il m'en a encore parlé la dernière fois que je l'ai vu.

Sylvie n'a pas cessé de s'essuyer les yeux pendant tout le temps qu'elle a fait l'épicerie. Pour une fois, elle aurait aimé pouvoir cacher sa peine derrière une paire de lunettes, mais elle n'en porte pas. Et elle a laissé ses verres fumés dans l'auto. Chantal a raison : il faut qu'elle se reprenne en main. Toutefois, c'est plus facile à dire qu'à faire. Sylvie essaie depuis des mois, mais elle n'y arrive pas. Alors qu'elle attendait à la caisse, une idée a réussi à se frayer un chemin à travers sa peine. Elle va aller voir Lionel, le mari de tante Irma. Elle a souri malgré elle : elle va aller rencontrer un ancien curé, elle qui les a pourtant en horreur. Mais Lionel est différent. Et elle a confiance en son jugement. Elle va lui téléphoner.

* * *

Lorsqu'ils se mettent à table, Luc n'est pas encore rentré.

— Est-ce que vous savez où est Luc ? demande Sylvie aux jumeaux.

— Non, répond François. Il n'est même pas revenu de l'école avec nous.

— Ce n'est pas dans ses habitudes de traîner en chemin, commente Michel. Il n'est pas dans sa chambre ?

— Non, dit Junior. Je ne l'ai pas vu depuis que je suis revenu de l'école.

Michel se lève de table.

— Je vais aller voir dehors. Il ne doit pas être bien loin.

— Je viens avec toi, lance Sonia en rejoignant son père. J'ai une petite idée de l'endroit où il peut être.

— En tout cas, j'espère qu'il n'est pas en train de faire une autre crise d'asthme, intervient Sylvie. Je vais téléphoner chez son meilleur ami. Luc a peut-être juste oublié d'appeler pour m'avertir.

L'absence de Luc bouleverse Sylvie ; elle l'inquiète aussi. Depuis le décès de Martin, le garçon collectionne les crises d'asthme. Il a même été hospitalisé à deux reprises – une fois au retour de Jonquière pendant les Fêtes et une autre le mois dernier alors que la maison était pleine de monde pour fêter l'anniversaire du père de Sylvie.

Plutôt que de continuer à manger, tout le monde a déposé sa fourchette, ce qui étonne Sylvie.

— Vous ne l'aimez pas mon pâté chinois ? s'enquiert-elle d'un ton faussement détaché.

— Ce n'est pas ça, répond Dominic. C'est juste que j'aime mieux attendre que Luc soit là pour manger.

C'est la seule réponse que Sylvie reçoit à sa question. Sans réfléchir, elle plonge sa fourchette dans son pâté chinois et soulève une montagne de viande, de maïs en crème et de patates pilées avant de porter le tout à sa bouche. Surpris, les jumeaux la regardent.

— Maman, comment fais-tu pour manger alors qu'on ne sait même pas où est Luc ? demande François.

— Tout ce que je sais, c'est qu'il faut absolument que je fasse quelque chose si je ne veux pas me mettre à pleurer. Alors, manger va m'occuper. Quand j'aurai pris quelques bouchées, je vais téléphoner à son ami.

— Je pense que je vais faire comme toi, décide Junior.

— Moi aussi ! Moi aussi ! s'écrient en chœur les jumeaux.

* * *

Une fois dehors, Sonia déclare à son père :

— Suis-moi. Je mettrais ma main au feu que Luc est allé se réfugier dans le cabanon de tante Chantal.

— Le cabanon de Chantal ? Pourquoi là ?

— Parce que c'est comme une petite maison. Il y a une table et des chaises, et des livres aussi. Il y a même un La-Z-Boy. Il s'est peut-être endormi.

— Je ne comprends pas pourquoi ta tante met toutes ces choses dans son cabanon. Et sa tondeuse ? Sa pelle ? Où les range-t-elle ?

— Ne t'inquiète pas, ces objets sont dans l'autre partie. C'était la maison de catinage des filles des anciens propriétaires. Tante Chantal trouvait ça tellement mignon qu'elle n'a rien changé.

— Tu es mieux informée que moi, j'ignorais tout ça. Il est vrai que je n'ai jamais visité le cabanon. J'aimerais bien savoir pourquoi Luc n'est pas rentré.

— Tu n'auras qu'à le lui demander quand on le retrouvera.

— On peut dire que notre famille s'est déjà portée mieux.

— Oui, répond Sonia en haussant légèrement les épaules. J'imagine qu'après ce qui est arrivé à Martin, c'est un peu normal.

— Tu es bien gentille, ma belle fille, mais je ne suis pas d'accord avec toi. Je pense qu'il est grand temps que ça change. Il faut qu'on se ressaisisse et vite.

Les voilà maintenant devant la maison de Chantal. Ils ne prennent pas le temps d'aller saluer cette dernière. Ils filent dans la cour arrière. Sonia arrive la première au cabanon. Elle ouvre la porte. La lumière de la fin de journée entre dans la petite pièce et l'éclaire suffisamment pour qu'elle aperçoive Luc endormi dans le La-Z-Boy.

— Papa ! Papa ! s'écrie-t-elle. Il est ici.

Réveillé en sursaut, Luc ouvre les yeux. Quand il voit son père et sa sœur, il se met à pleurer. Pas besoin d'être devin pour voir que ce ne sont pas les premières larmes qu'il verse aujourd'hui ; il a les yeux aussi bouffis qu'une grenouille. Michel s'avance jusqu'à son fils. Il lui passe une main dans les cheveux et lui dit, la voix remplie d'émotion :

— Viens, mon garçon. Tout le monde t'attend à la maison.

— J'aime mieux rester ici, tout seul.

— Mais tu ne peux pas rester ici. Tu as une maison, une famille. Viens !

— Laisse-moi tranquille. Je n'ai même plus de vraie famille.

— Ou tu me suis de ton plein gré, ou je te prends dans mes bras. C'est à toi de choisir. En arrivant à la maison, on va téléphoner à Alain pour lui dire de venir nous trouver et on va se parler. On ne peut pas passer le reste de notre vie à pleurer Martin. Là, c'est assez !

# Chapitre 3

Assis derrière le comptoir, Michel profite de ses premières minutes de répit depuis le début de la journée pour lire le journal. Dans l'arrière-boutique, Fernand s'affaire à retaper une vieille table de cuisine en érable. Depuis qu'ils offrent un service de restauration de vieux meubles, leur clientèle a pratiquement doublé. Le plus beau dans l'affaire est que cette activité rapporte pas mal, même s'ils se font dire régulièrement que leurs prix sont vraiment honnêtes. L'autre jour, un client de Westmount a insisté pour payer le double du montant demandé afin de s'assurer d'un travail de qualité. Michel a eu beau lui expliquer qu'ils offraient la meilleure qualité, le client n'a rien voulu entendre. À bout d'arguments, Michel a fini par accepter l'argent. Quand il est allé voir Fernand pour lui expliquer le travail à faire, il s'est permis d'insister sur le fait que le meuble devait être impeccable. Son ami a riposté d'un ton sec et bourru :

— Depuis le nombre d'années qu'on se connaît, Pelletier, tu devrais savoir que je donne toujours un service impeccable. Dans mon livre à moi, tout travail qui mérite d'être fait mérite d'être bien fait. Retourne dans le magasin et laisse-moi travailler tranquille.

Fernand était tellement offusqué par la remarque de Michel qu'il lui a fait la tête jusqu'au moment de la fermeture. Michel lui a alors expliqué pourquoi il avait fait une telle recommandation et il s'est excusé. Fernand adore redonner un peu de pimpant aux vieux meubles. Il n'a qu'une idée en tête : leur permettre de se réapproprier leurs lettres de noblesse comme à leur premier jour. Cela ne le fatigue pas de poncer un dessus de bureau pendant des heures. Tant qu'il sent une petite imperfection sous ses doigts, il poursuit son travail. Son amour des vieux meubles lui vient de sa grand-mère maternelle. Quand il était jeune, il allait passer ses vacances d'été chez elle, dans Charlevoix. Elle habitait au fond d'un rang dans le petit village de Saint-Irénée. Elle avait hérité de l'ameublement de sa belle-mère et elle en prenait soin comme s'il s'agissait du plus beau trésor. Celui-ci recelait de très belles pièces. Sa grand-mère aimait tellement les antiquités qu'à force de poser des questions à gauche et à droite, elle avait fini par acquérir toutes les connaissances relatives à ses meubles. Qui les avait fabriqués, en quelle année, avec quel bois, quelle était leur valeur… Elle savait aussi reconnaître différentes essences de bois. Quand Fernand débarquait chez elle, elle lui montrait tout ce qu'elle avait appris depuis sa dernière visite. Passer du temps avec sa grand-mère le rendait heureux. Chaque fois, il réalisait avec elle un projet de restauration d'un vieux meuble. Sa grand-mère adorait chercher des trésors au fond des granges. Dotée d'un flair hors du commun, elle voyait ce qui se cachait sous les multiples couches de peinture de toutes les couleurs et les nombreuses marques sur le bois. Elle dénichait des petites merveilles qu'elle achetait pour une bouchée de pain ; il lui arrivait même de se les faire donner. Il fallait voir son sourire quand elle montrait à son petit-fils le meuble auquel ils allaient redonner sa beauté originale. Plus souvent qu'autrement, Fernand le regardait avec dédain. Mais les années lui avaient appris que le vilain petit canard se transformerait bientôt en un magnifique cygne sous les mains agiles de sa grand-mère. Avec le temps, la passion de sa grand-mère est devenue la sienne aussi. Il attendait avec impatience le moment de prendre l'autobus pour se rendre à Saint-Irénée afin de poursuivre son apprentissage.

Un jour, il s'en souvient comme si c'était hier, sa mère a reçu un appel. Sa grand-mère venait de mourir. Dans la famille, c'est Fernand qui a été le plus affecté par la disparition de la vieille femme. À force d'insistance, il a réussi à récupérer quelques-uns des meubles de sa grand-mère ; il garde jalousement ceux-ci dans son garage, à l'exception d'une petite table de chevet que sa femme a placée dans la chambre des garçons. Autant il apprécie les antiquités, autant sa femme les déteste – et le mot est faible. Chaque fois qu'il a essayé de la convaincre de remplacer un meuble moderne par l'une des antiquités de sa grand-mère, il s'est fait retourner comme une crêpe. Il y a des jours où il pense sérieusement à vendre ses vieux meubles à la boutique de Michel et de Paul-Eugène. En plus d'en tirer un bon prix, il pourrait libérer son garage, ce qui lui permettrait d'y ranger son auto. Ses pièces ont tellement de valeur, du moins à ses yeux, qu'elles pourraient contribuer à la notoriété du commerce. Un jour, il passera à l'acte, mais pour le moment il n'est pas encore prêt à se séparer de ses antiquités. Peut-être parce qu'il aurait l'impression de trahir la mémoire de sa grand-mère…

Michel n'a pas encore fini de lire la une sur les premiers jours de Pierre Elliott Trudeau comme premier ministre du Canada qu'il entend tinter le carillon de la porte. Un homme solide dans la jeune quarantaine avance jusqu'à lui et le salue.

— Bonjour, dit Michel. Cherchez-vous quelque chose en particulier ?

— Je m'intéresse aux arts martiaux et aux armes japonaises, particulièrement aux sabres. J'aimerais savoir si vous pourriez m'en dénicher quelques-uns.

Michel réfléchit quelques secondes avant de répondre.

— Je veux bien essayer, mais je doute fort qu'il y ait beaucoup d'armes japonaises par ici.

— Vous risqueriez d'être surpris. N'oubliez pas que de nombreux Québécois sont allés se battre au Japon pendant la Deuxième Guerre mondiale. Plusieurs ont sûrement rapporté leurs sabres avec eux.

— Vous êtes sérieux ?

— Oui. Alors, croyez-vous pouvoir m'en trouver quelques-uns ? insiste le client.

— Je veux bien tenter le coup, mais je ne peux rien vous promettre. Vous savez, je traite plus souvent qu'autrement avec des femmes.

— C'est encore mieux, car la majorité d'entre elles ne portent aucun attachement aux armes, encore moins à celles qui ont servi à faire la guerre. Je vais vous laisser mon nom et mon numéro de téléphone. Vous n'aurez qu'à m'appeler quand vous en aurez trouvé.

— Parfait. Mais je n'ai aucune idée de ce que ça peut valoir, ni pour les acheter, ni pour les vendre.

— Faites comme pour tout ce que vous achetez, répond le client avec une pointe d'humour. Moins vous allez les payer cher, plus vous allez faire d'argent.

— Ouais, vu de même, vous avez raison! Mais comment je saurai qu'il s'agit d'un sabre authentique?

C'est la première fois que Michel reçoit une telle demande. Il n'est pas contre l'idée de satisfaire son client, bien au contraire, mais pour ça, il a besoin d'en connaître un peu plus pour savoir ce qu'il doit chercher.

— Vous pourriez faire un saut dans l'un des salons qui achètent le matériel militaire. Il va justement y en avoir un à la fin du mois à Montréal. Ils vont sûrement en parler dans les journaux en fin de semaine. Je ne peux pas vous dire grand-chose, à part qu'un sabre est une sorte d'épée et que les motifs peuvent varier. Tous les sabres sont fabriqués avec un métal de grande qualité. En réalité, vous n'avez pas besoin d'être un connaisseur. En demandant si quelqu'un est allé se battre au Japon, vous allez tout de suite savoir si l'arme est japonaise. Avez-vous de quoi écrire?

Michel lui tend un papier et un crayon. Sitôt ses coordonnées inscrites, l'homme salue son interlocuteur et se dirige d'un pas rapide vers la porte. Au moment où il va refermer celle-ci, Michel lui crie :

— Attendez, ça me revient maintenant. Je crois bien que j'ai ce que vous cherchez. Laissez-moi le temps de trouver dans quel tiroir j'ai rangé l'objet. Je n'ai jamais osé l'exposer.

Au bout de quelques minutes, Michel brandit fièrement un sabre.

— Je peux même vous dire dans quelle maison je l'ai trouvé. Je m'en souviens parce que j'ai hésité avant de le prendre. En fait, la dame m'a un peu forcé la main, car elle voulait s'en débarrasser à tout prix. Je croyais que personne ne voudrait acheter ça. Regardez-le et dites-moi ce que vous en pensez.

Dès qu'il aperçoit le sabre, l'homme sourit. Il le prend dans ses mains et passe doucement ses doigts sur la lame, comme s'il caressait la plus délicate des étoffes. Il examine l'arme sous toutes ses coutures. Il la tourne et la retourne délicatement. Michel l'observe du coin de l'œil. Il ne comprend pas trop l'intérêt de posséder un vieux sabre, mais les goûts ne se discutent pas. On aime ou on n'aime pas quelque chose, et on n'a pas besoin de justifier ses préférences.

L'homme lève la tête.

— Ce sabre est en plein ce que je cherche. Combien en demandez-vous ?

— Laissez-moi vérifier. J'ai sûrement inscrit le prix quelque part.

Michel ouvre le petit tiroir de son bureau et en sort une pile de papiers. Au bout d'un moment, il met la main sur ce qu'il cherchait. Il laisse tomber d'une voix incertaine :

— Vingt dollars.

— Je vous en offre le double si vous promettez de m'en fournir d'autres.

Michel ne comprend pas pourquoi son client tient à payer plus cher. Il va falloir qu'il en parle avec Paul-Eugène. C'est bien beau de faire des bons prix, mais il serait peut-être temps qu'ils revoient leurs prix à la hausse.

— Comme je vous l'ai déjà dit, tout ce que je peux vous promettre, c'est de chercher. Si je trouve d'autres sabres japonais, je vous téléphone.

L'homme tend deux billets de 20 dollars à Michel. Il salue celui-ci et sort du magasin, son trésor à la main.

Il est près de cinq heures quand Michel peut enfin terminer la lecture du journal. Que Pierre Elliott Trudeau soit désormais le premier ministre du Canada ne l'enchante guère ; c'est la même chose pour un bon nombre de Québécois, d'ailleurs. Mais quand on fait partie de la minorité, on est souvent obligé de faire avec ce que la majorité décide. Comme tout bon politicien, Trudeau promet mer et monde aux Canadiens, anglophones et francophones, ce qui est loin d'être une garantie. Les politiciens sont tellement peu nombreux à tenir leurs promesses. « Enfin, on verra bien à l'usage ! »

Michel regarde sa montre, puis il va verrouiller la porte. Après avoir compté les recettes de la journée, il va enfin pouvoir rentrer chez lui. S'il ne lambine pas, il devrait être à la maison à cinq heures trente. Ce soir, s'il se souvient bien, tante Irma et Lionel sont supposés venir jouer aux cartes. Si on lui avait dit qu'un jour il jouerait à la poule avec une sœur et un curé défroqués, il aurait ri. Pourtant, c'est ce qu'il fait de plus en plus souvent et, pour être honnête, ça lui plaît beaucoup. À partir du jour où tante Irma est venue au magasin avec deux de ses amies, sa perception de la tante de Sylvie a commencé à changer. Il y a eu ensuite la soirée diapositives sur la Belgique et, pour finir, l'annonce du mariage d'Irma avec Lionel.

Michel n'approuve pas que les religieux défroquent – il est loin de penser comme Sylvie à ce chapitre –, mais il peut comprendre, du moins en partie, ce qui pousse une religieuse ou un curé à vouloir quitter la vie religieuse. Quand il observe la tante Irma et Lionel, il songe qu'ils ont bien fait. Ils sont si bien ensemble qu'il aurait été dommage de les priver de ce bonheur que peu de gens mariés de leur âge ont la chance de connaître.

Alors qu'il dépose les recettes de la journée dans une enveloppe, Fernand fait son entrée. Surpris, Michel lance :

— Je croyais que tu étais déjà parti.

— Tu sais bien que je ne pointe jamais avant l'heure… Et puis, je serais incapable de partir sans au moins te saluer. Si tu as une minute, j'aimerais te montrer le meuble de ton client capricieux. Je pense qu'il va être content.

— Je ne suis même pas inquiet. Comme dirait ma mère, tu as des doigts de fée.

— Viens plutôt constater par toi-même au lieu de dire des niaiseries. Et bonne nouvelle : j'ai fait le travail en moitié moins de temps que ce que j'avais prévu.

— Et tu oses me dire que tu es content ! plaisante Michel.

La réaction de Fernand ne se fait pas attendre. Voyant qu'il est sur le point de rugir, Michel se dépêche d'ajouter :

— Ne monte pas sur tes grands chevaux, je te taquinais. Il me semble que tu es plus susceptible que d'habitude ces temps-ci, mon Fernand. Est-ce que je me trompe ?

— Pas vraiment, répond-il. Ma femme aussi me dit que j'ai la mèche courte. Le pire, c'est que je ne sais même pas pourquoi. Bon, viens voir. Je ne pourrai pas traîner longtemps, on reçoit de la visite pour souper.

Quand Michel voit la crédence, il reste sans mot. Il regarde le meuble sous tous ses angles. Fernand lui demande :

— Alors, qu'en penses-tu ?

— C'est de l'excellent travail ! À cause de toi, je commence à aimer les antiquités au point que je pense en acquérir pour décorer ma maison. Il me reste juste à convaincre Sylvie. Je veux absolument être là quand le client va venir chercher sa crédence.

— Si tu es d'accord, j'aimerais être là moi aussi.

— Je suis sûr que ça peut s'arranger. Je vais laisser une note à Paul-Eugène lui demandant d'appeler le client et de lui donner rendez-vous jeudi soir. Est-ce que ça te convient ?

— Pas de problème. C'est déjà prévu que je vienne travailler ce soir-là.

— Au risque de me répéter, je peux te dire que je suis vraiment content que tu travailles avec nous.

— Justement, je voulais te parler de quelque chose. Je pense sérieusement à quitter mon emploi pour me consacrer à la restauration de vieux meubles. Mais avant, je veux savoir si tu penses être capable de me fournir assez de travail.

Michel se frotte le menton.

— Je voudrais bien te dire oui, mais je ne peux pas te le garantir pour le moment. Je ne voudrais surtout pas que tu t'en prennes à moi si les affaires chutent à un moment donné. C'est certain que je vais faire l'impossible pour te trouver des meubles à restaurer, mais c'est tout ce que je peux te promettre.

— Mais si je suis prêt à courir le risque…

— Si c'est toi qui prends la décision et que tu promets de ne pas m'en vouloir si jamais les choses tournent mal, je serais bien bête de refuser. Chaque meuble auquel tu refais une beauté parle en ta faveur. Si tu es d'accord, on pourrait s'asseoir avec Paul-Eugène et, ensemble, voir ce qu'on peut faire pour que tout le monde y trouve son compte. Si on faisait toujours des journées comme aujourd'hui, on pourrait travailler ici à temps plein tous les trois et ça ne m'inquiéterait pas le moins du monde.

— OK. Bon, il faut que j'y aille.

— Avant que tu partes, dis-moi donc une chose. Ta femme serait-elle d'accord pour que tu laisses ton emploi ?

— Pour être franc, je ne lui en ai pas encore parlé. J'ai décidé que j'étais assez vieux pour prendre cette décision tout seul. L'important pour elle, c'est que je rapporte autant d'argent qu'avant. Pour le reste, ça ne regarde que moi.

Fernand se dirige vers la porte. Avant de tourner la poignée, il se retourne et ajoute :

— Aujourd'hui, j'ai eu une idée. J'ai pensé que je pourrais aussi reproduire des meubles anciens, mais on s'en reparle. Là, il faut vraiment que j'y aille. On se voit lundi ! Salut !

Certains jours, Michel trouve que les choses vont trop vite. Voilà maintenant que Fernand veut quitter son emploi, tout comme l'a fait Paul-Eugène. Michel les trouve bien courageux de vouloir se lancer dans le vide alors que lui, il est plutôt du genre prudent. Pourtant, Paul-Eugène a eu raison de faire le saut. Quelques mois ont suffi pour qu'il retrouve le salaire qu'il faisait dans le domaine de la construction. Comme son beau-frère se plaît à le dire, les risques de chute sont quasiment inexistants ici, à moins de tomber en bas de ses talons – ce qui laisse de fortes chances de survie. L'autre jour, Paul-Eugène a confié à Michel à quel point il aimait sa nouvelle vie. Le simple fait de ne pas vouloir aller se coucher au plus vite quand il rentre à la maison comme c'était le cas quand il travaillait dans la construction, surtout les jours d'hiver, est une vraie bénédiction pour lui. Quand il avait passé la journée à geler en haut d'un échafaud, son passage brusque à la chaleur avait pour effet de le ramollir au point qu'il bâillait parfois jusqu'à ce qu'il se décide enfin à aller dormir. Après le souper, c'était encore pire. Désormais, quand il rentre, il trouve même la force de faire de la course à pied trois fois par semaine et cela ne lui demande pas de très gros efforts. Au contraire, ça lui permet d'avoir encore plus d'énergie. Paul-Eugène n'aurait jamais pensé qu'un jour il prendrait tant de plaisir à courir.

Michel met son manteau ; le temps est encore frais pour cette fin d'avril. Hier, il a neigé à plein ciel alors que le jour de Pâques les femmes ont porté leur chapeau de paille et leurs nouvelles chaussures de couleur à la messe. La température au Québec est ce qu'il y a de moins stable – après la politique, évidemment. Plus souvent qu'autrement, elle se promène d'un extrême à l'autre sans aucun avertissement. Michel a déjà eu droit à une tempête de neige dans le parc des Laurentides en plein cœur du mois de juin. Quand il a raconté ça à ses collègues de travail, personne ne l'a cru. Il s'est contenté de hausser les épaules et de sourire. Il faut être né au nord pour savoir qu'il peut neiger en juin et même encore plus loin dans l'été. Chaque fois que ça arrive, on se dit qu'on doit sûrement rêver… surtout quand notre auto est chaussée de pneus d'été. Il y a des rêves éveillés auxquels seul le rêveur lui-même peut croire.

Michel sort du magasin et prend la direction de la maison. Même s'il est affamé, il va prendre le temps de boire une bonne Dow avant de manger. Et ce soir, il a bien l'intention de battre tante Irma aux cartes !

# Chapitre 4

— Vos divans sont tellement confortables, déclare Sonia en se laissant glisser sur l'un d'eux, que ça donne envie de se mettre à son aise.

— Tu prétendrais le contraire que je ne te croirais pas ! plaisante tante Irma. Tu n'es pas assise, tu es avachie, comme aurait dit mon ancien professeur de bienséance. Si tu ne veux pas avoir de problèmes de dos plus tard, il vaudrait mieux que tu t'asseyes comme il faut.

— Non ! s'écrie Sonia d'un ton plein de reproches. Je rêve ou vous êtes en train d'essayer de m'influencer pour que j'accepte de suivre les cours de personnalité que maman essaie désespérément de m'imposer ? Je savais bien qu'elle chercherait à me convaincre par tous les moyens.

C'est plus fort qu'elle, Chantal éclate de rire. Tante Irma et Sonia la regardent avec étonnement. Chantal rit tellement à présent qu'elle en pleure.

— Vas-tu finir par nous dire ce qui te réjouit autant ? demande Sonia. Moi, je suis loin de trouver ça drôle.

Voilà que Chantal repart de plus belle, qu'elle a même le hoquet. Elle voudrait bien expliquer ce qui la fait tant rire, mais elle n'y arrive pas. Chacune de ses tentatives pour reprendre son souffle est immédiatement suivie d'un nouvel éclat de rire.

— On va parler d'autre chose en attendant qu'elle revienne à elle, suggère tante Irma. Tu la connais, quand elle se bidonne comme ça, elle ne trouve plus le tour d'arrêter. Et si tu me parlais d'Antoine, ma belle fille ?

Les yeux de Sonia s'illuminent instantanément. Alors qu'elle croyait ne plus jamais être capable d'aimer, l'amour s'est installé entre Antoine et elle sans qu'elle s'en rende vraiment compte. Un beau jour, elle a rêvé à son amoureux. Quand elle s'est réveillée, elle a senti une intense chaleur dans son ventre, une sensation de totale plénitude. Ce jour-là, elle a su qu'elle l'aimait comme elle n'avait jamais aimé Langis et Normand. Avec Antoine, tout coule de source. Ils aiment la même musique. Ils aiment aller voir des pièces de théâtre, et aussi visiter des galeries d'art. Ils peignent tous les deux et ils veulent devenir comédiens. Une chose est certaine, en tout cas : sortir avec Antoine est beaucoup plus facile qu'avec ses deux premiers amoureux. Selon leurs projets du moment, Antoine ou elle sautent dans le métro et le tour est joué. Sa relation avec lui est aussi synonyme de liberté pour Sonia, ce qui vaut de l'or pour la jeune fille. Elle peut aller et venir à sa guise dès qu'elle mentionne le nom d'Antoine, ce qui fait vraiment suer son amie Lise qui subit toujours la surveillance étroite de ses parents.

Michel et Sylvie adorent Antoine et le jeune homme le leur rend bien. Chaque fois qu'il vient manger chez Sonia, il ne manque jamais d'offrir de l'aide à Sylvie – ce qui fait très plaisir à cette dernière. Même si elle se garde bien d'émettre des commentaires, Sonia voit bien que sa mère affectionne particulièrement son amoureux. Comme Antoine adore regarder jouer les Canadiens, il s'intéresse particulièrement à Maurice Richard – comme tous les membres de la famille Pelletier, d'ailleurs. Il n'est pas rare qu'il demande à Sonia s'il peut venir écouter la partie de hockey chez elle le samedi soir. Au début, elle trouvait ça bizarre, mais elle a vite compris pourquoi. Antoine est fils unique et son père déteste le hockey. De plus, il s'entend bien avec tous les membres de sa famille. Il dit souvent à Sonia qu'il aurait aimé avoir des frères comme les jumeaux, ce à quoi elle répond du tac au tac qu'ils sont loin d'être toujours drôles. « On pourrait te les prêter pour toute une semaine, si tu veux. Mais tu les ramènerais avant le temps ! » Depuis qu'Antoine fait partie de sa vie, son amoureux et elle sont sortis plusieurs fois avec Junior et Francine. Junior et lui s'entendent comme larrons en foire. Chaque fois, ils s'en donnent à cœur joie pour taquiner les filles.

— Vous vous souvenez à quel point j'ai eu de la peine à cause de Normand? Eh bien, grâce à Antoine, ce n'est plus qu'un lointain souvenir. Avec lui, la vie est facile. Je l'aime et il m'aime. Depuis que je sors avec lui, j'essaie de suivre vos conseils et je suis plutôt fière de moi. Quand je pars à la dérape, ce qui m'arrive encore, je me répète que je ne peux rien espérer du passé et qu'il ne me sert à rien non plus de me projeter dans l'avenir puisqu'il n'existe pas encore. Je profite du moment présent de toutes mes forces et je remercie Dieu chaque soir avant de m'endormir d'avoir une aussi belle vie.

— Wow! Tu es en train de devenir vraiment sage. Ça mériterait au moins un ange dans ton cahier. Attends, je pense que j'en ai, laisse-moi aller regarder.

— Laissez faire, tante Irma, je n'ai pas besoin d'anges. Il y a longtemps que j'ai passé l'âge. Tout ce que je fais, je le fais parce que ça me rend heureuse.

— C'est justement pour ça que je veux te donner un ange.

Pendant que tante Irma cherche sa feuille d'anges dans le grand tiroir de son bureau, Chantal refait lentement surface. Elle profite de l'absence de tante Irma pour parler à Sonia.

— Veux-tu savoir ce qui me fait tant rire?

Sonia regarde sa tante d'un drôle d'air. C'est sûr qu'elle veut savoir. S'il y a une chose qu'elle déteste, c'est de voir quelqu'un qui ne peut plus s'arrêter de rire alors qu'elle ignore la cause de son hilarité. Dans ces moments-là, la jeune fille a tendance à croire que la personne se moque d'elle, ce qui ne lui plaît pas du tout.

— Et bien, ta mère m'a fait le même coup quand j'avais ton âge. Dans mon temps, ça s'appelait des cours de charme. Elle m'a obligée à suivre ces maudits cours pendant toute une année scolaire.

— C'est vrai? s'enquiert Sonia. Mais pourquoi tu y es allée?

— Crois-moi, je n'avais pas le choix. J'ai argumenté avec ta mère pendant des semaines. J'en ai parlé à papa aussi, mais c'était peine perdue. Elle avait réussi à le convaincre que c'était en plein ce qu'il me fallait pour devenir une femme accomplie.

— C'est exactement le vocabulaire que maman utilise quand elle en parle. Je n'en reviens pas que tu aies suivi ces cours! Comment as-tu fait pour survivre?

— Pour être franche, je me le demande encore. Tout ce que je peux te dire, c'est que j'ai ri tout mon soûl. Je me souviens de quelques thèmes comme si c'était hier. C'était tellement démodé!

Chantal prend une voix de pimbêche et poursuit:

— «Ne vous plaignez jamais s'il rentre tard à la maison. Ne l'accueillez pas avec vos plaintes et vos problèmes. Faites en sorte que le souper soit prêt.» Tu aurais dû voir les filles de mon groupe. On aurait dit qu'elles avaient de la graine d'esclave en elles. La plupart buvaient les paroles de la maîtresse et se voyaient déjà mettre en pratique avec leur futur mari tout ce que celle-ci leur enseignait. Il faut dire que plusieurs de ces filles étaient déjà promises à un jeune homme de bonne famille, ce qui n'était pas mon cas.

— Dans ces cours, on sert encore la même bouillie pour les chats. Je t'en prie, il faut que tu parles à maman. Je ne veux pas suivre ces cours de personnalité.

— Je veux bien essayer de la convaincre. Mais si elle est aussi déterminée avec toi qu'elle l'a été avec moi, mes chances de réussite sont pratiquement nulles.

Sur ces entrefaites, tante Irma revient dans le salon. Elle commente :

— Sois honnête, Chantal. Ces cours t'ont certainement servie. Il n'y a jamais que du négatif.

Chantal sourit à sa tante.

— Honnêtement, oui, ils m'ont été utiles et ils le sont encore aujourd'hui. Je ne serais pas la même si je ne les avais pas suivis. Jamais je n'aurais pensé dire ça un jour ! Il n'y a que vous pour me faire avouer de telles choses.

— Il ne faut pas tout balayer du revers de la main. Chaque expérience a ses avantages.

— Et ses inconvénients, se dépêche de préciser Sonia. Je n'ai pas envie de devenir un petit chien savant.

— Personne ne t'y oblige, ma belle fille, répond tante Irma. Il ne tient qu'à toi de prendre seulement ce qui te conviendra. Un cours de personnalité, c'est bon pour tout le monde. Avec le métier que tu veux exercer, moi je pense que c'est une très bonne chose d'apprendre à te montrer à ton meilleur. Tu es bien chanceuse que ta mère veuille te payer un tel cours parce que ce n'est pas donné.

Sonia réfléchit. D'un côté, tante Chantal a détesté les cours au plus haut point mais elle reconnaît quand même qu'ils lui servent encore. De l'autre, tante Irma l'encourage à accepter l'offre de sa mère parce qu'elle est certaine que ce sera bon pour elle. Sonia se dit que ce serait aussi une occasion de connaître de nouvelles personnes. Ce n'est pas qu'elle manque d'amies, mais en avoir dans d'autres milieux que le sien pourrait être intéressant. Et qui sait, les cours de personnalité l'aideraient peut-être à augmenter sa confiance en soi, sans compter que si elle accepte de les suivre elle ferait sûrement plaisir à sa mère. Avec la disparition de Martin, la dernière chose dont Sylvie a besoin c'est de se quereller à n'en plus finir avec les siens, d'autant qu'elle fait de gros efforts pour que la vie redevienne comme avant.

— Je peux bien faire ça pour ma mère, annonce Sonia d'une voix solennelle. Quand je rentrerai, je lui dirai qu'elle peut m'inscrire. Mais je vous avertis : si je n'y trouve pas mon compte, je lâche tout.

— Ne parle pas comme ça, dit tante Irma. Aujourd'hui, tu le fais pour ta mère, mais je suis convaincue que c'est toi qui vas en tirer le plus grand profit.

— Ça reste à voir, ajoute Sonia. Mais je suis prête à courir le risque. Attendez, j'ai une idée ! Si vous êtes toujours partantes pour aller en voyage, je crois que mes parents me laisseraient partir puisque je vais accepter de suivre les cours de personnalité. Qu'en pensez-vous ?

— J'en dis que je vais aller te chercher un deuxième ange ! s'écrie tante Irma, le regard pétillant.

— Laissez faire les anges, ordonne Chantal, et venez vous asseoir avec nous. Si on veut voyager à la même période que l'année dernière, il faut qu'on aiguise nos patins, et vite à part ça. Mais j'y pense, tante Irma, êtes-vous certaine que Lionel va vous laisser partir ?

— Ne t'inquiète pas pour moi, je n'ai pas encore de corde autour du cou ! s'exclame l'interpellée. Farce à part, il va être très content pour moi. Comme notre voyage se déroulera en plein pendant le temps de la pêche, il va vite s'organiser une petite excursion en Abitibi avec son ami qui est curé là-bas. Il n'est pas question que je rate mon voyage. Quand on reviendra, j'aurai juste assez de temps pour terminer les préparatifs de mon mariage. Belle enfant, si tu n'existais pas, il faudrait t'inventer ! ajoute-t-elle à l'adresse de Sonia. Bon, un peu de sérieux maintenant. Par quel pays commence-t-on ?

— Attendez un peu ! objecte Chantal. Vous en avez trop dit pour nous laisser sur notre faim. Quand allez-vous vous marier exactement ?

— Désolée, je croyais vous l'avoir déjà dit. Le mariage aura lieu le 24 août. J'aurais préféré me marier aux alentours de la fête de sainte Anne, mais ça ne me donne pas assez de temps pour tout préparer.

— Allez-vous m'inviter ? demande Sonia.

— C'est certain ! Mais assez parlé de mariage pour aujourd'hui, il faut qu'on prépare notre voyage. Je répète ma question : par quel pays va-t-on commencer ?

— Par l'Angleterre ! répond Chantal. Je pense qu'on devrait arriver et repartir de Londres. Comme ça, on pourrait en profiter pour visiter la ville en arrivant et avant de reprendre l'avion. Après, on pourrait louer une auto et visiter la campagne anglaise avant de nous rendre en Irlande et en Écosse. J'espère que vous êtes conscientes qu'en deux semaines, on ne pourra pas faire de miracles. Il y a beaucoup à voir dans chacun de ces pays.

— J'ai une autre idée, déclare Sonia. On pourrait partir trois semaines… Qu'en dites-vous ?

— Pour ce qui est des coûts, deux ou trois semaines, c'est pratiquement la même chose, explique Chantal. Je crois que je pourrais m'arranger. Mais j'y pense, as-tu assez d'argent pour partir en vacances ? demande-t-elle à sa nièce.

— J'en ai assez pour deux semaines, mais ça me laisse assez de temps pour vendre quelques toiles.

— J'aime ton optimisme ! indique tante Irma. Avec toi, il n'y a jamais de problème quand il s'agit d'argent.

— Dans le pire des cas, je ferai attention à mes dépenses.

— Je te l'ai déjà dit, ma belle fille : quand on est en voyage, ce n'est pas le temps de ménager ses cennes, lui rappelle tante Irma. C'est le temps de profiter de tout ce qu'on peut parce qu'on ne sait jamais si on va pouvoir revenir. Si tu manques d'argent, je t'en donnerai. Il y a autre chose, par exemple. Là-bas, on ne parle pas français. Comment on va faire ? Mon anglais est très approximatif.

— Ne vous en faites pas avec ça, la rassure Chantal. Depuis le temps que je voyage, je me débrouille très bien en anglais.

Elle regarde sa nièce et ajoute :

— De toute façon, Sonia va sûrement pouvoir m'aider.

— Il ne faudrait pas trop compter sur moi, répond Sonia d'une petite voix. Mon anglais se limite pas mal à *yes* et *no*.

— Dans ce cas, il te reste seulement quelques semaines pour apprendre l'anglais ! plaisante Chantal. Blague à part, comme je serai la seule à parler la langue du pays, je vous avertis d'avance que je vais garder tous les beaux gars rien que pour moi.

Les trois femmes éclatent de rire.

— Il faut fêter ça ! s'exclame tante Irma. Je vais aller chercher ma boîte de chocolats Opéra.

— Ne vous dérangez pas pour moi, déclare Sonia.

— Ni pour moi, renchérit Chantal.

— Vous levez le nez sur mes chocolats depuis que vous avez goûté au chocolat belge ?

Tante Irma ne leur laisse pas le temps de réagir.

— Eh bien, vous avez parfaitement raison ! Je pense qu'il me reste une petite tablette de chocolat belge dans mon frigidaire. Je la gardais pour une occasion spéciale. Je vais aller la chercher.

Tante Irma revient avec la tablette de chocolat et une grande bouteille de bière d'épinette.

— Je vais en profiter pour vous passer ma bière d'épinette avant que les Anglais vous en offrent de la meilleure. Bande de fines gueules !

Les trois femmes s'esclaffent.

Malgré la différence d'âge qui la sépare de ses deux tantes, Sonia songe une fois de plus qu'elle a beaucoup de chance de les avoir. Plus encore, elle s'estime privilégiée de pouvoir voyager avec elles. Elle ne leur a rien dit encore, mais elle leur réserve une petite surprise. Le 28 août prochain, ce sera la première de la pièce *Les belles-sœurs* de Michel Tremblay. Elle va leur offrir d'aller au théâtre avec elle dans les jours qui vont suivre. Et pour une fois, c'est elle qui va payer. Elle avait même pensé les inviter au restaurant avant le spectacle, mais c'était avant qu'elles décident de partir en voyage. Dans le pire des cas, elle les invitera à aller manger une pâtisserie après. L'argent ne fait pas le bonheur, mais malgré son jeune âge, Sonia sait déjà qu'il permet bien des douceurs. Pour cette raison, elle a l'intention d'en gagner suffisamment pour pouvoir se gâter dans la vie sans être obligée de toujours compter. Sa mère lui dirait qu'avec le métier qu'elle veut exercer, elle se prépare une vie de misère, mais la jeune fille refuse de se laisser décourager. S'il le faut, elle passera tout son temps libre à peindre et elle vendra ses toiles aux plus offrants. Au fond d'elle-même, Sonia sait qu'elle est capable de grandes choses. Elle y croit de toutes ses forces.

# Chapitre 5

Sylvie et Shirley ont tenu leur promesse. Depuis qu'elles habitent toutes les deux à Longueuil, elles se voient au moins une fois par semaine. Pour elles, cet instant est aussi sacré, sinon plus, que la messe du dimanche matin. Comme elles sont très occupées chacune de leur côté, les tête-à-tête varient au gré du temps. Chaque dimanche soir, l'une téléphone à l'autre ; ensemble, elles conviennent du jour et de l'heure de leur prochaine rencontre. Une fois que le rendez-vous est fixé, rien ne peut les empêcher de se voir. À quelques reprises, il leur est arrivé de ne disposer que de quelques minutes. Mais toutes deux se font un point d'honneur de passer un moment ensemble chaque semaine, peu importe ce qui arrive dans leur vie respective. Évidemment, il y a eu, et il y en aura sûrement encore, des rencontres teintées de tristesse comme lorsque Martin est mort subitement. Sylvie était inconsolable. Chaque fois qu'elle voyait Shirley, elle lui disait de ne pas perdre son temps avec elle. Celle-ci répondait inlassablement, en entourant les épaules de Sylvie de son bras : « Arrête de t'en faire, les amis sont là pour les jours sombres, aussi. Quand j'ai eu besoin d'aide, tu étais là. Maintenant, c'est à mon tour de te rendre la pareille. »

— Je ne sais pas si je me fais une idée, lance Shirley, mais je trouve que tu as meilleure mine.

— Si tu le dis… Moi, quand je me regarde dans le miroir, je me fais peur. J'ai beau me pincer les joues pour me donner un peu de couleur, je suis blême comme une vesse de carême. Mais depuis que je suis allée voir Lionel, le futur mari de ma tante Irma, je me sens un peu mieux.

Même si elle reprend du poil de la bête, la partie est loin d'être gagnée pour Sylvie et elle le sait. Elle doit continuellement se contraindre à rester dans le présent et ne pas partir dans son monde où elle est seule avec Martin, où elle le pleure tout son soûl. Elle doit se faire violence pour ne pas laisser libre cours à sa peine à cœur de jour. Elle a beau se concentrer quand elle fait quelque chose, il y a des moments où c'est au-dessus de ses forces. Parfois, le moindre petit instant de bonheur lui fait aussi mal que si on lui plantait un couteau en plein cœur.

— En tout cas, ça paraît. Tes yeux ont retrouvé un peu de leur pétillant. Mais je suis encore étonnée que tu sois allée rencontrer un curé.

— C'est un ancien curé, ce qui est loin d'être pareil.

— Oui, mais quand on sait à quel point tu détestes tout ce qui porte une soutane…

Quand elle remarque l'expression de Sylvie, Shirley se dépêche d'ajouter :

— Désolée, j'ai la tête dure parfois. Je sais, Lionel ne porte plus la soutane. Sérieusement, je me demandais bien ce qu'il pourrait t'apporter.

— Je ne t'en ai pas parlé ? demande Sylvie d'un air surpris.

— Non, on s'est fait couper. Tu ne t'en rappelles pas ? Ma chère Isabelle est rentrée en pleurs parce que son petit ami venait de la laisser. Mais ça me console de voir que je ne suis pas la seule à perdre la mémoire par moments ! Je trouve qu'on est bien jeunes toutes les deux, par exemple, pour que ça nous arrive.

— Je t'arrête tout de suite ! J'ai une excellente mémoire, mais elle est un peu sélective… J'essaie de la ménager pour les choses vraiment essentielles – enfin, pour moi –, comme les paroles de mes chansons, par exemple.

— Ou le nombre de timbres-primes Metro que tu possèdes ! ironise Shirley.

— Je t'interdis de te moquer de moi ! lance Sylvie en souriant. Tu sauras que je m'offre de très beaux cadeaux avec mes timbres.

Voyant que Shirley s'apprête à répliquer, Sylvie poursuit :

— Chut ! Chut ! Je ne veux pas t'entendre ! Je vais plutôt te parler de ma rencontre avec Lionel. Ce que j'ai retenu de ma discussion avec lui, c'est qu'il est tout à fait normal que j'aie de la peine ; sincèrement, je pense que j'en aurai jusqu'à la fin de mes jours. Perdre un enfant est vraiment ce qui peut arriver de pire à quelqu'un. Par contre, ce qui est problématique, c'est que je vive uniquement dans ma peine alors que mes six autres enfants et mon mari ont besoin de moi, et moi d'eux. Lionel m'a expliqué qu'il faut laisser les morts avec les morts et que je dois vivre avec les vivants. Mais c'est plus facile à dire qu'à faire. Martin prend toute la place dans ma tête. Peu importe ce que je fais, il est toujours là. Son image me hante. Je le sens toujours au-dessus de mon épaule droite, un peu comme si un petit singe était juché sur mon épaule.

— Je ne connais pas grand-chose sur le sujet, mais ma mère te dirait qu'il faut que tu laisses aller Martin.

— Je ne suis pas certaine de comprendre.

— Je ne sais pas trop comment t'expliquer… C'est comme si tu retenais ton fils.

— Tu as peut-être raison… Lionel m'a dit que Martin est bien là où il est, mais je n'ai pas envie d'y croire. Comment un jeune de son âge pourrait-il être bien ailleurs qu'avec sa famille, alors que sa vie venait à peine de commencer ? Sa place est ici, parmi les siens, pas au ciel même si, selon le clergé, c'est ce qui peut nous arriver de mieux. Tant qu'à moi, le plus tard j'irai là-bas, le mieux je me porterai.

— Tu sais comme moi qu'on ne choisit pas l'heure de notre mort. Il y a des gens qui meurent à tout âge, sans aucune raison apparente. Les voies du Seigneur sont impénétrables.

— Dieu ne peut être aussi méchant qu'on essaie de nous le faire croire, proteste Sylvie. Et puis, je n'en démords pas : c'est trop injuste que des enfants meurent avant même d'avoir vécu.

— Injuste ou pas, c'est comme ça ; ni toi ni moi ne pouvons rien y changer. De toute façon, y a-t-il quelque chose de juste sur la terre ?

Sans même attendre la réaction de Sylvie, Shirley enchaîne :

— Qu'est-ce que Lionel t'a dit d'autre ?

— Que je pouvais aller le voir quand je le voulais. Ah oui ! Il m'a aussi conseillé de me concentrer sur les petites choses de la vie, disant que c'est la meilleure façon de m'en sortir.

— Et puis ?

— Ça marche. Imagine-toi que j'ai même recommencé à chicaner les jumeaux ! C'est lorsqu'ils ont coloré toutes les roues des autos de la rue à la craie de couleur. À mon avis, ils ne sont pas près d'oublier ce jour-là.

— Avoue que ça prenait juste eux pour penser à ça. Moi, je crois plutôt que tu aurais dû leur donner une médaille. J'ai tellement ri quand Paul-Eugène m'a raconté ce qu'ils avaient fait.

— Si tu passais tes journées avec eux, tu verrais qu'ils sont loin d'être reposants. Tout le monde trouve que c'est mignon des jumeaux, surtout quand ils se ressemblent comme François et Dominic. Mais à eux deux, ils sont plus turbulents que mes quatre autres enfants réunis.

Shirley ne relève pas le commentaire de Sylvie. Elle songe simplement que le fait que celle-ci reconnaisse qu'il lui reste six enfants est sûrement un pas vers la guérison.

— Toujours est-il que mes deux petits anges ont cru que leur vilain tour passerait comme du beurre dans la poêle, comme tous les mauvais coups qu'ils ont faits depuis la mort de Martin. Mais ils se sont mis un doigt dans l'œil jusqu'au coude. Même s'ils avaient tout planifié pour ne pas se faire prendre, c'est du moins ce qu'ils pensaient, ils avaient négligé un petit détail : leurs poches de pantalons étaient pleines de craie. Comme je prends toujours la peine de tourner les vêtements à l'envers et que je les secoue avant de les mettre dans la laveuse, j'ai remarqué la poussière de craie qui sortait de leurs poches. Malheureusement pour mes chenapans, je venais de découvrir le pot-aux-roses. Quand ils sont revenus de l'école, je leur ai demandé s'ils avaient quelque chose à me dire. Comme d'habitude, ils ont joué la carte de l'innocence. Tu aurais dû les voir quand je leur ai appris que j'avais démasqué les responsables des pneus colorés à la craie. Ils ont blêmi.

— Pauvres enfants !

— Ils sont loin de faire pitié, crois-moi. Tu aurais dû voir leurs faces quand j'ai tendu à chacun une guenille et une chaudière remplie d'eau savonneuse et que je leur ai dit qu'ils avaient jusqu'à sept heures pour nettoyer toutes les roues qui portaient encore la marque de leur mauvais coup. Comble de malchance pour eux, quand Michel est arrivé, il leur a annoncé qu'ils devraient aller s'excuser auprès de chaque voisin et qu'il les accompagnerait.

— Vous êtes bien durs avec vos petits derniers.

— Je trouve plutôt qu'on est trop mous.

— J'espère qu'ils ont compris que les vacances étaient finies pour eux.

— Ils ont intérêt… Mais assez parlé de moi. Maintenant, je veux tout savoir sur tes nouveaux voisins.

Shirley sourit.

— Une chance que votre ancienne maison est déjà vendue parce que si les acheteurs nous avaient demandé de leur parler de nos voisins, on aurait été bien embêtés. Franchement, on ne peut pas dire qu'on a gagné au change ; je pense même que c'est le contraire. Cette fois, c'est uniquement Raynald, le mari, le problème. Je ne sais vraiment pas comment sa femme fait pour l'endurer. Elle est toute menue et toute douce, tandis que lui c'est un vrai pitbull. Aussitôt qu'un de ses enfants, ou les miens, laisse traîner quelque chose sur son terrain, il se met à crier comme un vrai fou. Monsieur ne tolère pas le désordre ; ça le rend malade, à ce qu'il paraît.

— Mais ça ne doit pas être aussi pire que ça.

— Crois-moi, c'est bien pire que ce que tu peux imaginer. Même quand le vent souffle un papier, si petit soit-il sur son terrain, le voisin sort de ses gonds. C'est un vrai malade. À l'hôpital où je travaille, des gens sont hospitalisés pour bien moins que ça. Paul-Eugène se surveille quand il tond le gazon de son côté parce que s'il a le malheur de déborder chez le voisin, il se fait disputer comme un enfant. Le gazon de monsieur doit être tondu à sa manière seulement.

— Voyons donc, ça ne prend pas la tête à Papineau pour tondre le gazon ! On pousse la tondeuse jusqu'à ce qu'on ait fini.

— Pour la plupart des gens, c'est vrai, mais pas pour notre charmant voisin. Non, monsieur coupe son gazon en diagonale, une fois dans un sens, une fois dans l'autre. Je n'ai jamais vu quelqu'un d'aussi spécial de toute ma vie. J'ai vraiment hâte qu'on déménage.

— Ça ne devrait pas être bien long.

— Il nous reste précisément vingt-six jours à attendre.

— Ma foi du bon Dieu, c'est vrai que tu as hâte! Tu comptes même les jours!

— La musique des anciens voisins, c'était de la petite bière à côté du caractère de cet homme-là. À lui tout seul, Raynald est pire que l'armée au grand complet. Il paraît même qu'il se mêle de la façon dont sa femme place la vaisselle dans les armoires. Et même de la manière dont elle dispose la vaisselle dans le bac après l'avoir lavée. L'autre jour, l'un de ses fils a mangé chez nous. Il est allé se laver les mains avant de passer à table. C'est correct, mais après il a insisté pour que mes enfants fassent la même chose. Inutile de te dire que le pauvre enfant s'est fait «revirer de bord». Je comprends qu'on doive se laver les mains quand elles sont pleines de terre, mais quelques microbes n'ont jamais fait mourir personne, bien au contraire. Alors, pour répondre à ta question : ne le prends pas mal, mais oui, j'ai hâte de déménager.

— Ne t'inquiète pas avec ça. À ta place, j'aurais hâte moi aussi. Notre ancienne maison est bien belle, mais celle de Paul-Eugène l'est encore plus.

— Je t'arrête tout de suite! Je ne voudrais pas que tu penses que nous ne sommes pas bien ici. Sans Michel et toi, je ne sais pas ce que mes enfants et moi nous serions devenus. Votre maison n'a rien à voir dans l'affaire. C'est à cause de cet espèce de fou qui nous empoisonne la vie; et pas seulement la nôtre, tu peux me croire. Tu te souviens de la fête qu'on a faite quand les anciens voisins sont partis? Eh bien, je te garantis que lorsque Raynald et sa famille partiront, toute la rue va fêter leur départ. Et je te garantis que je me joindrai à la fête! L'autre jour, j'ai osé aller emprunter un outil au voisin. Je l'ai suivi jusqu'à sa remise. Je te jure, jamais je n'ai vu une remise aussi ordonnée. Un peu plus et je me serais crue dans une coopérative. Je sais de quoi je parle, j'allais dans ce genre de commerce avec mon grand-père paternel quand j'étais petite. Quand

Raynald m'a remis son outil, il m'a regardée droit dans les yeux et m'a dit qu'il voulait le retrouver exactement dans le même état. J'avais l'impression d'avoir cinq ans et de m'être fait prendre en défaut par mon père, une fois de plus.

Sylvie écoute attentivement Shirley, mais elle a un peu de difficulté à saisir l'ampleur du problème avec ce voisin. Ce n'est pas qu'elle mette en doute la parole de son amie, mais elle ne comprend pas comment quelqu'un d'ordonné et de propre peut déranger à ce point son voisinage. Il faudra qu'elle en parle avec Éliane quand celle-ci et les siens auront emménagé dans leur nouvelle maison ; après tout, celle-ci sera de biais avec la maison deRaynald. La sonnette de la porte retentit alors. Shirley se lève pour aller répondre, mais la porte s'ouvre aussitôt.

Éliane s'écrie :

— Ne vous dérangez pas pour moi, je connais le chemin !

— Je pensais justement à toi, déclare Sylvie en voyant son amie.

— Qu'est-ce que c'est que ces affaires-là ? lui demande Shirley d'un air taquin. Je te trouve bien effrontée de penser à Éliane pendant que je te parle.

— Ne vous crêpez pas le chignon pour moi ! plaisante Éliane. Je ne pouvais pas attendre pour vous annoncer ma bonne nouvelle. Comme tu n'étais pas chez toi, ajoute-t-elle à l'intention de Sylvie, j'ai pensé que je te trouverais sûrement ici. Alors me voilà !

Suspendues aux lèvres d'Éliane, Sylvie et Shirley sont impatientes de savoir ce qui rend celle-ci d'aussi belle humeur. Depuis l'incendie, la vie n'a pas toujours été facile pour la jeune femme et sa famille. Même si tout le voisinage a mis la main à la pâte une fois les travaux de reconstruction commencés, Éliane a dû passer quelques semaines chez ses parents, avec les enfants. Depuis, elle vit non seulement dans la maison mais aussi dans les affaires de Paul-Eugène.

Elle a fini par s'habituer, évidemment, mais contrairement à son mari – qui, lui, part travailler chaque matin –, elle a l'impression de tourner en rond dans cet environnement qui n'est pas le sien. Certes, elle ne peut pas faire l'ombre d'un reproche à qui que ce soit, sa famille et elle ont eu beaucoup de chance dans leur malheur, mais il reste que vivre ailleurs ce n'est pas comme vivre chez soi. Quand ils s'installeront dans leur nouvelle maison, ils seront dans leurs affaires – enfin, c'est une façon de parler puisqu'ils ont tout perdu dans l'incendie –, mais au moins ils auront choisi les meubles, les rideaux, les couvre-planchers et tous les autres objets que contiendra la maison.

Les derniers mois ont fait réaliser à Éliane à quel point elle se sentait à l'étroit entre ses quatre murs. Le fait que Sylvie et Shirley travaillent à l'extérieur a renforcé son envie de faire autre chose que de s'occuper de ses enfants et de faire du ménage. À voir aller ses amies, elle a constaté que c'était possible d'être une épouse et une mère tout en ayant une vie bien à soi. Elle en rêve depuis si longtemps.

— Vous ne devinerez jamais… Chantal vient de me téléphoner, elle veut me voir demain. Elle a un petit contrat à me proposer.

— C'est vrai ? s'enquiert Sylvie. Je suis si contente pour toi. Elle ne t'en a pas dit davantage ?

— Tout ce que je sais, c'est que je vais commencer par accompagner des touristes qui veulent visiter l'oratoire Saint-Joseph.

— Wow ! s'écrie Shirley. J'espère que tu as des bons genoux parce que s'il faut que tu montes les marches à cœur de jour, laisse-moi te dire que tu vas souffrir un coup !

— Ne t'inquiète pas pour moi, répond Éliane. Je ne suis pas obligée de monter à genoux. Tout ce que Chantal attend de moi, c'est que je j'accompagne les gens et que je réponde à leurs questions.

— Es-tu déjà allée à l'Oratoire au moins ? s'informe Sylvie.

— Quand j'étais jeune, chaque fois qu'on avait de la visite, c'est là qu'on les emmenait. Comme j'étais l'aînée, plus souvent qu'autrement c'est à moi que la tâche incombait.

— Tant mieux, alors, réagit Sylvie. Moi, je serais une très mauvaise guide pour faire visiter l'Oratoire. Le jour où ma mère est morte, j'ai juré de ne plus jamais remettre les pieds là-bas de toute ma vie. Pour moi, il y a beaucoup trop de soutanes dans cet endroit.

— Mais moi, tu sais, les soutanes ne me dérangent pas, précise Éliane. Tout ce qui compte, c'est que je puisse commencer à travailler comme guide. Comme Chantal me l'a dit, ce n'est que le début. Imaginez-vous, je vais travailler deux jours par semaine. Je suis survoltée rien qu'à l'idée de sortir de la maison de temps en temps !

— Est-ce que c'est bien payé au moins ? s'inquiète Sylvie.

— Pas vraiment, c'est le salaire minimum. Mais Chantal m'a assurée que je ferais beaucoup de pourboires.

— Heureusement ! formule Sylvie.

— La semaine dernière, j'ai lu dans le journal que le salaire minimum va passer à 1,25 dollar de l'heure à partir du 1er novembre, explique Shirley. Cela représente une augmentation de 20 cennes, ce qui n'est pas rien.

— Il était temps ! s'exclame Sylvie. Parfois, je me demande où nos politiciens ont la tête. S'ils gagnaient le salaire minimum pendant quelques semaines, ils verraient vite qu'on ne peut pas acheter grand-chose avec 40 dollars par semaine.

— On ne va pas gâcher cette bonne nouvelle en parlant de politique, la prie Shirley. Il faut qu'on fête ça. Je n'ai pas grand-chose à offrir, mais je pourrais nous préparer un bon café instantané. Si je ne me trompe pas, il doit rester un fond de brandy. On pourrait en mettre dans nos cafés.

S'il y a une chose dont Éliane est fière, c'est de s'être fait deux nouvelles amies. Elle a commencé par se lier d'amitié avec Sylvie et, de fil en aiguille, elle a croisé Shirley de temps en temps chez celle-ci. Sans même qu'aucune des trois femmes ne s'en rende compte, une solide amitié s'est installée entre elles. Aujourd'hui, elles savent qu'elles peuvent compter les unes sur les autres dans la joie comme dans la peine, ce qui est très rassurant. Éliane est tellement contente d'avoir obtenu un emploi qu'elle a l'impression de flotter. Elle a hâte d'en parler à son mari. Ce soir, elle va téléphoner à sa mère pour lui annoncer la bonne nouvelle. Comme celle-ci est de la vieille école, elle ne partagera probablement pas son enthousiasme. Mais rien ni personne ne pourra gâcher le plaisir de la jeune femme d'aller travailler à l'extérieur de la maison.

À l'automne, Éliane ira suivre des cours d'anglais pour s'améliorer, même si Chantal lui a dit qu'elle se débrouillait très bien après avoir tenu une conversation en anglais pendant une bonne dizaine de minutes avec elle au téléphone. Quand elle a raccroché, Éliane a eu une petite pensée pour les anglophones de Montréal. Au moins, grâce à eux, elle se débrouille suffisamment bien en anglais pour pouvoir travailler avec les touristes. Après, elle s'inscrira à des cours d'espagnol.

# Chapitre 6

Pendant que Sonia et Sylvie font la vaisselle dans la cuisine, Michel se repose dans son fauteuil, au salon. Bien que la télévision soit allumée, il ne porte guère d'attention au petit écran. Depuis des mois, chaque fois qu'il s'assoit quelques minutes, il est vite hanté soit par la mort de son fils, soit par la maladie de son père. Michel est incapable d'exprimer ses sentiments ; il n'a donc jamais pu leur dire qu'il les aimait. Il s'en veut terriblement. Mais il aura beau s'en vouloir le reste de ses jours, il ne pourra plus jamais rien changer avec Martin. Au mieux, il peut lui faire part de son amour en espérant que son fils l'entendra de l'endroit où il est. Faible consolation, en tout cas pour lui. Pourquoi a-t-il fallu que son Martin parte si vite ? Oui, il avait des maux de tête à l'occasion, mais qui n'en a pas ?

On se lève un matin et on a tous les siens autour de soi. Au moment d'aller se coucher, alors que l'on vient de célébrer la vie grâce à l'annonce d'un futur mariage, voilà qu'un de tes nos fils quitte subitement ce monde. Si Michel avait su ce qui allait arriver, il aurait dit à Martin qu'il l'aimait, qu'il comptait énormément pour lui et combien il était fier de lui. C'est ce qu'il se dit pour se consoler. Mais honnêtement, il n'est même pas certain que les choses se seraient passées autrement même s'il avait su. On ne change pas si facilement. Michel n'a jamais appris à exprimer ses sentiments. Depuis le soir fatidique de la disparition de Martin, il essaie de se montrer fort avec ses six autres enfants mais, surtout, avec Sylvie. S'il avait pu prendre la moitié de la peine de sa femme, il l'aurait fait. D'une certaine façon, il est heureux qu'on ne puisse pas souffrir à la place des autres parce qu'il a bien assez de sa propre peine. Quand on garde tout en dedans, ça nous gruge de l'intérieur. La seule personne avec qui il ait vraiment parlé de ses états d'âme, le temps de quelques minutes, c'est Paul-Eugène. Le simple fait de se confier à quelqu'un lui a donné l'impression de se soulager d'une partie de son affliction. Il n'a pas mis des enfants au monde pour les enterrer dans le lot de son beau-frère. Quelque chose en lui crie à l'injustice. S'il ne se retenait pas, il irait s'installer en haut du mont Royal et il crierait comme un perdu jusqu'à en perdre la voix. Paul-Eugène lui a dit qu'il devrait peut-être le faire. Mais jamais, au grand jamais, Michel n'osera aller crier en haut de la montagne. Toutefois, il lui arrive de se défouler quand il est seul dans son auto, mais seulement s'il est en pleine campagne. D'après lui, un homme ne doit jamais laisser paraître ses émotions. Il est censé être fort et capable de supporter les siens sans jamais baisser les bras. Et c'est ce que Michel s'emploie à faire de toutes ses forces, jour après jour.

Dans un mois, une semaine, un jour, une heure, son père va être emporté par le maudit cancer. Michel ne compte plus le nombre de fois où il a composé le numéro de téléphone de son père pour enfin lui dire qu'il l'aime. Chaque fois, il a reposé le combiné et est retourné s'asseoir dans son fauteuil, le cœur en miettes. Pourtant, pour une fois, la vie lui donne du temps, beaucoup de temps même. Il y a des mois qu'il sait que son père va mourir. Malgré cela, il se morfond, incapable qu'il est de dévoiler ses sentiments. La dernière fois qu'il a parlé à sa sœur Madeleine, celle-ci lui a recommandé de faire vite s'il voulait parler à leur père, ou venir le voir. « Si on se fie au médecin, papa n'en a plus pour longtemps. » Tous les matins depuis sa conversation avec sa sœur, Michel se dit qu'il va appeler son père en revenant de travailler. Une semaine a passé et il ne s'est pas encore décidé. Il est capable de se faire respecter au travail, de faire valoir son autorité avec ses enfants, de démontrer son amour à Sylvie quand il lui fait l'amour. Il est capable de grandes choses, mais pas de dire à son père qu'il l'aime. Ça fait des mois qu'il cherche la force au fond de lui de passer à l'action. Même Sylvie s'inquiète qu'il n'ait pas encore agi. « Je te connais assez pour savoir que tu vas le regretter. Quand il sera mort, il sera trop tard. » Mais Michel sait tout ça.

Perdu dans ses pensées, il n'a pas connaissance de l'entrée de Sylvie dans le salon, pas plus qu'il ne l'entend lui parler. Pourtant, ça fait trois fois qu'elle lui pose la même question.

— Et puis, quelles nouvelles ai-je manquées ? demande-t-elle joyeusement en posant une main sur le bras de son mari.

Michel met quelques secondes avant de comprendre la question. Il fronce d'abord les sourcils comme si cela pouvait l'aider, puis il se frotte le menton avant de répondre.

— Je n'en ai aucune idée, car je m'étais assoupi.

— Tu devrais retourner voir le docteur. Ces derniers temps, chaque fois que tu poses les fesses sur ton fauteuil, tu t'endors. Il pourrait sûrement te prescrire des vitamines… et vérifier ton diabète.

Ce seul mot donne des boutons à Michel. De plus, c'est difficile pour lui, car tout le monde lui parle de sa maladie. Non, il ne fait pas attention à la quantité de sucre qu'il mange. Et non, il n'a pas l'intention de commencer non plus. Il a beaucoup trop la dent sucrée pour se priver de ce plaisir.

— Ce n'est pas la peine, je vais très bien. J'ai seulement eu une grosse journée.

La porte d'entrée s'ouvre brusquement sur Junior. Sitôt entré, le garçon se dirige vers le salon et s'adresse à son père :

— Le temps de passer au petit coin et je suis prêt à te donner ton cours.

Michel avait oublié que c'était le soir de son cours de guitare. Il se retient de répondre à Junior qu'il n'en a pas envie. Mais puisqu'il exige de ses enfants d'aller jusqu'au bout de leurs engagements, il n'a pas le choix de prêcher par l'exemple. De plus, il n'est pas du genre : « Faites ce que je dis et non ce que je fais. »

Michel prend son courage à deux mains et il lance, sans réfléchir davantage :

— C'est parfait pour moi. Le temps que je téléphone à mon père et je serai tout à toi.

Quand il réalise ce qu'il vient de dire, Michel blêmit. Sylvie lui demande s'il y a un problème.

— Ne t'inquiète pas pour moi, je vais très bien.

Sans rien ajouter, il s'en va dans la cuisine. Il prend le combiné du téléphone et compose vite le numéro de ses parents. Chaque sonnerie lui tord l'estomac un peu plus. Il n'aurait qu'à raccrocher pour mettre fin à sa souffrance, mais pas aujourd'hui. Pour une rare fois, c'est son père qui répond. Surpris, Michel reste sans voix.

— Allo ? Allo ? Est-ce qu'il y a quelqu'un ? demande monsieur Pelletier.

— Bonjour, papa, bafouille Michel.

Il se dépêche de poursuivre :

— Tu vas trouver ça curieux, mais je t'appelle juste pour te dire que je t'aime et que je n'aurais pas pu souhaiter avoir un meilleur père que toi.

Étonné par les propos de son fils, le vieil homme essaie de reprendre ses esprits. Il doit avaler à plusieurs reprises avant de retrouver la parole.

— Moi aussi je t'aime, mon garçon, et…

Trop ému, monsieur Pelletier fait une pause. Après quelques secondes, il reprend :

— Je suis très fier de toi. Je te remercie de m'avoir téléphoné.

Incapable d'en supporter davantage, le vieil homme raccroche. De son côté, Michel reste pantois, le combiné en main. De grosses larmes coulent sur ses joues, mais il ne fait rien pour les essuyer. Témoin de la scène, Sylvie s'approche de son mari. Elle lui enlève le combiné des mains et remet celui-ci à sa place. Elle caresse une joue de Michel et lui dit :

— Viens t'asseoir. Si tu veux, je vais te servir une bonne bière froide.

— Je te remercie, mais je n'ai pas le temps de prendre une bière. J'ai mon cours de guitare.

— Tu pourrais le reporter pour une fois. Je suis certaine que Junior va comprendre.

— Non, ce serait trop injuste pour les enfants. Quand ils s'inscrivent à des cours, on les oblige à aller jusqu'au bout. Ça vaut pour moi aussi.

— Tu es vraiment un bon père. Mais comment le tien vient-il de réagir ?

Michel répète ce que son père lui a dit.

— C'est tout ? s'étonne Sylvie.

— Oui. Après, il a raccroché. Je ne suis pas surpris, il n'est pas plus habitué que moi à parler de ses émotions. Mais je suis très content de moi. Au moins, quand il mourra, j'aurai l'âme en paix.

— Tu as raison. Tu auras bien assez de ta peine.

Quand Junior entre dans la cuisine, il demande à son père d'une voix pleine d'entrain :

— Est-ce que tu es prêt ?

Sans attendre la réponse, Junior annonce :

— J'ai une surprise pour toi. Je pense que tu vas être content.

— Si c'est une bonne surprise, répond Michel en s'essuyant les yeux avec sa manche de chemise, je suis partant !

Une grande inquiétude envahit Junior d'un seul coup.

— Est-ce que grand-papa est mort ?

— Non, répond Michel. C'est juste parce que je viens de l'appeler pour lui dire que je l'aime.

— Je préfère ça, déclare Junior. Moi aussi je t'aime, papa. On y va ?

En souriant, Michel suit son fils au sous-sol. Dans la bouche de Junior, ces quelques mots semblaient naturels alors que dans la sienne, ils étaient barricadés à double tour, à tel point qu'il a mis des années à retrouver la clé.

* * *

Étendues côte à côte sur le lit de Sonia, les deux amies discutent depuis un bon moment déjà.

— En tout cas, explique Lise, moi le jour que je déteste le plus, c'est le vendredi. Ça prenait des curés pour décider qu'on devait manger maigre une journée par semaine. Je hais le poisson pour m'en confesser.

— Moi, j'adore le goût du poisson, déclare Sonia, c'est l'odeur qui me dégoûte. Chaque fois qu'on en mange, j'ai l'impression que mes vêtements empestent et ça me lève le cœur.

— Imagine un peu. Moi, en plus de tout détester du poisson, je suis obligée de jeûner quand c'est ce qu'il y a à manger… enfin, presque. Une chance que ma mère trouve que c'est trop cher, alors elle n'en achète pas souvent parce que je maigrirais à vue d'œil. L'autre jour, je lui ai dit que j'allais manger le reste du pâté chinois. Tu aurais dû l'entendre. Elle est montée sur ses grands chevaux et m'a avertie que j'avais intérêt à ne pas avaler une seule bouchée de viande le vendredi. J'ai dû me contenter d'une beurrée de beurre. Inutile de te dire que j'avais faim une heure après.

— Tu aurais pu mettre du beurre d'arachide dessus. Au moins, ça aurait été nourrissant.

— Tu ne connais pas ma mère. On est condamnés à manger des beurrées de beurre chaque fois qu'elle sert quelque chose qu'on n'aime pas.

— Chez nous, c'est différent. Junior n'a jamais avalé une seule bouchée de poisson de toute sa vie. Quand ma mère fait cuire du poisson, elle lui prépare autre chose. Elle est inflexible sur un paquet d'affaires, mais pas là-dessus. Elle accepte qu'il y ait une chose qu'on n'aime pas, mais une seule par exemple. On a chacun notre petit caprice et ça ne la dérange pas : boudin, pâté au saumon avec la sauce aux œufs, patates fricassées, crêpes, *grilled cheese*, foie de porc…

— Toi, qu'est-ce que tu détestes le plus ?

— Le foie de porc, répond Sonia en grimaçant. Ça me roule dans la bouche et je suis incapable de l'avaler. Je hais tout du foie de porc : son apparence, son odeur, son goût. Quand j'étais petite, j'appelais ça du « fou de porc ». Ma mère a tout essayé pour me faire aimer ça : elle coupait le foie en très petits morceaux, elle le cachait dans mes patates pilées, elle le mélangeait avec des carottes, mais elle n'a jamais atteint son but. Pour moi, à part l'odeur du poisson, le vendredi maigre ce n'est pas si grave que ça.

— Parle pour toi. Moi, je trouve ça insipide et inutile. Peux-tu me dire à quoi ça sert qu'on mange maigre tous les vendredis ?

— Tu ne te souviens pas ? Le professeur d'histoire en a parlé la semaine passée. Il a expliqué que la première raison était pour nous apprendre la privation. Qui dit privation, dit religion. Et la deuxième, qui est la plus importante d'après moi, était une question d'argent. Les patates et les œufs, ça coûte moins cher que la viande.

— Tu es bien certaine que c'est à l'école que tu as appris ça ? Si c'était le cas, je m'en souviendrais.

— Mais oui, tu as raison ! J'en ai entendu parler quand je suis allée voir une exposition avec Antoine sur l'histoire de la religion catholique.

— J'aime mieux ça ! Mais tu avais du temps à perdre…

— Non, c'était très intéressant. Il n'y a pas que du mauvais dans la religion, il y a des choses magnifiques. Plusieurs objets sacrés étaient exposés. De purs chefs-d'œuvre. Certains devaient valoir une petite fortune. J'ai appris que c'était la famille de chaque curé qui lui achetait son calice, sa patène et son ciboire. Et ses habits sacerdotaux aussi. Savais-tu que ceux-ci étaient confectionnés à la main ? À part les églises et les cathédrales de Belgique, je n'avais jamais rien vu d'aussi beau. Les familles sacrifiaient le peu qu'elles avaient pour que leur curé possède les plus beaux atours, sur lui et sur son autel.

— Pendant ce temps-là, le pauvre monde mourait de faim pour que l'or trône dans les églises, commente Lise sur un ton sarcastique.

— Mais tu es donc bien chialeuse aujourd'hui ! s'étonne Sonia. On dirait qu'il n'y a rien qui fait ton affaire.

Au lieu de répondre, Lise boude. Il n'y a pas que le poisson qu'elle déteste ces temps-ci. En réalité, elle aime peu de choses de sa vie actuelle. Elle doit négocier la moindre petite sortie avec sa mère. Elle est obligée de garder son frère chaque fois que ses parents sortent, qu'elle ait ou non quelque chose de prévu. Elle doit se contenter des vêtements du vestiaire parce qu'elle ne gagne pas un sou. Elle a des boutons sur tout le visage. Elle n'ose plus se regarder dans le miroir tellement elle se trouve grosse et laide. Et pour couronner le tout, elle n'a encore jamais eu de petit ami. Elle a toutes les raisons de se plaindre et de s'apitoyer sur son sort ; d'ailleurs, c'est ce qu'elle fait de plus en plus.

Sonia la regarde du coin de l'œil. Elle attend patiemment que Lise se décide à parler. Elle la connaît suffisamment bien pour savoir ce qui ne va pas. Elle a tenté à plusieurs reprises de l'aider, mais tant que son amie restera sur ses positions, il n'y aura pas grand-chose qu'elle pourra faire. D'accord, Lise a des boutons, mais elle n'est pas la seule fille de son âge à en avoir. Et même si elle a quelques livres en trop, c'est loin d'être tragique. Si elle faisait plus attention, tout rentrerait dans l'ordre. Oui, la mère de son amie est pire qu'une louve, mais il suffit que Lise et Sonia lui démontrent qu'elle peut avoir confiance en elles.

— Vas-tu enfin parler ? demande Sonia.

— Que veux-tu que je te dise de plus que tout ce que tu sais déjà ? C'est justement ça, le problème : il n'y a jamais rien de nouveau dans ma vie.

— Ma pauvre Lise, il va falloir qu'on te trouve un *chum* et vite à part ça !

— Ne perds pas ton temps. Quel garçon pourrait s'intéresser à une fille comme moi ? Je n'ai rien d'exceptionnel. Contrairement à toi, je ne suis ni mince, ni belle, ni *sexy*. Je suis tout ce qu'il y de plus ordinaire. Je n'ai même pas des belles jambes.

— Je vais téléphoner à Isabelle et on va se mettre sur ton cas. À deux, jamais je ne croirai qu'on n'y arrivera pas. On va t'aider à te trouver un *chum,* je te le promets.

Voyant l'air renfrogné de Lise, Sonia donne à son amie un coup de coude dans les côtes et ordonne :

— Allez ! Lève-toi. On va aller prendre un Coke au *snack-bar*. Peut-être qu'il y aura quelques beaux garçons là-bas.

— Je n'ai même pas cinq cennes sur moi.

— Ce n'est pas grave, moi j'ai de l'argent. Viens, je t'invite. Je vais apporter un peu de monnaie. Comme ça, on va pouvoir écouter quelques chansons au *juke-box*. Je t'avertis, par exemple : il va falloir que tu t'accroches un sourire dans la face.

Sonia sait qu'elle a beaucoup de chance. Elle est plutôt jolie. Sa mère lui dit toujours qu'elle a une peau de pêche. Elle est mince et *sexy*. Elle plaît aux garçons. Elle n'a qu'à peindre quand elle a besoin d'argent. Elle a deux tantes en or qui sont prêtes à tout faire pour elle. Sa mère est beaucoup plus permissive depuis qu'elle sort avec Antoine. Et son père prend sa défense quand Sylvie reprend ses vieilles habitudes. Elle adore son frère Junior ; il est de loin son meilleur ami. Elle n'est plus obligée de porter les vêtements d'Isabelle ou du vestiaire. Certes, elle en a moins, mais elle les choisit. Elle a un *chum* adorable avec qui la vie est facile. Sonia est heureuse, et ce, même si son frère est mort et que son grand-père est sur le point d'aller le rejoindre. Elle est heureuse parce qu'elle trouve la vie belle. Et à la fin des classes, elle partira pour l'Angleterre. Que pourrait-elle demander de plus ?

— Allons-y ! dit-elle en prenant Lise par le bras.

# Chapitre 7

Sylvie court depuis qu'elle s'est levée. Quand elle a vu le beau soleil après avoir tiré les rideaux, elle a soudainement été prise d'une envie irrésistible d'aller s'asseoir dehors une bonne partie de l'après-midi. Elle va même sortir sa chaise longue. Elle en profitera pour emprunter un roman-photo à Sonia. Elle se servira un grand verre de Coke rempli de glace, et un bol de chips aussi ; elle se la coulera douce. Hier, en revenant de sa répétition de chant, elle s'est acheté quelques pipes en réglisse noire. Elle les sortira de sa cachette secrète et les dégustera tranquillement en prenant du soleil. Il est tellement rare qu'elle se permette une petite pause que, chaque fois, une petite voix lui souffle qu'elle devrait plutôt en profiter pour s'avancer dans son grand ménage – qui est loin d'être terminé –, qu'elle pourrait cuisiner quelques plats pour mettre au congélateur, trier les vêtements des trois plus jeunes pour savoir ce qu'elle devra leur acheter pour l'été, laver les fenêtres… Mais aujourd'hui, elle a décidé de résister à tout ce qui peut l'inciter à renoncer à prendre un peu de temps pour elle. Pour être certaine qu'elle ne sera pas tentée de ramasser le linge sur la corde, Sylvie a même repoussé le lavage au lendemain, ce qui n'est guère dans ses habitudes, sans compter qu'il est censé pleuvoir toute la journée du lendemain. Mais la météo se trompe si souvent qu'elle a décidé de courir le risque. Et s'il pleut, eh bien elle étendra le linge dans le sous-sol. Certes, tous râleront parce qu'ils devront circuler entre les cordes, mais personne n'en mourra.

Depuis que sa famille et elle sont installées dans leur nouvelle maison, c'est une des premières fois que Sylvie va profiter de sa cour arrière. Ici, en plein cœur de l'après-midi, elle entendra seulement les petits oiseaux et le silence entre leurs chants. Les enfants sont à l'école et tout le monde travaille. Quant à sa sœur Ginette, les choses se sont si mal passées la dernière fois que celle-ci est venue qu'elle ne devrait pas se montrer de sitôt, c'est du moins ce que Sylvie souhaite de tout son cœur. Le calme, c'est exactement ce dont elle a besoin. Un moment pour se détendre, pour regarder battre la vie et pour refaire le plein d'énergie avant de tomber dans le tourbillon des spectacles. Malgré la mort de Martin, elle a réussi à apprendre ses chansons et ses deux solos. Chanter était une des rares activités qui la réconfortait. Quand elle entonnait la première note, elle se sentait transportée ailleurs, là où la douleur n'existe pas. Elle a manqué une seule répétition. Le lendemain de celle-ci, elle a reçu un appel de monsieur Laberge. Il s'est d'abord inquiété de son absence. Lorsqu'elle lui a annoncé ce qui était arrivé à son fils, il lui a offert ses condoléances et a tout de suite ajouté : «Je vais peut-être vous paraître dur, mais vous devez assister aux répétitions. Croyez-moi, je sais de quoi je parle : chanter est une des rares choses qui vous apportera un peu de paix. Prenez soin de vous et on se voit la semaine prochaine. »

Sylvie est allée à la répétition suivante. Dès qu'il l'a aperçue, monsieur Laberge est venu la rejoindre. Il l'a invitée à le suivre dans son bureau. C'est là qu'elle a appris qu'il avait perdu sa femme dans un accident d'auto cinq ans auparavant. Il lui a confié à quel point ils étaient unis. «Toute ma vie tournait autour de ma femme. » Comme Sylvie, sa première réaction avait été de ne plus assister aux répétitions ; il croyait qu'il en serait incapable. Heureusement, le directeur de l'ensemble dans lequel il chantait à l'époque lui avait téléphoné et avait insisté pour qu'il revienne, lui expliquant que ce serait bon pour lui. Quand elle est rentrée chez elle ce soir-là, Sylvie s'est dit qu'elle avait beaucoup de chance de pouvoir compter sur un homme tel que Xavier Laberge. Chaque personne possède sa propre histoire. On peut imaginer tous les scénarios, mais plus souvent qu'autrement, la réalité dépasse la fiction. Chacun a des secrets bien enfouis au fond de lui-même, qu'il est libre de partager avec qui il veut.

Le pommier est en fleurs. Il est magnifique. Chaque fois qu'elle le regarde, Sylvie se dit qu'elle aimerait en planter au moins deux autres. Pour le coup d'œil d'abord : c'est tellement beau un pommier en pleine floraison. Pour les pommes aussi : toute la famille adore les tartes aux pommes et la compote. Michel va lui dire qu'on peut acheter des pommes au marché. Mais pour Sylvie, rien ne bat le plaisir de tendre la main et de la refermer sur une belle pomme rouge, de la frotter ensuite sur ses vêtements avant de croquer dedans. Le bruit produit par les dents traversant la peau vaut à lui seul tout le travail dont Michel se plaindra sûrement avant de céder à la demande de Sylvie de planter d'autres pommiers. C'est toujours ainsi que ça se passe avec lui. Il ne déteste pas jouer dans la terre, mais ce n'est pas son activité préférée. Il entretient très bien le terrain. Il coupe le gazon chaque fois que c'est néces- saire. Il trime les quelques arbustes qui ornent la plate-bande devant la maison. Il taille les lilas qui servent de haie au fond de la cour. Mais si ce n'était pas de son orgueil, il laisserait volontiers traîner les choses un peu. Contrairement à son mari, Sylvie adore les plantes. Outre les pommiers, elle aime aussi beaucoup les lilas. Chaque matin, avant de prendre son café, elle va couper un nouveau bouquet et le dépose sur la table de cuisine, au grand désespoir des autres membres de la famille qui trouvent que des fleurs coupées, ça sent le mort. D'après Sylvie, c'est l'œillet qui dégage une telle odeur. Elle répète son petit manège jusqu'à la fin de la floraison, ce qui dure relativement longtemps quand on n'aime pas la senteur du lilas mais qui est trop court lorsqu'on en raffole.

Sylvie a très peu de fleurs dans sa plate-bande pour le moment, mais elle se promet bien de remédier à la situation dès la semaine suivante. Il n'y a rien qu'elle aime plus qu'une plate-bande bien garnie. Plus celle-ci est colorée, plus ça lui plaît. D'ailleurs, il serait grand temps qu'elle fasse un saut au Jardin botanique ; il y a des mois qu'elle n'y est pas allée. Elle adore traîner dans ses grandes allées fleuries. Elle aime aussi s'asseoir sur un banc de parc et respirer tous les arômes qui flottent dans l'air. Ce soir, elle téléphonera à Chantal et lui demandera de l'accompagner. Si sa mémoire est bonne, sa sœur est rentrée de voyage hier. Il y a des jours où Sylvie l'envie de parcourir le monde, mais il y en a d'autres où elle la plaint d'être toujours dans ses valises, de n'avoir ni mari ni enfants. Quand elle en parle à Chantal, celle-ci lui répond : « Je t'interdis de t'en faire pour moi. J'adore ma vie comme elle est. » Mais Sylvie ne comprend pas comment sa sœur peut être satisfaite de sa vie alors qu'elle ne connaîtra jamais la joie d'être mère. Sylvie oublie parfois que toutes les femmes n'ont pas les mêmes intérêts, qu'on n'est plus à l'époque où l'un des rares choix pour une femme était de se marier et de fonder une famille. Aujourd'hui, les femmes peuvent emprunter d'autres chemins.

Aussitôt que les jumeaux et Luc quittent la maison, Sylvie enlève son tablier et se dépêche d'aller verrouiller la porte d'en avant. Elle ramasse tout ce qu'il lui faut au passage et sort sur la galerie arrière. Elle prend une grande respiration et sourit. Elle savoure à l'avance les quelques heures à venir. À compter de maintenant, elle n'a pas l'intention de bouger jusqu'au retour des plus jeunes de l'école. Comme elle a prévu de faire un spaghetti au jus de tomate pour le souper, elle n'aura pas à se presser. Sylvie dépose ses affaires sur la galerie et prend sa chaise longue. Elle descend les quelques marches, regarde tout autour pour choisir le meilleur endroit, puis elle déplie la chaise. Elle s'assure que tout est parfait – elle a horreur de se retrouver les fesses à terre parce qu'elle n'a pas correctement placé les pattes de la chaise –, avant de remonter chercher son attirail. Sylvie est maintenant confortablement installée. Elle sourit à pleines dents. Elle pose ensuite les yeux sur son roman-photo. Au moment où elle va l'ouvrir, une voix résonne derrière elle :

— Salut, ma belle fille ! J'espère que je ne te dérange pas.

Même si elle adore son père, Sylvie aurait préféré qu'il choisisse une autre journée pour venir lui rendre visite. Mais maintenant qu'il est là, aussi bien l'accueillir dignement. Et tant pis pour son après-midi de congé. Elle respire à fond et se tourne vers lui.

— Vous savez bien que vous ne me dérangez jamais. Je vais aller vous chercher une chaise sur la galerie.

— Reste assise, déclare monsieur Belley. À voir comment tu es installée, je doute fort que tu espérais avoir de la visite aujourd'hui. J'aurais dû appeler avant de venir. Je me reprendrai.

— Il n'en est pas question. Maintenant que je vous ai, je vous garde. Ça fait tellement longtemps que je ne vous ai pas vu. Pendant que vous vous prenez une chaise, je vais aller vous chercher un grand verre de Coke. À moins que vous préfériez boire un petit gin ?

— J'ai bien envie d'accepter ton gin.

— Vous n'avez pas l'air dans votre assiette. Est-ce que je me trompe ?

— Va me chercher à boire et je te promets de tout te raconter après, explique Camil. Je veux deux doigts de gin... deux gros doigts, précise-t-il.

Boire un gin en plein cœur de semaine ne ressemble guère à son père. Sylvie se dit qu'il y a fort à parier que Ginette ait quelque chose à voir avec son désarroi. Elle est triste de voir que la vie ne ménage personne, pas même lorsque l'existence de quelqu'un touche à sa fin.

Aussitôt qu'elle revient avec le verre d'alcool, elle déclare :

— J'espère que ce n'est pas ma chère sœur qui vous empoisonne la vie encore.

Son père fixe son verre. Si on lui avait dit qu'un jour il aurait autant de problèmes avec certains de ses enfants, il ne l'aurait pas cru. Pourtant, c'est bien ce qui se produit depuis plusieurs mois. Le vieil homme prend une grosse gorgée de gin avant de répondre.

— J'aimerais bien que ce ne soit pas le cas, mais oui, Ginette fait encore des siennes. Depuis vendredi dernier, elle est venue chez nous tous les jours.

— Pourquoi?

— Elle est comme un vieux trente-trois tours qui saute : elle répète toujours la même chanson. En fait, elle n'a pas encore digéré que j'aie donné ses 2 000 dollars à ses enfants. J'ai beau lui répéter que rien de tout ça ne serait arrivé si elle avait daigné accepter mon invitation, il n'y a rien à faire.

— Pour une fois qu'elle était invitée… À sa place, j'aurais sauté sur l'occasion. Mais non, madame veut tout contrôler.

— Tu as parfaitement raison. Et elle m'a encore menacé de me faire déclarer inapte à gérer mon argent.

— Je vous l'ai déjà dit : arrêtez de vous torturer avec ça, elle ne peut rien faire.

Cette situation désole Sylvie au plus haut point. Elle trouve que c'est injuste pour son père, mais plus encore pour Suzanne.

— Je sais tout ça, déclare le vieil homme. Mais ça me dérange de voir que Ginette n'a aucun respect pour moi, ni aucune reconnaissance pour tout ce que j'ai fait pour elle. Je ne veux pas qu'elle me remercie, je veux juste qu'elle nous respecte, ma femme et moi, et qu'elle nous laisse vivre en paix les quelques années qu'il nous reste.

— Vous me faites peur quand vous parlez comme ça. Je ne veux pas que vous mouriez.

— Que tu le veuilles ou non, ça va finir par arriver. Mais pour en revenir à Ginette, je t'avoue que je ne sais plus quoi faire.

— Vous en avez sûrement parlé avec Suzanne. Qu'est-ce qu'elle pense de tout ça ?

— Elle ne s'en mêle pas. Mais je vois bien que ça la fatigue, toutes ces histoires.

— Je la comprends très bien. Bon, il faut trouver un moyen de vous débarrasser de cette enquiquineuse et de toute sa bande, et le plus vite sera le mieux.

Si elle avait une baguette magique, Sylvie ferait disparaître sur-le-champ sa sœur et ses complices. Mais étant donné qu'elle n'en a pas, elle doit vite trouver une autre solution.

— Pour ce qui est des autres, je ne peux pas dire que j'aie de la misère avec eux, indique monsieur Belley. Je ne les vois jamais.

— On ne prendra pas de chance. On va régler le problème en entier.

Sylvie réfléchit quelques secondes avant d'ajouter :

— J'ai une idée. Je vais les inviter à venir manger ici.

— Qui ?

— Tous mes frères et sœurs.

— Comment vas-tu faire pour les attirer ?

— C'est facile. Je vais leur annoncer que je leur réserve une grosse surprise. Je vais spécifier qu'il faut absolument que tout le monde soit présent, sinon je garderai ma surprise pour moi. Une fois qu'ils seront tous là, Paul-Eugène, Chantal et moi allons les avertir qu'ils ont intérêt à vous laisser tranquille, Suzanne et vous, s'ils ne veulent pas se retrouver avec une poursuite au derrière.

— J'espère que tu n'es pas sérieuse ?

— Ne vous en déplaise, papa, je suis très sérieuse. Le *party* a assez duré. Je vais même demander à mon collègue avocat à l'ensemble lyrique de venir leur expliquer la loi. Je suis certaine que si je lui offre de le payer, il va accepter de nous aider. Ginette est frondeuse, mais elle prend peur facilement.

— Je ne suis pas certain que ce soit la meilleure chose à faire. Ce sont quand même mes enfants.

— Je veux bien croire, mais il y a des limites. Ça fait trop longtemps qu'ils vous importunent. Rien ne vous empêchera de renouer avec eux une fois qu'ils seront revenus à de meilleures dispositions.

Camil n'est pas du tout à l'aise avec la médecine proposée par Sylvie. Mais il est tellement à bout qu'il n'a pas vraiment d'autre choix que d'accepter son offre, surtout qu'il ne sait plus quoi faire. Il souhaite de toutes ses forces que ses misères vont s'arrêter là, mais il n'a guère d'espoir. Ginette est tellement têtue qu'il y a fort à parier qu'une rencontre avec Sylvie, Chantal et Paul-Eugène ne lui fera ni chaud ni froid.

— J'aimerais être là.

— Pas de problème.

— Je tiens à payer le souper.

— Il n'en est pas question. J'en fais mon affaire. Si je ne suis pas capable d'inviter ma famille à manger…

— Et s'ils ne viennent pas ?

— Je vous garantis qu'ils vont tous venir. Je n'ai qu'à faire miroiter un peu d'argent et ils vont tous se coller à moi comme des mouches.

— Tu ne vas quand même pas leur donner ton argent ?

— Ne vous inquiétez pas. Aucun d'entre eux ne mérite d'en avoir, en tout cas pas de ma part.

— Ce n'est pas juste que ce soit encore toi qui prennes tout en charge. Tu as bien assez d'ouvrage sans que je vienne en rajouter.

Camil est vraiment embarrassé que cette tâche incombe à Sylvie ; elle en a déjà plein les bras avec sa famille. Néanmoins, elle est la seule à pouvoir tenir tête à Ginette et à ses comparses.

— Voulez-vous bien cesser de vous en faire ! Paul-Eugène et Chantal vont sûrement vouloir m'aider. Ils détestent autant que moi ce que notre chère sœur vous fait subir. Bon, c'est réglé ! Maintenant, parlons d'autre chose.

— Sans toi, je ne sais vraiment pas ce que je ferais. À présent, parle-moi donc de tes solos.

— Je peux même vous les chanter, si vous voulez.

— Rien ne me ferait plus plaisir.

— Mais avant, je vais vous raconter l'histoire dans laquelle ils s'inscrivent.

C'est avec moult détails que Sylvie décrit le spectacle dans lequel elle joue. Camil ne la quitte pas des yeux. Sa fille aînée est tellement belle quand elle parle de chant. Rien qu'à la regarder, on voit à quel point elle aime chanter. De tous ses enfants, c'est de Sylvie dont monsieur Belley est le plus fier. Alors que celle-ci a passé la plus grande partie de sa vie à la maison, à s'occuper d'abord de ses frères et sœurs et ensuite de sa propre famille, voilà maintenant qu'elle interprète des solos devant des salles pleines à craquer, sans éprouver le moindre stress – c'est du moins ce que son père croit.

— Bon, je suis prête à chanter.

Monsieur Belley savoure chacune des notes émises par Sylvie. Pas besoin d'être un expert pour savoir que sa fille possède un grand talent. Elle se promène allègrement des notes aiguës aux graves. Par le truchement de sa voix, on peut sentir toutes les émotions reliées aux chansons qu'elle interprète. Monsieur Belley est sous le charme. Quand elle pousse sa dernière note, des applaudissements se font entendre. Surprise, Sylvie se retourne pour voir d'où ceux-ci proviennent.

— Je n'ai jamais rien entendu d'aussi beau ! s'écrie la voisine de droite des Pelletier.

— Moi non plus ! s'exclame une autre voisine venue la rejoindre pour mieux savourer le spectacle.

— Je vous prie de m'excuser, déclare Sylvie. J'avais oublié que j'étais dehors.

— Vous n'avez pas à vous excuser, proteste l'une des femmes. Maintenant, il faut nous dire où on peut vous entendre.

— Avec plaisir, répond Sylvie d'une voix remplie d'émotion avant de transmettre les informations relatives aux prochains spectacles de l'ensemble lyrique.

— C'est une grande joie pour moi de t'entendre chanter ; tu es vraiment bonne ! déclare son père. Ta mère serait fière de toi. Cela te tenterait-il d'aller marcher sur le bord du fleuve ?

Ce n'est pas exactement ce dont elle rêvait pour son après-midi de congé, mais elle aime trop son père pour le décevoir.

— À une condition : que vous restiez à souper avec nous.

— À mon tour de poser une condition, rétorque son père du tac au tac. Je rêve de manger un pouding chômeur depuis des jours. Pourrais-tu m'en faire un ?

— Certain ! Ça tombe bien, j'ai du sirop d'érable. Je vous avertis, par exemple : ce ne sera pas un gros souper. J'avais prévu faire un spaghetti au jus de tomate.

— Aucun problème pour moi.

— Mais on pourrait passer à la boucherie. Shirley m'a donné une nouvelle recette.

Monsieur Belley éclate de rire. Il est rendu presque aussi méfiant que les enfants quand il entend parler d'une nouvelle recette. Il faut dire qu'il a une bonne longueur d'avance sur eux. Contrairement à la plupart des femmes, Sylvie n'est pas devenue une meilleure cuisinière avec les années, bien au contraire. Elle a quelques spécia-lités, mais c'est tout.

— Je vous interdis de vous moquer de moi ! lance Sylvie en riant. Mais vous n'avez pas à vous inquiéter : je vais m'en tenir au spaghetti au jus de tomate et au pouding chômeur.

— Allons marcher maintenant.

# Chapitre 8

Au volant de sa Ford Mustang rouge flamboyant, Alain jubile. Il en rêvait depuis tellement longtemps qu'il a encore peine à croire que la voiture lui appartient. Lucie ne l'a même pas encore essayée ; mais avant de prendre la direction de son appartement, il fait un petit crochet pour aller la montrer à sa famille. Il se doute bien que ses parents vont lui demander, avant même de lui dire qu'ils la trouvent belle, s'il a vraiment les moyens de se payer une auto. Leur deuxième question sera certainement de savoir s'il va aller en France cet été en plus. Eh bien, que ça leur plaise ou non, Alain va répondre oui à leurs deux questions. Son père va le regarder droit dans les yeux, en lui lançant du petit air condescendant qui lui est propre : « C'est toi qui le sais, mon garçon. Je crois bien que tu es meilleur que moi pour gérer un budget. Une bonne fois, il va falloir que tu m'expliques comment tu t'y prends. » Au moment de son départ, sa mère va l'embrasser sur les deux joues et elle lui confiera que, finalement, elle est bien contente pour lui.

Alain ne roule pas sur l'or, loin de là. Seulement, il s'est juré de ne pas passer sa vie à se priver comme ses parents et ceux de Lucie l'ont toujours fait. Il vivait très bien sans auto, mais pourquoi se serait-il passé de la Mustang, surtout au prix où il l'a eue ? Ce n'est pas une auto neuve, elle a presque onze ans, mais c'est du solide. S'il se fie à ce qu'il a lu, il devrait pouvoir la revendre au moins le même prix qu'il l'a payée le jour où il voudra s'en débarrasser. Mais d'ici là, il compte bien en profiter. Lucie et lui ont prévu d'aller faire le tour de la Gaspésie avant de reprendre les cours en septembre. Il paraît que c'est très beau là-bas – plusieurs de leurs amis y sont allés, et tous sont revenus enchantés. Alain et sa femme veulent aller à Québec aussi. Et à Ottawa.

Au moment où il s'engage dans la rue de ses parents, Alain a une petite pensée pour Martin. Son frère aurait adoré la Mustang. Depuis son départ, pas une seule journée ne passe sans qu'Alain pense à Martin. Ils n'étaient pas seulement des frères ; ils étaient les meilleurs amis du monde. Ils n'avaient pas besoin de parler pour savoir ce que l'autre pensait. Ensemble, ils avaient des projets à la tonne. Depuis que Martin avait repris avec Violaine, ils faisaient beaucoup de sorties à quatre. Mais Alain et Lucie n'ont pas laissé tomber la jeune fille. La semaine dernière, ils l'ont invitée à venir manger chez eux. La pauvre, elle n'arrive pas à se remettre de la mort de Martin. « C'était l'homme de ma vie. On s'était enfin retrouvés. Jamais je ne pardonnerai à Dieu de me l'avoir enlevé. C'est trop injuste. Je ne veux plus jamais aimer quelqu'un si c'est pour le voir mourir sous mes yeux. » Alain et Lucie ont essayé de lui faire entendre raison, mais pour le moment Violaine souffre trop. Chaque fois qu'Alain la revoit, elle lui ramène sa douleur en plein visage, à tel point que l'autre jour il a dit à Lucie qu'ils devraient peut-être espacer leurs rencontres avec Violaine. Sa femme a répondu qu'il valait mieux qu'il s'y fasse parce qu'il allait toujours y avoir quelqu'un ou quelque chose pour lui rappeler son frère, et que Violaine avait besoin d'eux pour traverser cette épreuve. S'il y a une chose dont Alain est fier, c'est bien d'avoir épousé Lucie. Depuis qu'ils sont ensemble, sa vie a changé du tout au tout, et pour le mieux. Ils s'aiment comme des fous et passent la majeure partie de leur temps libre ensemble.

Alain est maintenant devant la maison familiale. Il enclenche le clignotant de l'auto et entre dans la cour. La seconde d'après, les jumeaux, Luc et Prince 2 accourent jusqu'à sa hauteur. L'air surpris, les trois garçons regardent leur frère. Alain baisse sa vitre et s'enquiert :

— Puis, comment la trouvez-vous mon auto ?

— Elle est vraiment à toi ? demande Dominic, incrédule.

— Mais oui ! À qui veux-tu qu'elle soit ? Veux-tu que je te montre mes papiers ?

— Elle est très belle ! s'écrie Luc. Vas-tu nous la faire essayer ?

— Montez !

— Il faudrait qu'on avertisse maman, prévient François.

— Ce n'est pas la peine, le rassure Alain. Il vous reste encore une bonne demi-heure avant que ce soit l'heure de rentrer. Attache ton chien après le poteau de la galerie et montez tous les trois. On va aller manger une crème glacée.

— Mais on n'a pas d'argent, avoue François.

— Ce n'est pas grave, répond Alain. C'est moi qui vous invite.

— Tu es donc bien gentil avec nous aujourd'hui, s'étonne Dominic. D'habitude, tu n'arrêtes pas de nous faire étriver même quand on n'a rien fait de mal.

— C'est parce que je vous aime que je vous agace.

— Les adultes aussi disent ça, riposte François. Des fois, moi, j'aimerais mieux qu'ils nous aiment moins et qu'ils nous laissent tranquilles.

— Et que les vieilles matantes arrêtent de nous pincer les joues aussi ou de nous passer la main dans les cheveux, renchérit Dominic.

Puis, les trois garçons s'assoient à l'arrière, ce qui fait sourire Alain.

— Si je comprends bien, c'est un taxi que vous aviez demandé, commente-t-il en riant. Je vous avertis, ça va vous coûter cher. Tenez-vous bien, direction petit dépanneur sur le bord du fleuve. Mais que se passe-t-il avec vous ? demande-t-il ensuite aux jumeaux.

Vous ne m'avez pas encore dit si vous trouvez que j'ai une belle auto. Il n'y a que Luc qui ait donné son avis.

— Moi, je la trouve très belle parce que le rouge c'est ma couleur préférée, dit François.

— Moi, ce que j'aime le plus c'est la barre blanche au milieu, déclare Dominic. Elle a l'air d'un gros bonbon, ton auto.

— Jamais je ne te laisserai la manger ! plaisante Alain. N'y pense même pas ! Il n'est pas question que tu imprimes tes dents sur la peinture.

Luc, François et Dominic éclatent de rire. Alain aime beaucoup les trois petits derniers de la famille. Il a un faible pour les jumeaux. Il les trouve tellement drôles. Chaque fois que sa mère lui raconte leurs mauvais coups, il se demande où ils peuvent trouver toutes leurs idées. Le coup de la caisse de boissons gazeuses aux fraises volée à l'épicerie du coin demeure de loin son histoire préférée. Il aurait payé cher pour les voir quand ils ont refusé de souper tellement ils avaient mal au cœur. Il est content de voir qu'en vieillissant, ils jouent plus souvent avec Luc. Avant, c'était loin d'être ainsi. Quand les jumeaux étaient plus jeunes, ils criaient au meurtre chaque fois que Luc s'approchait d'eux ou qu'il touchait à un de leurs jouets. Mais François et Dominic se gardent bien d'entraîner leur frère dans leurs mauvais coups. C'est comme si c'était une chasse gardée. Dernièrement, sa mère lui a appris que Luc arrive de plus en plus à suivre les jumeaux, à bicyclette comme à pied. Quand il est avec eux, il en oublie même de faire des crises d'asthme.

— Tu as fait un bon choix ! s'écrie Luc. Je trouve que ton auto est bien plus belle que celle de papa.

— Et que celle d'oncle Paul-Eugène, commente Dominic. Est-ce qu'on pourrait aller la montrer à nos amis ?

— C'est sûr qu'ils ne nous croiront pas quand on va leur en parler, dit François. S'il vous plaît, dis oui ! Nos amis habitent juste à côté de l'école.

— Pas aujourd'hui, répond Alain. On a juste le temps d'aller manger une crème glacée avant que ce soit l'heure de vous ramener.

— Il ne faut surtout pas qu'on soit en retard parce que maman ne nous laisse plus rien passer ces temps-ci, déclare Dominic. On dirait qu'elle a des yeux tout le tour de la tête.

— Tu as raison, acquiesce François. Elle voit tout. On était bien mieux quand elle ne s'occupait pas de nous.

— Pourquoi maman ne s'occupait plus de vous ? s'inquiète Alain.

— Elle avait trop de peine parce que Martin est mort, répond Luc.

Alain n'a pas envie d'aborder ce sujet avec ses jeunes frères. C'est pourquoi il se dépêche de leur demander s'ils veulent qu'il leur raconte une blague. À peine a-t-il prononcé le dernier mot de sa plaisanterie que les trois garçons s'esclaffent. Il adore les entendre rire. On dirait une cascade qui n'en finit plus de descendre. Ils rient tellement à présent qu'ils se tiennent les côtes.

Quand ils reviennent à la maison, Sylvie sort sur la galerie. Elle vient sûrement leur dire qu'il est l'heure de rentrer. Quelle n'est pas sa surprise quand elle les voit sortir de l'auto d'Alain.

— Il ne faut pas nous punir, maman, lance Luc. On était allés manger une crème glacée avec Alain. Tu as vu comme elle est belle son auto ?

— De toute façon, on n'est même pas en retard, intervient Dominic. Je vais dire aux autres de venir voir la Mustang.

— Et elle roule comme une neuve, annonce François. Tu devrais demander à Alain de t'emmener faire un tour. Moi, je trouve qu'il conduit très bien.

Sylvie regarde la Mustang en silence. Elle descend de la galerie et fait le tour de l'auto en laissant traîner une main sur la carrosserie. Personne ne le sait, pas même Michel, mais elle a toujours eu un faible pour les Mustang rouges. Alain se tient un peu en retrait du véhicule ; il regarde sa mère en songeant que pour une fois ses parents réagiront peut-être différemment. Quand Sylvie arrive à la hauteur de la portière du conducteur, elle regarde son fils et lui demande si elle peut s'asseoir dans la voiture.

— Tu peux même la conduire, si tu veux, propose Alain.

Bien installée derrière le volant, Sylvie regarde partout autour d'elle. Elle prend même dans sa main le bras pour changer les vitesses. Elle regarde ensuite dans le rétroviseur. Tout est parfait ! Cette auto est vraiment à son goût. Pendant quelques secondes, elle se prend à rêver qu'elle lui appartient. Un large sourire s'installe alors sur ses lèvres. Elle doit faire un effort pour sortir du véhicule tellement elle s'y sent bien. Alain n'a pas perdu le moindre geste de sa mère. Il ne l'a pas vue souvent dans cet état. Elle a l'air d'une petite fille qui vient de découvrir un nouveau jouet.

Une fois à côté de son fils, elle l'embrasse sur les deux joues. Puis, elle lui dit :

— C'est une très belle auto que tu as là. Il faudra que tu me la fasses essayer.

— On peut y aller tout de suite.

— Ce n'est pas une cassure. Attends au moins que ton père l'ait vue. Je gage qu'il dort encore dans son fauteuil. Je vais aller le…

Mais Sylvie n'a pas le temps de terminer sa phrase. Michel vient de sortir de la maison, Sonia et Junior sur les talons. Quand il voit la Mustang rouge, Michel déclare en descendant de la galerie :

— Elle est vraiment à toi, cette petite merveille ? J'avais peine à croire les garçons. J'ai toujours rêvé d'en avoir une comme celle-là.

— Eh bien, faute de posséder une Mustang, tu vas au moins pouvoir en essayer une ! affirme fièrement Alain.

— Je te remercie, réplique Michel promptement, mais j'ai trop peur d'aimer ça. Je vais me contenter de m'asseoir dedans.

— Est-ce que tu vas vouloir me montrer à conduire ? demande Sonia à Alain.

— Moi aussi, je veux apprendre ! s'écrie Junior.

— Voulez-vous bien laisser votre frère tranquille ? maugrée Michel. C'est moi et personne d'autre qui vais vous montrer à conduire. Votre frère est bien trop occupé.

— Oui mais, papa, dit Sonia, c'est avec une auto comme celle d'Alain que je veux apprendre, pas avec une voiture comme la tienne. Ça me gêne trop.

— Je t'interdis d'insulter mon auto ! lance Michel en souriant. Elle nous conduit partout où on veut aller et c'est tout ce que je lui demande.

— Je me vois déjà en train de conduire, mais pas ton auto, papa, plutôt celle d'Alain, confie Junior. Je t'en prie, laisse-le décider par lui-même.

Alain est fier comme un paon. Alors qu'il s'attendait à se faire réprimander par ses parents, voilà que tous les deux sont fous de son auto. Il accepterait volontiers de montrer à conduire à Sonia et à

Junior ; toutefois, son petit doigt lui dit qu'il ne doit pas pousser sa chance trop loin.

— Je vous apprendrai, mais seulement si papa est d'accord, annonce-t-il.

Déçus, Sonia et Junior retournent dans la maison sans ajouter un mot. Ce n'est pas du tout ce que souhaitait Alain. C'est pourquoi il se permet d'ajouter :

— Mais comme tu es très occupé, papa, ne te gêne pas. Je trouverai bien un peu de temps pour leur apprendre à conduire.

— C'est noté, mon garçon.

— Bon, est-ce que je peux aller essayer ta belle Mustang maintenant ? demande Sylvie.

— Mais oui, répond promptement Alain. Tiens, voici les clés.

Surpris par le geste de son fils, Michel se renfrogne un peu. Alors que lui préfère s'abstenir, voilà que sa chère Sylvie saute à pieds joints sur l'occasion. Mais il se connaît : s'il pose les fesses derrière le volant et qu'il démarre le moteur, il est fait. Après, il désirera une Mustang de toutes ses forces. Mais tant que le contrat de vente de son ancienne maison n'est pas passé, il ne peut se permettre une nouvelle dépense. Comme il veut se montrer bon joueur, il dit d'un ton neutre :

— Je vais m'asseoir à l'arrière. On pourrait aller manger une crème glacée, si vous voulez. C'est moi qui paie.

— Si ça ne te dérange pas, déclare Alain, je me contenterai de boire un Coke parce que je viens juste de manger une crème glacée.

— Comme tu veux.

— Montez vite ! s'impatiente Sylvie. J'ai hâte d'entendre vibrer le moteur.

— Depuis quand t'intéresses-tu aux moteurs des autos ? s'étonne Michel.

— Je te l'ai déjà dit : il y a des tas de choses que tu ignores de moi. Par exemple, j'ai toujours adoré le bruit du moteur de la Mustang.

— Première nouvelle que j'en ai ! commente Michel. Ne va pas trop vite, s'il te plaît.

Sylvie ne relève pas. Elle est beaucoup trop heureuse de pouvoir enfin conduire une Mustang. Elle met le moteur en marche, sort de l'entrée et prend la direction du centre-ville. Alain observe sa mère en souriant. Il y a longtemps qu'il ne l'a pas vue aussi heureuse.

* * *

Michel ronfle depuis un bon moment déjà. Pour sa part, Sylvie est incapable de s'endormir. Toutefois, ça n'a rien à voir avec les ronflements de son mari. Elle ne cesse de revivre en boucle sa petite promenade dans la Mustang d'Alain. Plus elle y pense, plus elle songe qu'elle devrait s'offrir une telle voiture. Demain, elle vérifiera combien il lui reste d'argent à la banque sur l'héritage que lui a légué Jeannine. Elle appellera Alain aussi pour savoir combien elle doit s'attendre à payer pour une Mustang dans les mêmes années que la sienne. Elle pourrait offrir le véhicule à Michel pour son anniversaire, mais pour une fois, elle a envie d'être égoïste. Elle veut bien partager, mais il y a quand même des limites. Elle se livre à une réflexion intense. Au bout d'un moment, elle a pris sa décision. Comme elle n'a jamais eu d'auto à son nom, elle va payer entièrement la Mustang et elle la prêtera à Michel. Elle possédera enfin sa propre voiture – à la condition qu'elle ait les moyens de se l'offrir, bien entendu. Le sourire aux lèvres, elle se tourne sur le côté. Elle sombre enfin dans un sommeil profond où une ribambelle de Mustang meuble ses rêves.

# Chapitre 9

Attablés au nouveau restaurant Croc Bonheur, Sylvie et Michel discutent allègrement. À son retour du travail, Michel a annoncé à sa femme qu'il l'enlevait pour quelques heures. Même si c'est vendredi, alors que leurs petites escapades ont habituellement lieu le samedi, elle n'a offert aucune résistance. D'ailleurs, leurs petites sorties en amoureux commençaient à lui manquer sérieusement. C'est la première fois qu'ils viennent manger dans ce restaurant, mais ce ne sera sûrement pas la dernière. Ils ont aimé l'endroit dès qu'ils y sont entrés. La petite salle à manger possède un décor moderne mais sans ostentation. Une musique feutrée accompagne les conversations. Un personnel courtois et discret sert la clientèle. La cuisine est simple mais savoureuse.

— Je ne sais vraiment pas ce que Sonia fait aux garçons ! s'exclame Sylvie. Figure-toi que Normand lui a envoyé des fleurs hier pour essayer de la reconquérir. Tu aurais dû voir notre fille quand les fleurs sont arrivées. Elle sautait partout jusqu'à ce qu'elle apprenne de qui le cadeau provenait. Elle a changé d'air instanta-nément. À mon avis, elle pensait que les fleurs avaient été envoyées par son bel Antoine. Toujours est-il qu'elle m'a tendu le bouquet en disant que je pouvais en faire ce que je voulais, que je pouvais même le mettre à la poubelle. Tu sais à quel point j'aime les fleurs ! Le bouquet était tellement beau que je n'ai pu résister à l'envie de le mettre dans un pot. Quand les garçons sont rentrés et qu'ils ont demandé à qui étaient les fleurs, Sonia a répondu qu'elle venait tout juste de me les offrir. Ils ont regardé leur sœur d'un drôle d'air, mais ils n'ont pas posé de questions.

— Avoue que c'est une belle fille, notre Sonia, dit Michel en gonflant le torse. À mon avis, elle n'a pas fini de briser des cœurs.

— Dans le cas de Normand, c'est plutôt l'inverse qui est arrivé. Si tu ne t'en souviens pas, moi je n'ai rien oublié. Je pensais que la peine de Sonia n'aurait jamais de fin.

— Crois-moi, elle va briser bien plus de cœurs qu'elle ne va se faire briser le sien. C'est toujours comme ça avec les belles filles. Je te garantis qu'elle va s'arranger pour ne plus connaître de peines d'amour.

Michel est très fier de sa fille. Chaque fois qu'il a l'occasion de présenter Sonia à des gens, c'est avec le sourire aux lèvres qu'il procède.

— Arrête ! C'est de notre fille que tu parles.

— Je sais. Ne t'inquiète pas pour elle. Elle n'est pas seulement belle, elle est très intelligente. Je suis certain qu'elle va faire son chemin dans la vie.

— Pour ça, je n'ai aucune inquiétude. Elle a beaucoup de caractère depuis qu'elle est toute petite : quand elle veut quelque chose, elle s'organise pour l'avoir. Regarde ce qu'elle a décidé de faire pour pouvoir aller en Angleterre avec tante Irma et Chantal. Elle a accepté de suivre des cours de personnalité si on lui accordait la permission de partir en voyage. Il fallait quand même y penser.

Celle-là, Sylvie ne l'avait pas vu venir du tout. Elle a d'abord pensé que c'était l'idée de tante Irma ou de sa sœur. Quand tante Irma lui a dit que la proposition venait bel et bien de Sonia, Sylvie a éclaté de rire et a déclaré : « J'aurais pourtant juré que c'était du Chantal tout craché ! »

— Tant que Sonia part avec ses deux tantes et qu'elle gagne l'argent pour payer le voyage, je ne vois vraiment pas pourquoi on la priverait, commente Michel. Non seulement elle découvre de nouvelles choses, mais elle apprend aussi la valeur de l'argent. Et ce n'est pas tout, car elle va pouvoir pratiquer son anglais. Elle m'a dit que Chantal allait s'occuper de tout. Mais je sais qu'une fois sur place, notre fille va finir par se risquer à utiliser l'anglais. De toute façon, quand on restait sur l'île, elle ne se débrouillait quand même pas si mal, en tout cas bien mieux que les garçons.

— Depuis quand es-tu en faveur que tes enfants parlent anglais ?

— En faveur ou non, je pense qu'on n'a pas trop le choix. N'oublie pas qu'au Québec, on est encerclé par les Anglais, et de tous les côtés en plus. À part chez nous, tout se passe en anglais dans notre pays. Moi, je pense que si nos jeunes veulent avoir des bons emplois, ils sont mieux d'être bilingues – même si c'est mal vu par l'ensemble des francophones. Il y a assez de nous deux qui aurons l'air fou quand on ira voir mon frère à Edmonton.

— Décidément, tu ne finiras jamais de me surprendre. Et puis, c'est bien beau de parler de Sonia, mais on a d'autres enfants aussi. C'est rendu qu'ils veulent tous partir pendant les vacances d'été. Même Luc me supplie de le laisser aller à Jonquière avec les jumeaux.

— Il va falloir que tu cesses de le couver. Il est assez vieux pour traîner sa pompe dans ses poches au cas où il ferait une crise d'asthme. Heureusement, c'est de plus en plus rare.

— Oui, mais si tout à coup il la perd…

— Veux-tu bien arrêter de t'en faire pour rien ? S'il perd sa pompe, on lui en achètera une autre. Si on ne veut pas en faire une mauviette, il est grand temps qu'on le laisse vivre un peu.

Sylvie sait très bien que Michel a raison, mais elle veille sur Luc depuis sa première crise d'asthme. Chaque fois que son fils s'éloigne d'elle, elle a peur qu'il fasse une crise et qu'il n'ait pas ce qu'il faut à portée de main.

— Déjà que je trouvais que c'était beaucoup d'ouvrage pour ta mère de recevoir les jumeaux…

— Tu sais bien qu'elle aime avoir ses petits-enfants avec elle. Mais tu n'as qu'à l'appeler. Elle te dira si c'est trop de travail pour elle.

— C'est ce que je vais faire. Il y a Junior aussi. Il veut retourner chez son parrain et sa marraine. Je lui ai dit qu'il pourrait inviter son cousin Gaétan à venir chez nous, mais il m'a dit qu'il préférait aller là-bas. Ça va finir par être gênant si c'est toujours à sens unique.

— Je comprends Junior. À sa place, moi aussi j'aimerais aller chez Gaétan. Notre fils a mis assez de temps à se décider à sortir de tes jupes, tu ne vas pas le retenir. Et puis, son parrain est capable de le recevoir.

— Nous autres aussi.

— Oui, mais pas comme lui. Je suis loin de gagner autant d'argent que lui.

Sylvie n'est pas contre le fait que ses enfants aillent à Jonquière, c'est simplement qu'elle trouve qu'ils ont grandi beaucoup trop vite. Ça lui fait peur de penser que dans dix ans tout au plus, Michel et elle vont se retrouver seuls. Mais en réalité, sa peur est bien plus profonde : elle trouve que la vie passe trop vite et ça l'angoisse de se voir vieillir. Elle a de plus en plus de cheveux gris, ce qui la trouble. Alors qu'elle fait attention à ce qu'elle mange, voilà qu'elle a de nouvelles petites rondeurs, et ça la choque. Elle se fatigue plus vite qu'avant aussi, ce qui la désespère. Jusqu'à il n'y a pas si longtemps, jamais elle n'aurait fait une petite pause en plein cœur de l'après-midi alors que, maintenant, elle est prête à faire des prouesses pour pouvoir s'en offrir une. Et puis, il y a tellement de choses qu'elle aimerait faire qu'elle est parfois prise de vertige de peur de ne pas avoir le temps de réaliser tous ses rêves – par exemple, aller dans l'Ouest canadien et voir le Grand Canyon. Sa famille a encore une grande importance pour Sylvie, c'est tout ce qu'elle désirait de la vie avant de faire partie d'un ensemble lyrique, mais elle a l'impression de seulement commencer à vivre. C'est vrai que l'héritage de son amie Jeannine lui a donné un bon petit coup de pouce. Même si on nourrit les plus beaux rêves, il faut avoir les moyens de les réaliser – ce que Sylvie n'avait pas jusqu'à ce que le notaire lui lise le testament de Jeannine.

— C'est à mon goût ici, déclare Michel. On devrait revenir. Je trouve qu'on s'est négligés ces derniers temps et j'ai bien l'intention qu'on se reprenne. Nos petites sorties rien que toi et moi me manquaient.

Michel regarde Sylvie dans les yeux. Il prend ses mains dans les siennes et lui sourit. Il est content de la retrouver. Les derniers mois ont été très difficiles pour eux. Il y a des événements dans la vie que seul le temps finit par estomper. Depuis qu'ils sont mariés, c'était la première fois qu'ils ne faisaient pas l'amour chaque samedi soir, et cela ne leur est pas arrivé à une seule reprise. Il faut dire que pendant plusieurs semaines, aucun des deux n'avait envie d'avoir du plaisir. Leur peine prenait toute la place. C'est tout juste s'ils se donnaient un petit bec de sœur avant de s'endormir. Un beau jour, alors qu'elle revenait de voir Lionel, Sylvie lui a dit qu'elle voulait faire l'amour. Michel s'en souvient comme si c'était hier. Il avait les larmes aux yeux. Il ne l'a pas raconté à Sylvie, mais il pensait bien qu'ils ne feraient plus jamais l'amour et ça l'attristait au plus haut point. Jamais il n'aurait osé faire le premier pas. Ça n'a pas été l'un des moments les plus torrides de leur vie, mais ça leur a permis de reprendre contact. Depuis, ils n'ont pas manqué un samedi, et il leur arrive même fréquemment de récidiver pendant la semaine.

— À moi aussi, elles me manquaient, confie Sylvie. Que dirais-tu d'aller au Jardin botanique dimanche ?

— J'ai d'autres plans. J'ai bien envie d'aller voir mon père. Je partirai tôt demain matin et reviendrai dimanche soir.

— C'est une excellente idée. Est-ce que tu préfères y aller seul ?

— Oui, si tu n'y vois pas d'inconvénient. J'aimerais mieux n'avoir à m'occuper de personne. J'ai l'intention de sortir le père un peu – s'il en a envie, bien entendu.

— Et la force…

— On pourrait aller au Jardin botanique la semaine prochaine, si tu veux.

— Est-ce que ça te dérangerait si je demandais à mon père et à Suzanne s'ils veulent venir avec moi ? J'ai tellement envie d'y aller, surtout qu'il est supposé faire beau.

— Ben non, voyons ! Je trouve que c'est une très bonne idée. Bon, veux-tu que je te fasse rire maintenant ?

Sans attendre la réponse de sa femme, Michel poursuit sur sa lancée :

— Sais-tu ce que Fernand a fait ?

Cette fois encore, Michel, trop excité, enchaîne sans laisser le temps à Sylvie de placer un mot.

— Eh bien, il est enfin allé voir le film *Valérie*. Ça faisait des semaines qu'il me cassait les oreilles avec ça.

Voyant que Sylvie fronce les sourcils, il ajoute :

— Tu sais bien, je t'en ai parlé l'autre jour. Ce film met en vedette la belle Danielle Ouimet, l'ancienne animatrice. Il paraît qu'on voit tout, tout, tout. Fernand m'a dit qu'il en avait eu bien plus que pour son argent. D'après lui, ce n'est pas croyable à quel point cette actrice est belle.

— C'est certain que le réalisateur n'aurait pas pris un laideron. Ça parle de quoi au juste, ce film-là ?

— Fernand ne m'a pas raconté l'histoire, il m'a juste parlé des images. Il paraît qu'elles sont belles en maudit, mais je te passe les détails. Apparemment les gens attendaient en file pour entrer dans le cinéma.

— Il ne devait pas y avoir beaucoup de femmes ! s'exclame Sylvie en riant.

— En tout cas, selon le journal, le clergé crie au scandale, car il est complètement en désaccord avec ce que les journalistes appellent la libération sexuelle. Tu les connais autant que moi, les curés veulent qu'on fasse l'amour seulement pour agrandir la famille, surtout pas pour le plaisir. Je me demande s'ils connaissent ce mot, nos chers curés.

— Tu le sais comme moi, chaque fois que la religion sent qu'elle perd de l'emprise sur ses fidèles, elle se dépêche de crier au scandale. Je voudrais bien aller le voir, ce film-là.

— Tu es certaine ? demande Michel, l'air surpris. En tout cas, je serais mal à l'aise d'y aller avec toi. Il me semble que ça n'a aucun sens que ma femme soit assise à côté de moi pendant que j'en regarde une autre à l'écran.

Depuis qu'il a vu les publicités dans le journal, Michel rêve d'aller voir *Valérie*.

— Ce n'est pas grave, émet Sylvie. Je demanderai à une de mes amies de venir avec moi. Je suis certaine que Shirley sera partante. Mais toi, vas-tu y aller ?

— J'aimerais bien ça, répond-il, l'air gêné.

Fidèle à lui-même, Michel ne s'étend pas sur le sujet. Après s'être raclé la gorge, il poursuit :

— Passons aux choses sérieuses maintenant. Si on veut aller voir mon frère à Edmonton cet été, il faudrait qu'on commence sérieusement à y penser. Il faut qu'on sache si on y va en auto, en avion ou en train.

— Il faut d'abord qu'on décide si on y va juste tous les deux ou si on emmène les enfants.

— Vu que ce sera notre premier grand voyage, j'ai bien envie qu'on parte juste tous les deux. On n'irait pas en auto, car c'est trop long. On pourrait voyager en train. Il paraît que c'est de toute beauté.

— Attends! Tu vas trop vite pour moi. C'est bien beau qu'on y aille seulement nous deux, mais qui va s'occuper des enfants pendant notre absence?

— Je trouve que deux semaines, c'est beaucoup trop long pour que Sonia les garde. On aurait pu s'arranger avec Alain et Lucie, mais ils seront en France. Je ne sais pas si tu vas trouver que c'est une bonne idée, mais j'ai pensé qu'on pourrait demander à ton père et à Suzanne de venir s'occuper des enfants.

— C'est une excellente idée! confirme Sylvie avec enthousiasme. On a des chances qu'ils acceptent. En plus, les enfants les adorent. Et moi, je dormirai sur mes deux oreilles en sachant que mon père et Suzanne s'occupent de la maisonnée. Demain, je téléphonerai à mon père à la première heure. Mais j'y pense, si on va à Edmonton en train, le voyage va être long.

— Plus qu'en avion, c'est certain, mais j'ai une idée. On pourrait y aller en train et revenir en avion. Comme ça, on ne manquerait rien.

Sylvie et Michel sont aussi excités l'un que l'autre à l'idée de partir en vacances.

— Je suis parfaitement d'accord. On partirait pendant les vacances de la construction, j'imagine?

— Oui. Tant et aussi longtemps que je travaille sur la construction, ce sont les seules vacances que j'aurai. On pourrait en profiter pour aller à Vancouver et à Victoria tant qu'à être dans le coin. Selon André, ça vaut le détour. Il m'a aussi dit qu'il fallait qu'on voie la vallée de l'Okanagan. Il paraît que c'est de toute beauté. La dernière fois qu'on s'est parlé au téléphone, André et moi, il a proposé de nous servir de guide. Sa femme est supposée venir avec nous. Ils vont faire garder les enfants. Qu'en penses-tu ?

— C'est parfait pour moi. As-tu une idée de ce que notre voyage va coûter ? demande Sylvie en plissant le front. Mon budget n'est pas élastique à l'infini.

Depuis que Sylvie a goûté au plaisir d'avoir de l'argent bien à elle, elle s'est juré de ne jamais en manquer. Elle ne compte pas le moindre cent, mais elle surveille ses finances de près.

— André m'a informé du prix du train et de l'avion. Tu vas voir, ça a bien du bon sens.

— Mais on va avoir beaucoup d'autres choses à payer. Il va falloir dormir dans des motels si on va à Vancouver.

— Arrête de t'inquiéter. André a tout prévu : il va emprunter la caravane de son beau-père. On va même pouvoir se faire à manger. N'oublie pas que les Pelletier détestent au plus haut point dépenser de l'argent inutilement. Tu ne peux même pas t'imaginer à quel point j'ai hâte d'être là-bas. Quand on reviendra, il faudra qu'on pense à notre voyage en Égypte.

— On va commencer par faire celui-là, déclare Sylvie. On pourrait aller marcher sur le bord du fleuve maintenant. Il me semble que ça me ferait du bien de bouger un peu.

— J'ai une bien meilleure idée, lance Michel, les yeux pétillants. On pourrait chercher un endroit tranquille et faire… du *parking*.

Sylvie éclate de rire et rougit jusqu'à la racine des cheveux. Elle songe qu'il n'y a que Michel pour penser à ça.

— Tu es vraiment sérieux ? Faire du *parking* à notre âge ?

— Tout ce qu'il y a de plus sérieux, ma chère ! L'âge n'a rien à voir là-dedans. Je meurs d'envie de me coller contre toi, de t'embrasser et de… Alors, on y va ?

Sylvie se contente de prendre son mari par le bras et de se diriger vers la porte. Une fois dans l'auto, ils s'embrassent à pleine bouche avant que Michel se décide enfin à démarrer.

* * *

Le soleil n'est pas encore levé lorsque Michel se glisse hors du lit. Il fait attention de ne pas réveiller Sylvie. Il s'empare de ses vêtements au pied du lit et du petit sac de voyage qu'il a préparé la veille. Avant de sortir de la chambre, il revient sur ses pas. Il va embrasser doucement Sylvie sur le front. Satisfait, il quitte la chambre sur la pointe des pieds. Une fois dans la cuisine, il s'habille en vitesse. Il saisit ensuite une pomme et sort de la maison sans prendre le temps d'emmener Prince 2 faire ses besoins. Il s'arrêtera manger à l'Étape ; c'est une sorte de rituel depuis le temps qu'il traverse le parc des Laurentides. Et il ne manquera pas une occasion d'acheter des choses à grignoter pendant le voyage. Chaque fois, en remontant dans son auto, il se dit qu'il a payé trop cher, mais il ne se dompte pas.

Michel ouvre la radio et fait le tour de toutes les fréquences dans l'espoir de trouver une tribune intéressante. Il adore les tribunes à la radio. Pour une fois qu'il est seul dans l'auto, il pourra écouter ce qu'il veut, à l'aller comme au retour, sans entendre gémir qui que ce soit derrière lui ou juste à côté. Chaque fois qu'il part pour Jonquière, il songe qu'il faut qu'il aime beaucoup ses parents pour supporter cinq heures de route à l'aller et au retour. Comme il passe toutes ses semaines au volant d'un gros camion, s'asseoir derrière son auto ne le réjouit pas tellement. Si on demandait à un facteur si cela lui tente d'aller prendre une marche, il y a fort à parier que ce dernier passerait son tour car il marche beaucoup dans le cadre de son travail.

Michel est très heureux que la vie soit redevenue ce qu'elle était – enfin, presque – avant la mort de Martin. S'il est vrai que Dieu nous met à l'épreuve, il n'y est pas allé avec le dos de la cuillère cette fois. Michel a toujours eu de la difficulté avec la maxime qui prétend que chaque épreuve nous fait grandir. Elle ne rime à rien pour lui. Qui serait assez naïf pour accepter volontairement les coups durs sous prétexte de grandir ? Heureusement que la vie nous réserve parfois de belles surprises, comme le retour d'André par exemple. Michel sera éternellement reconnaissant à Dieu pour ces retrouvailles. Il se réjouit d'aller voir son frère cet été. Même si André lui a montré des photos de sa maison et de son entreprise, il a très hâte de voir par lui-même tout cela, et aussi de connaître les amis de son frère.

Quand Michel trouve enfin une station qui l'intéresse, il monte le son et sourit. Il est content d'aller voir son père. Il est surtout heureux d'y aller seul pour une fois.

# Chapitre 10

Junior revient de son cours de danse. Il est très content de lui. Son professeur l'a félicité devant tout le monde tout à l'heure. La seconde d'après, Junior a reçu un coup de coude de Francine dans les côtes, suivi de quelques mots à l'oreille : « Je te l'avais dit. On est les meilleurs ! » Leur professeur leur a même proposé, à Francine et à lui, de les inscrire à un concours de danse qui se tiendra à Montréal. Tous deux jubilaient. Junior a raccompagné sa douce chez elle après leur cours. Ils se verront ce soir, car ils ont prévu d'aller au cinéma. Ils auraient bien voulu proposer à Sonia et à Antoine de venir avec eux, mais comme c'est la première d'une longue série de spectacles pour la troupe de Sylvie, sa sœur doit garder les trois plus jeunes parce que leur père assiste à toutes les premières. Junior mettrait sa main au feu que ça ne fait pas l'affaire de Sonia – ça ne fait jamais son affaire –, mais vu qu'elle est la seule fille de la famille, cette tâche lui incombe toujours.

Le mode de vie de Michel et de Sylvie a beaucoup changé ces dernières années. Avant, ils sortaient très rarement seulement tous les deux. Et quand ils avaient une soirée, ils demandaient à une petite voisine de venir garder les enfants. Bien entendu, ils payaient cette dernière. Sonia a remplacé celle-ci aussitôt qu'elle a eu douze ans, mais les occasions de gardiennage se faisaient rares. Et puis, Michel et Sylvie ne la payaient pas, puisqu'elle est leur fille, ce que Sonia trouvait très injuste. Elle avait beau faire valoir son point de vue chaque fois qu'elle gardait ses frères, jamais elle n'a reçu la moindre petite pièce de monnaie pour ses services. « On ne paie pas ses enfants pour nous rendre service », se défendaient les parents. Mais cette année, les choses ont changé. Sonia ne reçoit toujours pas d'argent en échange de son temps, mais elle obtient des vêtements. La jeune fille a détesté jouer les gardiennes dès la première fois que ses parents lui ont imposé cette corvée. Junior comprend très bien sa sœur. D'abord, il trouve injuste que cette tâche revienne toujours à sa sœur. Lui aussi, il pourrait garder ; mais chaque fois qu'il propose ses services à sa mère, elle lui dit que c'est un travail de fille. Et elle lui serine toujours la même réponse, sauf quand elle est vraiment mal prise. Il y a quelque chose qui échappe à Junior : comment une fille peut-elle être meilleure que lui pour garder ses petits morveux de frères ? Sonia a beau avoir du caractère, elle ne fait pas le poids avec les jumeaux. Ils n'ont pas peur d'elle. Chaque fois qu'elle hausse le ton, François et Dominic la regardent en souriant. Quand elle crie après eux pour se faire écouter, ils se contentent de se boucher les oreilles, toujours en souriant. Garder les jumeaux n'est pas de tout repos. Même quand ils étaient petits, ils étaient terribles. Comme le dit Sonia : « Les jumeaux sont charmants tant et aussi longtemps qu'on les laisse faire tout ce qu'ils veulent. »

Perdu dans ses pensées, Junior ne remarque pas qu'il est sur le point d'entrer en collision avec une belle fille. La tête en l'air, celle-ci ne se rend compte de rien, elle non plus. Son regard est accaparé par un oiseau perché sur la plus haute branche de l'arbre situé entre Junior et elle. Elle surveille le volatile depuis qu'elle a quitté la maison de ses grands-parents – mais c'est peut-être lui qui la surveille. On dirait qu'il la suit. Il change d'arbre à mesure qu'elle avance, ce qui amuse beaucoup la jeune fille. Une fraction de seconde avant l'impact, les deux jeunes gens ouvrent grand les yeux, mais trop tard pour s'éviter. Comme ils marchaient tous les deux d'un bon pas et qu'ils sont sensiblement de la même grandeur, leurs têtes se frappent suffisamment pour les sonner. Quand ils reprennent leurs esprits, ils réalisent qu'ils sont dans les bras l'un de l'autre. Mal à l'aise, ils reculent tous les deux d'un pas et se confondent en excuses. Quelques secondes plus tard, ils éclatent de rire. Ils auront sûrement une belle bosse sur le front dans quelques minutes, mais à part ça, ils ont eu plus de peur que de mal. C'est à ce moment que Junior constate à quel point l'inconnue est belle. Il s'en veut de ne pas avoir son appareil photo avec lui. Aucun juge ne serait insensible à une telle beauté : de longs cheveux châtains, quelques points de rousseur sur les joues, des yeux aussi verts que le gazon à son meilleur pendant l'été, des formes parfaites et un sourire irrésistible. Junior est sous le charme. Il doit faire un effort surhumain pour aligner deux mots.

— Je m'appelle Junior… euh… Michel, bafouille-t-il d'une voix incertaine. Je suis désolé, je ne t'ai pas vue.

— Moi, c'est Christine. Je ne t'ai pas vu venir non plus. Je regardais un oiseau.

— C'est la première fois que je te vois dans le coin.

— Normal, j'habite sur l'île. J'étais venue rendre visite à mes grands-parents. Ils restent dans la petite maison bleue au bout de la rue. Tu vas m'excuser, mais il faut que j'y aille. Sinon mes parents vont s'inquiéter de ne pas me voir descendre du métro. Salut !

Tout s'est passé si vite que Junior a l'impression d'avoir rêvé. Une chose est certaine : si c'était un rêve, c'est de loin le plus beau qu'il ait fait de toute sa vie. Il n'est pas près d'oublier cette fille. Jamais personne ne lui a fait autant d'effet. « Si au moins j'avais eu mon appareil photo avec moi ! Personne ne me croira quand je vais raconter ce qui vient de m'arriver. »

Après son cours de danse, Junior a toujours un petit creux. Il s'arrête acheter un sac de chips Laurentide au BBQ et une bouteille de Mountain Dew au petit magasin du coin. Il est tellement heureux de ce qui vient de lui arriver qu'il a aussi pris quelques lunes de miel pour Sonia et des petits carrés au sucre à la crème pour sa mère.

En arrivant à proximité de la maison familiale, Junior voit un petit attroupement d'enfants sur le coin du gazon. Aussitôt, il se demande ce que les jumeaux ont encore inventé. Curieux, il accélère le pas.

Une fois à la hauteur du groupe, il regarde au-dessus des jeunes pour voir ce que ses frères sont en train de faire.

— Depuis quand vendez-vous des verres de Kool-Aid? demande-t-il aux jumeaux d'un ton sévère.

— Depuis que maman et papa ne veulent plus qu'on ramasse des vers de terre, répond vivement Dominic. Comment veux-tu qu'on fasse de l'argent, nous? On est trop jeunes pour travailler à l'épicerie. Trop jeunes pour passer le journal. Trop jeunes pour garder. Trop jeunes pour tout ce qui paye.

— Et on n'a pas de parrain qui nous donne plein de cadeaux et d'argent, nous, gémit François.

C'est à ce moment que Junior réalise que pendant que Dominic sert des verres de Kool-Aid en échange d'une pièce de monnaie que les jeunes déposent dans une petite boîte de métal, François offre ses cuillères de collection.

— Es-tu malade? s'indigne-t-il. Tu n'as pas le droit de vendre tes cuillères, c'est tante Chantal qui te les a données.

— N'aie pas peur, je m'en souviens très bien, réplique François. C'est tout ce que j'ai à vendre, des belles petites cuillères de partout dans le monde que personne ne veut acheter. J'en ai proposé une à une belle fille tantôt et elle l'a refusée. Elle m'a dit qu'elle n'était plus un bébé pour manger avec une petite cuillère. J'ai eu l'air d'un vrai fou.

— C'est vrai! s'écrie Dominic avant de verser du Kool-Aid orange dans un verre avant de remettre celui-ci à un petit garçon blond. Une chance qu'on partage les recettes parce que tu n'aurais pas un sou, ajoute-t-il à l'intention de François.

— Je te rappelle que c'est moi qui ai payé les sachets de Kool-Aid! rétorque François.

— Est-ce que maman est au courant de votre petit commerce ? s'enquiert Junior.

— Oui, répond Dominic, même que c'est elle qui fournit le sucre.

— Mais maman ne croyait certainement pas qu'on allait en vendre autant, explique François. Quand je suis allé préparer le troisième pot il y a quelques minutes, elle a déclaré qu'on ne devrait pas boire autant de Kool-Aid parce ce qu'on allait avoir mal au ventre. Quand elle a su qu'on n'en avait même pas bu une seule gorgée, elle m'a pincé une joue et m'a dit qu'elle songeait à me faire payer le sucre.

— Elle n'est sûrement pas au courant pour les cuillères, par exemple ? interroge Junior.

Si Sylvie savait, elle hurlerait. Pour elle, les cadeaux qu'on reçoit, c'est sacré. Elle dit qu'on n'est pas obligé de les aimer, mais qu'on doit les garder.

— Vu que je n'en ai pas vendu une seule, répond François, si elle me pose des questions je lui dirai que je voulais juste les montrer.

— Pourquoi Luc n'est-il pas avec vous ?

— C'est une bien longue histoire, soupire François. En gros, il nous a dit qu'il devait aller jouer au baseball avec un de ses amis. Mais on n'y croit pas. On est sûrs qu'il y a une fille là-dessous. Depuis une semaine, il n'est plus le même.

— Il lui arrive de plus en plus souvent de ne pas vouloir revenir de l'école avec nous, déclare Dominic. On l'a suivi, mais on n'a pas réussi à découvrir quoi que ce soit.

— C'est un ratoureux, notre frère ! s'exclame François. Bon, je vais ranger mes cuillères. Je peux te remplacer, si tu veux, suggère-t-il à Dominic.

— Pas de problème. Pendant ce temps-là, je vais compter notre argent. J'ai une idée de ce qu'on pourrait vendre demain, mais je t'en parle plus tard. Je n'ai pas envie de me faire voler mon idée.

En se levant, François aperçoit la bosse que Junior a sur le front.

— T'es-tu battu avec un arbre? Au cas où tu ne le saurais pas, tu as une grosse bosse sur le front.

— Pas avec un arbre, répond Junior d'un air taquin, mais avec une belle fille.

— Ha, ha, ha! s'esclaffent les jumeaux.

Ils connaissent assez leur frère pour savoir que même s'ils insistent, ils n'en apprendront pas davantage.

* * *

— Maman, où es-tu? crie Junior en entrant dans la maison.

— Dans ma chambre, répond Sylvie. Je finis de m'habiller et j'arrive.

Junior tire une chaise et se laisse tomber dessus plus qu'il ne s'assoit. Il éventre son sac de chips et le dépose sur la table. Il prend ensuite une gorgée de liqueur. Il est heureux comme jamais. Il vient de rencontrer la plus belle fille du monde et son petit doigt lui souffle qu'il la reverra.

Quand Sylvie arrive dans la cuisine et qu'elle voit Junior avachi sur une chaise, elle réagit:

— Tu devrais t'asseoir correctement si tu ne veux pas avoir mal au dos quand tu vas être grand.

Mais Junior est trop heureux pour relever le commentaire de sa mère. Il déclare:

— Tu es très belle. Je t'ai apporté un petit cadeau pour te souhaiter bonne chance pour tes solos.

— Pourquoi as-tu une bosse sur le front ?

— Ne t'en fais pas, je suis seulement entré en collision avec une belle fille.

— À voir la bosse que tu as, elle devait avoir la tête très dure. Tu devrais mettre de la glace sur ton front si tu ne veux pas avoir mal à la tête. Est-ce que tu me donnes mon cadeau maintenant ?

Sylvie adore recevoir des cadeaux, si petits soient-ils. C'est comme si elle retombait en enfance chaque fois qu'on lui offre quelque chose. Elle s'approche de son fils et attend patiemment qu'il lui donne sa surprise.

— Ce n'est pas grand-chose, explique Junior en tendant un petit sac de papier brun à sa mère, mais c'est de bon cœur.

Sylvie se dépêche d'ouvrir le sac. Quand elle voit les petits carrés au sucre à la crème, elle ne peut résister à l'envie d'en manger un sur-le-champ. Après avoir pris le temps de le savourer, elle dit à Junior :

— Je te remercie, c'est vraiment très gentil. Il n'y a que toi pour penser à des affaires de même. Les filles vont être folles de toi, c'est tellement rare qu'un garçon ait ce genre de petites attentions. Je suis certaine que si tu demandais à ton père quels sont mes bonbons préférés, il ne pourrait même pas te répondre.

Pendant qu'elle dégustait sa friandise, Sylvie n'a pas entendu la porte s'ouvrir. C'est pourquoi elle sursaute quand elle entend Michel.

— C'est là où tu te trompes ! lance-t-il joyeusement. Tu aimes beaucoup les petits carrés au sucre à la crème, mais tu détestes ceux au fudge. Tu adores les pipes à la réglisse noire et les bonbons au beurre aussi. Est-ce que je me trompe ?

Sylvie regarde son mari et lui sourit.

— Non, répond-elle, mais je t'avoue que tu m'étonnes. J'étais bien loin de penser que tu accordais de l'importance à ces petits détails. Alors, est-ce que tu m'as acheté des pipes à la réglisse noire ? ajoute-t-elle d'un ton espiègle.

— Non, répond Michel en sortant un petit sac brun de sa poche, mais je t'ai acheté des bonbons au beurre. Tiens ! Je me suis dit que ça paraîtrait moins sur ta blouse blanche si tu avais un petit accident. Veux-tu vraiment savoir pourquoi je retiens ces détails ? C'est parce que je t'aime.

Sylvie reste sans mot. Une fois de plus, son Michel la surprend. Elle s'approche de lui et lui saute au cou avant de l'embrasser avec passion. Témoin de la scène, Junior songe qu'il a de la chance d'avoir des parents qui s'aiment encore, même après tant d'années. Quand il va chez ses amis, il entend parfois des choses qui le désespèrent, qui ébranlent sa confiance dans les adultes. Plusieurs parents se comportent plus mal que leurs enfants. Comme il a fini son sac de chips, il va le jeter dans la poubelle. Il saisit sa bouteille de boisson gazeuse au passage avant de sortir de la cuisine. Il s'arrête devant la porte de la chambre de Sonia et frappe trois petits coups. Au moment où il tourne la poignée, Sonia s'écrie :

— Entre, Junior.

— Comment as-tu deviné que c'était moi ? s'étonne-t-il.

— C'est simple : tu es le seul à frapper avant d'entrer.

— Pour moi, c'est la moindre des choses.

— Je te l'ai déjà dit, mon frère : tu es loin d'être un gars ordinaire. Alors, quoi de neuf ? Mais qu'est-ce que tu as sur le front ? T'es-tu battu avec une porte ?

— Je vais tout te raconter. Écoute bien !

Junior décrit sa rencontre avec Christine sans omettre le moindre petit détail. Sonia l'écoute sans l'interrompre une seule fois.

— Ma foi du bon Dieu, elle t'a vraiment marqué cette fille.

— Encore plus que ça ! Je te le répète, je n'ai jamais vu une aussi belle fille de toute ma vie. Mais le pire, c'est que je n'avais même pas mon appareil photo avec moi…

— Oh ! Francine a de la compétition !

— Ne dis pas de bêtises. Même si j'ai une blonde, j'ai le droit de regarder les autres filles.

— Oui mais, entre toi et moi, celle-là m'a tout l'air de t'avoir tapé dans l'œil.

— Arrête de dire des niaiseries. Je suis bien avec Francine.

— C'est justement ça, le problème : tu es juste bien avec elle. Si tu étais en amour, tu ne verrais même pas les autres filles.

Mais Junior n'a pas l'intention de s'éterniser là-dessus. C'est pourquoi il se dépêche de changer de sujet, ce qui n'échappe pas à Sonia. Cette fois, elle se contente de sourire.

— Je pense avoir trouvé un *chum* à Lise, annonce-t-il.

— C'est vrai ? s'enquiert sa sœur. Vite, raconte-moi tout. Après, on va appeler mon amie, elle va être folle de joie.

— Écoute-moi avant de t'exciter. Il y avait un nouveau à mon cours de danse cet après-midi, un gars un peu plus vieux que moi. À la pause, on s'est mis à parler ensemble. C'était drôle parce qu'on connaissait pratiquement les mêmes personnes. Pourtant, il ne vient même pas à notre école. De fil en aiguille, il m'a parlé d'une fille qu'il trouve très belle, mais à qui il n'a jamais parlé parce qu'il est beaucoup trop gêné. Il la voit chaque dimanche à l'église. Plus il m'en parlait, plus j'avais l'impression qu'il s'agissait de Lise. Je lui ai demandé s'il se souvenait des vêtements qu'elle portait. Tu aurais dû l'entendre : il m'en a décrit les moindres détails. Quand je lui ai dit que je la connaissais et que je pourrais même la lui présenter, il est devenu fou comme un balai.

— Je rêve ou quoi ? C'est spécial, ton affaire. Est-ce que tu sais au moins son nom ?

— Mais oui, voyons ! Il s'appelle Louis Gagnon. J'ai même son numéro de téléphone.

Junior ne pouvait pas faire plus plaisir à sa sœur. Sonia espère trouver un *chum* à Lise depuis si longtemps. Malgré ses nombreuses tentatives et celles d'Isabelle pour lui en trouver un, Lise est toujours célibataire, ce qui fait qu'elle râle de plus en plus.

— Il faut que j'appelle Lise tout de suite. Mais attends ! Est-ce qu'il est beau ce gars-là ?

— Personnellement, répond Junior d'un air taquin, ce n'est pas mon genre.

— Arrête donc de niaiser !

— Je ne sais pas si ça peut t'aider, mais Francine m'a dit qu'il était presque aussi beau que moi.

— Espèce de vantard, va ! s'écrie Sonia en donnant un coup de poing sur l'épaule de son frère.

— Peux-tu me rappeler ce que je gagne pour avoir trouvé un *chum* à Lise ?

— Toi, tu ne gagnes rien, mais moi par exemple, je gagne le gros lot. J'en ai plus qu'assez d'entendre Lise pleurer sur son sort chaque fois que je la vois. Le temps d'aller chercher le téléphone et je reviens.

\* \* \*

Pour une fois, Sonia n'a pas trop rouspété quand sa mère lui a annoncé qu'elle devait garder ses petits frères. En réalité, ça fait l'affaire de la jeune fille de s'occuper ce soir-là des trois plus jeunes. Elle a dit à Antoine de venir la rejoindre à la maison. Elle a même demandé la permission à sa mère.

Sylvie a regardé Sonia dans les yeux avant de donner son accord.

— Tu es assez grande pour savoir ce que tu as à faire. Moi, je te fais confiance. Tu peux même inviter Antoine à souper, si tu veux. Et Junior peut inviter Francine. Il y a du pâté chinois pour tout le monde. Je te demande seulement que les garçons rentrent à l'heure convenue et qu'ils soient au lit à huit heures et demie au plus tard.

Ce que Sylvie ne sait pas, et qu'il vaut mieux qu'elle ne sache pas non plus, c'est que Sonia a bien l'intention de profiter des quelques heures de paix qu'Antoine et elle auront après que les garçons seront couchés. Voilà des semaines qu'Antoine et elle en parlent, mais Sonia a décidé que c'était ce soir qu'ils allaient passer à l'action. À l'âge qu'elle a, il est grand temps qu'elle découvre les plaisirs de l'amour. Elle n'a rien dit à Antoine ; elle lui réserve la surprise. Dès que les garçons dormiront, elle invitera son *chum* à passer dans sa chambre. Elle mettra son réveil au cas où ils perdraient la notion du temps. Il n'est pas question qu'ils se fassent prendre en flagrant délit. Elle n'a pas envie d'étaler sa vie privée devant toute la famille.

Il y a si longtemps que Sonia y pense qu'elle a peur d'exploser s'il ne se passe pas quelque chose bientôt. Elle n'en peut plus d'attendre. Chaque fois qu'Antoine la prend dans ses bras, elle sent une grande chaleur dans son bas-ventre. Chaque fois qu'il l'embrasse, elle voudrait que leurs lèvres ne se séparent jamais. Chaque fois qu'il lui mordille le lobe d'une oreille, elle sent ses jambes ramollir. Elle qui croyait être en amour quand elle sortait avec Langis ou avec Normand, elle sait maintenant que c'était loin d'être le cas. Avec Antoine, tout est simple et plaisant. Sa seule présence à proximité d'elle lui donne chaud dans le dos. Si elle ne se retenait pas, elle serait toujours collée contre lui, comme une sangsue. Heureusement qu'ils ne vont pas à la même école ! L'autre jour, Antoine lui a confié qu'elle le rendait fou, qu'il n'arrêtait pas de penser à elle, qu'il avait une envie folle de lui faire l'amour.

Pour une fois, les astres sont parfaitement alignés. Sonia ne laissera certainement pas passer l'occasion. Son père vient de partir pour aller entendre chanter Sylvie. Junior et Francine sont allés au cinéma. Et dans moins d'une demi-heure, les garçons se coucheront. Avec un peu de chance, ils s'endormiront rapidement.

Assis dans la cuisine, Antoine et Sonia jouent aux cartes. Chaque fois qu'elle lève le regard de son jeu, Antoine lui fait les yeux doux. Elle lui sourit. La jeune fille brûle d'envie de lui annoncer ce qui l'attend. Après chaque brasse, Antoine se soulève de sa chaise pour l'embrasser. Plus ça va, plus les baisers sont passionnés. Si Sonia avait une baguette magique, elle ferait avancer le temps jusqu'à ce que les jumeaux dorment enfin.

Soudain, Dominic fait irruption dans la cuisine. Il s'écrie :

— Beurk ! Comment vous faites pour vous embrasser avec la langue ?

Pour toute réponse, Antoine et Sonia s'embrassent de plus belle.

— Si vous n'arrêtez pas tout de suite, je vais tout raconter à maman, prévient Dominic.

Voyant que les amoureux ne lui prêtent aucune attention, il s'exclame avant de sortir de la cuisine :

— Puisque c'est comme ça, je vais me coucher !

Surprise par ce qu'elle vient d'entendre – c'est la première fois que Dominic va se coucher sans que quelqu'un l'y oblige –, Sonia abandonne les lèvres d'Antoine.

— Attends-moi une minute, déclare-t-elle. Il y a sûrement quelque chose qui cloche. Je reviens tout de suite.

Quand elle entre dans la chambre des jumeaux, elle découvre que François et Dominic sont déjà au lit.

— Êtes-vous malades ? leur demande-t-elle.

— Pourquoi tu nous demandes ça ? l'interroge François. On est juste fatigués.

— Si tu avais passé l'après-midi au gros soleil comme nous, lance Dominic, tu aurais hâte de te coucher toi aussi.

— Je comprends, laisse tomber Sonia. Bonne nuit !

Elle va ensuite voir Luc. Assis en indien sur son lit, le garçon lit une bande dessinée.

— Es-tu aussi fatigué que les jumeaux, toi ?

— Je ne sais pas, répond Luc en haussant les épaules. Mais dès que je terminerai ma bande dessinée, je me coucherai.

Sonia souhaite bonne nuit à son frère et ferme la porte de sa chambre. Quand elle revient dans la cuisine, Antoine lui sourit. Elle s'approche de lui et lui murmure au creux de l'oreille :

— Plus qu'une petite demi-heure à attendre.

Il s'éloigne un peu d'elle et la questionne du regard. Pour toute réponse, Sonia s'approche de lui et lui mordille le lobe d'une oreille. Il n'ose pas y croire. Pour être bien certain de comprendre, il demande :

— Tu es certaine que c'est ce que tu veux ?

— De toutes mes forces.

Quand les garçons dorment enfin, Sonia prend Antoine par la main et l'entraîne dans sa chambre. Emportée par la passion, elle oublie de régler son réveille-matin. Alors qu'Antoine et elle discutent, tranquillement serrés l'un contre l'autre, elle entend grincer la porte d'entrée. Elle se lève d'un bond, replace ses cheveux en passant devant le miroir de sa coiffeuse et ordonne à Antoine de la suivre. En sortant de sa chambre, elle sursaute en voyant son père. Elle referme vivement la porte de sa chambre au nez d'Antoine.

En apercevant sa fille, Michel dit :

— J'ai arrêté acheter des beignes. Si cela vous tente, Antoine et toi, venez en manger avec moi.

Tout ce que Sonia parvient à balbutier, c'est :

— Je peux préparer du café, si tu veux.

— Pas de café pour moi, je veux dormir. Je prendrais bien une bière, par exemple.

Sonia retourne dans sa chambre. Elle embrasse Antoine puis murmure :

— Tu as sûrement entendu. Papa a rapporté des beignes.

— Il vaudrait peut-être mieux que je m'en aille.

— Je ne crois pas que ce soit une bonne idée. Viens, il nous attend. Pour le reste, on verra plus tard.

Son père est loin d'être fou. Il a sûrement deviné ce qui s'est passé dans sa maison pendant la soirée. Et pourtant, il a fait semblant de rien. Sonia est tentée de s'en réjouir, mais elle se dit qu'il vaut peut-être mieux qu'elle attende un peu avant de crier victoire. Si son père en parle à sa mère, les choses risquent de se corser. Au fond d'elle-même, une petite voix lui souffle qu'elle peut dormir sur ses deux oreilles, tandis qu'une autre lui dit qu'elle dormira mieux quand elle en saura davantage.

# Chapitre 11

Michel n'est vraiment pas fâché qu'il soit enfin cinq heures, à tel point qu'il se dépêche d'aller fermer la porte du magasin à clé. Il n'est pas question de prendre la chance qu'un client entre. Il a tellement parlé aujourd'hui qu'il a de la difficulté à penser. Toute la journée, il y a eu un monde fou, au point que, par moments, Paul-Eugène et lui ne savaient plus où donner de la tête. Les deux hommes sont heureux comme des enfants, même s'ils ne comprennent pas l'engouement toujours grandissant qu'ont les gens pour les antiquités. Mais l'important n'est-il pas que leur commerce marche ? À plusieurs reprises, ils ont même dû aller chercher Fernand dans l'arrière-boutique pour qu'il vienne les aider. Même lorsqu'ils étaient trois sur le plancher, les clients devaient attendre pour se faire servir. Avant de compter les recettes, Michel sait déjà qu'il s'agit de l'une des meilleures journées depuis l'ouverture du commerce. Paul-Eugène et lui ont beaucoup de chance ; les ventes ne cessent de monter en flèche.

D'un pas lourd, il revient à la caisse. Il ouvre le tiroir pour prendre l'argent et faire les comptes. Assis sur une vieille chaise devant son secrétaire, Paul-Eugène le regarde faire sans bouger le petit doigt. Il est vidé. Il se retient de parler pendant que Michel calcule les ventes de la journée. Aussitôt que celui-ci lève la tête et met l'argent dans une enveloppe de dépôt, il déclare :

— Je ne sais pas si tu es comme moi, mais j'ai une soif terrible. Je pourrais aller acheter quelques petites bières…

— Bonne idée ! Apportes-en pour Fernand aussi. Tu parles d'une journée ! On aurait pu être deux de plus sur le plancher et ça n'aurait pas été de trop.

— Je te l'avais dit que c'était fou le samedi.

— Je te croyais, mais jamais je n'aurais pu imaginer que c'était aussi pire. Je commence à penser sérieusement à laisser mon emploi. Mais va donc chercher la bière avant de te changer en statue de sel. On parlera de tout ça plus tard.

Paul-Eugène se lève péniblement de sa chaise et se dirige vers la porte. Alors qu'il va sortir, Michel lance :

— On pourrait peut-être offrir à Junior de venir travailler ici.

— Pourquoi ne pas le proposer à Sonia ou à Isabelle ? répond Paul-Eugène.

— Allez, pars si tu veux revenir ! J'ai la bouche aussi sèche qu'un papier sablé à gros grains.

Ce n'est nullement un hasard si Michel n'a pas répondu à son beau-frère. Il accepte facilement que Sylvie soit payée pour chanter, que sa belle-sœur Chantal travaille dans une agence de voyage, que Shirley soit infirmière et que sa sœur Madeleine travaille dans le domaine de la comptabilité. Pour un homme de sa génération, il a plutôt l'esprit ouvert en ce qui a trait au travail des femmes à l'extérieur. Là où son ouverture d'esprit rétrécit, et vite, c'est à la pensée qu'une femme puisse travailler dans un magasin d'antiquités. D'après lui, ce n'est pas du tout la place d'une femme dans ce genre de commerces. Ici, la majorité de la marchandise en vente exige une bonne force physique pour la déplacer – la force d'un homme, quoi –, ce dont la plupart des femmes sont dépourvues. Michel le sait parce qu'à la maison, Sylvie compte toujours sur lui pour déplacer un meuble. Pour lui, la place d'une femme n'est donc pas dans le magasin d'antiquités. En plus, avec les filles, il faut toujours mettre des gants blancs si on ne veut pas qu'elles pleurent. Avec les hommes, on va droit au but et on les laisse s'arranger avec le reste. Sérieusement, Michel ne se voit pas travailler avec des femmes, encore moins avec Sonia et Isabelle. Il va tirer les choses au clair avec Paul-Eugène aussitôt que celui-ci va revenir. Il n'a pas envie que son beau-frère fasse miroiter un emploi à sa belle-fille inutilement, ou même à Sonia. Leur magasin d'antiquités est un monde d'hommes et il va tout faire pour que cela reste ainsi. Michel n'est pas contre l'idée d'engager Junior, toutefois. À moins qu'il se décide enfin à faire le saut et qu'il quitte son emploi de camionneur. Mais à ce chapitre, il est plutôt partagé. Il y a des jours où il est prêt à plonger, mais il y en a d'autres où il songe que ça n'a aucun sens de laisser un bon emploi sans savoir vraiment ce qui lui pend au bout du nez.

En attendant que Paul-Eugène revienne avec la bière, il s'assoit sur une vieille chaise berçante de grand-mère. Sans s'en rendre compte, il commence à se bercer. Quand il était petit, il adorait cette activité. Le plus drôle, c'est que depuis qu'il vit avec Sylvie, ils n'ont jamais eu une chaise berçante dans la maison. Avant, chaque fois qu'il s'ennuyait ou qu'il voulait réfléchir à quelque chose qui le préoccupait, il se berçait – pendant des heures, parfois. Du fond de la cuisine, sa mère l'observait en silence. Ce n'est que lorsqu'il quittait enfin la chaise qu'elle lui disait pour le taquiner : « Il était temps que tu arrêtes, j'étais en train d'attraper le tournis ! » Il lui souriait et retournait ensuite à ses occupations.

Depuis le soir où Michel a surpris Sonia et Antoine, il se demande ce qu'il devrait faire. Il voudrait tout raconter à Sylvie, mais, d'un autre côté, il se dit qu'elle n'est pas obligée de tout savoir. S'il était sûr qu'elle le prendrait bien, il lui en aurait parlé depuis longtemps. Mais pour tout ce qui concerne la virginité de leur fille, elle est plutôt chatouilleuse. Sans dire qu'il est d'accord avec le comportement de Sonia, il pense qu'à l'âge qu'elle a, c'est un peu normal qu'elle expérimente sa sexualité. Certes, Sonia est encore jeune – à ses yeux, sa fille sera toujours trop jeune pour jouer à des jeux d'adulte –, mais à son âge, dans le temps de Michel, plusieurs filles couchaient déjà depuis un moment – et lui aussi, bien entendu. Comme Sonia prend la pilule, au moins il n'y a aucun danger qu'elle tombe enceinte. Il aurait voulu discuter avec Sonia, mais depuis cette soirée, ils n'ont jamais été seuls une petite minute. Et puis, que pourrait-il bien lui dire ? Qu'il est d'accord avec ce qu'elle a fait ? Qu'il n'aurait jamais pensé qu'elle tromperait sa confiance à ce point ? Qu'elle n'avait pas le droit de faire l'amour dans sa maison ? Qu'elle est une mauvaise fille et qu'elle va aller brûler en enfer ? Qu'il va la renier ? Non ! Il se souvient très bien que lorsqu'il avait son âge, il profitait à plein de la vie. Il n'est pas une mauvaise personne pour autant. Plus Michel réfléchit, plus il se frotte le menton. Il est tellement concentré qu'il n'entend pas Paul-Eugène entrer, pas plus qu'il n'entend Fernand lui parler.

— Aïe, Pelletier ! l'interpelle Fernand en montant le ton et en lui secouant l'épaule. Tu es sourd, ma parole ! Ça fait trois fois que je te pose la même question.

Michel revient aussitôt à lui. Il hoche la tête et arrête de se bercer.

— Je ne sais pas où tu étais, ajoute Fernand d'un ton taquin, mais une chose est certaine : tu étais loin. Je voulais savoir si Paul-Eugène et toi aviez envie d'une bonne petite bière bien froide.

Un sac brun sous le bras, Paul-Eugène se dirige vers ses deux compagnons.

— Je vais répondre à sa place, ça va être moins long ! J'ai acheté de la bière. Il ne reste plus qu'à la boire.

Michel sort son couteau de poche et libère l'ouvre-bouteille avant de le tendre à Paul-Eugène.

— À trois, on fait une sacrée bonne équipe ! s'exclame joyeuse-ment Fernand. Ma foi du bon Dieu, on dirait qu'un train vous a passé sur le corps. Vous avez des faces d'enterrement tous les deux.

— Pendant que tu travailles tranquillement dans l'arrière-boutique, nous autres on pédale comme des malades, riposte Michel.

— J'ai bien vu ça. Mais vous devriez être contents du succès de votre commerce.

— Pour être contents, on l'est, mais on est fatigués en maudit, par exemple ! énonce Paul-Eugène.

Depuis qu'il a fait le saut, jamais Paul-Eugène n'a eu l'ombre d'un regret. Il est heureux comme un poisson dans l'eau. En plus, ici, au magasin, ce n'est pas le même genre de fatigue que lorsqu'il travaillait sur la construction. En général, une bière suffit pour lui redonner son entrain.

— Je ne veux pas me mêler de ce qui ne me regarde pas, mais à mon avis il va falloir que vous pensiez à embaucher quelqu'un, au moins pour le samedi. Sinon, vous risquez de perdre des clients si vous faites trop attendre les gens avant de les servir.

— On sait tout ça, affirme Michel, mais ce n'est pas aussi simple. Il faut aussi qu'on ait le temps d'aller se promener en campagne pour acheter du stock. Il ne faut pas que le magasin se retrouve vide. Et puis, s'il n'y a jamais de nouveautés, nos plus vieux clients vont finir par se tanner de venir si on n'offre pas d'objets intéressants.

— Je pourrais passer une journée par semaine à visiter la campagne, si vous voulez, propose Fernand.

— C'est bien gentil de ta part, émet Michel, mais il ne faudrait pas que ça retarde tes travaux, parce que la restauration des vieux meubles vaut son pesant d'or.

— Ça, c'est vrai ! renchérit Fernand. En tout cas, une chose est certaine : je suis loin d'avoir perdu au change en laissant mon emploi. Vous devriez voir le sourire de ma femme quand je lui donne ma paie. L'autre jour, elle m'a dit que j'aurais dû faire le saut bien avant. Sérieusement, si ça peut vous accommoder, je pourrais prolonger mes journées d'une petite heure, au moins pour un bout de temps.

— C'est certain que ça nous aiderait, admet Paul-Eugène. Mais ça ne règle pas notre problème du samedi. On ne peut pas continuer comme ça. On pourrait engager nos enfants.

Michel saute aussitôt sur l'occasion pour exprimer son point de vue.

— Je suis d'accord pour qu'on offre à Junior de venir travailler, mais pas aux filles. Ce n'est pas que je ne les aime pas, c'est juste que je trouve que dans un magasin d'antiquités, ce n'est pas la place des femmes. C'est poussiéreux et il faut déplacer des objets lourds.

— Moi qui pensais que tu étais à la mode ! s'exclame Fernand en riant.

Mais Michel n'a pas le temps de relever le commentaire de son ami, car Paul-Eugène prend aussitôt la parole.

— Michel a raison. Ce n'est peut-être pas une bonne idée.

— J'ai peut-être votre homme, annonce Fernand. Le *chum* de ma plus vieille a laissé l'école et, aux dernières nouvelles, il se cherchait un emploi de vendeur. En plus, il a de l'allure. Je suis certain que vos clientes l'adoreraient.

— Wo ! Wo ! s'écrie Michel d'un ton moqueur. Ce n'est pas un jeune morveux qui va venir nous voler nos femmes !

La bière et la fatigue aidant, les trois hommes éclatent de rire. Ils s'entendent comme larrons en foire.

Sans demander l'avis de personne, Paul-Eugène ouvre trois autres bouteilles de bière et en tend une à chacun de ses deux complices. La seconde d'après, tous entrechoquent bruyamment les bouteilles avant de prendre une gorgée.

Michel reprend :

— Sérieusement, on pourrait au moins rencontrer ce garçon-là.

Puis, à l'intention de Paul-Eugène, il ajoute :

— Il faudrait qu'on se voie demain pour discuter de tout ça.

— Tu n'y penses pas ! s'écrie son beau-frère d'un air faussement outré. À l'âge que tu as, tu devrais savoir qu'on ne travaille pas le dimanche.

— Je te promets qu'on ne travaillera pas, on va juste parler.

De nouveaux éclats de rire surgissent. Une fois de plus, Michel relance la conversation.

— Les gars, j'aimerais avoir votre avis sur quelque chose.

Michel leur raconte ce qui s'est passé le soir de la première du spectacle de Sylvie.

— Tu es bien certain de ce que tu avances ? demande Paul-Eugène.

— Comme dirait mon père, on n'apprend pas à un vieux singe à faire des grimaces, répond Michel.

— Si c'est le cas, je pense que tu as bien fait de ne pas en parler à Sylvie, expose Paul-Eugène. Elle couve déjà suffisamment Sonia.

— Ouais ! Surtout que les choses se passent mieux entre elles depuis que Sonia sort avec Antoine. Ce n'est pas mêlant, je pense que Sylvie le voit dans sa soupe. Je n'ai jamais vu une belle-mère aimer autant le *chum* de sa fille. Mais vous devriez voir le jeune. Lui, il a vite compris comment il faut traiter la mère de sa blonde si on ne veut pas avoir de problèmes. Antoine se fend en quatre pour Sylvie. À ce jeu-là, il arrive même à battre Junior ; pourtant, s'il y en a un de galant et de délicat, c'est bien lui. Ce n'est pas pour rien que Sylvie aime autant le *chum* de Sonia.

— Connaissant ma sœur, s'il fallait qu'elle sache que Sonia a couché avec son *chum* dans sa maison, crois-moi qu'il ne ferait pas beau. Même si elle sait que sa fille n'est plus une enfant, je mettrais ma main au feu que Sylvie pense que Sonia va faire comme elle et qu'elle va attendre le jour de son mariage pour faire l'amour. Je ne suis pas la meilleure personne pour te donner des conseils, je n'ai pas eu d'enfants, mais mon père a toujours soutenu que toute vérité n'est pas bonne à dire. Il faudrait que tu avertisses Sonia de ne plus rien faire dans la maison, par exemple. Crois-moi, il vaut mieux qu'elle ne joue pas avec les poignées de sa tombe.

— Mais où veux-tu qu'ils aillent, ces pauvres jeunes ? demande Michel. C'était bien plus facile dans notre temps. Il y avait toujours une grange pas loin où on pouvait avoir la paix.

— C'est pareil aujourd'hui, déclare Fernand. Avant, c'était des granges ; aujourd'hui, c'est des garages dans le fond des cours. Crois-moi : quand tu en as vraiment envie, tu t'organises pour trouver une place. En tout cas, moi, je peux te dire que j'étais débrouillard.

Fernand se souvient de toutes les prouesses qu'il a faites quand il avait l'âge de Sonia pour se mettre à l'abri des regards indiscrets avec la fille du moment. Une chance qu'il s'est assagi avec les années parce qu'il était loin d'être un ange. À l'époque, il n'avait qu'à claquer des doigts pour que les filles tombent dans ses bras. Il changeait tellement souvent de blonde que ses parents étaient incapables d'apprendre le nom de ses conquêtes. Aujourd'hui, c'est à peine s'il peut croiser le regard d'une femme sans rougir jusqu'à la racine des cheveux.

— Je suis d'accord avec toi, affirme Paul-Eugène. J'ai été élevé en pleine ville et, plus souvent qu'autrement, ce n'était pas les endroits qui manquaient, c'était les filles.

Les trois hommes s'esclaffent. Ils prennent ensuite une autre gorgée de bière.

— Bon, vous allez m'excuser, dit Fernand, mais il faut que je rentre si je ne veux pas passer en dessous de la table.

# Chapitre 12

Un cornet de crème glacée à la main, Chantal et Sylvie profitent du soleil de mai sur un banc de parc, juste en face du fleuve. Alors que Sylvie achève sa série de spectacles – le dernier aura lieu jeudi soir prochain –, Chantal se trouve dans sa plus grosse période de travail, tellement qu'elle a dû faire des pieds et des mains pour convaincre son patron de la laisser partir en Angleterre. À bout d'arguments, elle lui a promis qu'elle prendrait le temps de visiter quelques hôtels et quelques attractions même si elle sera en vacances. Il n'était pas question qu'elle reporte son voyage avec Sonia et tante Irma ; elle en meurt trop d'envie. Elle sait pertinemment que ce n'est pas la période idéale pour elle pour s'absenter. Mais l'expérience lui a appris que peu importe la date qu'elle choisisse, son patron critiquerait son choix.

— J'espère que tu as pensé à me réserver un billet pour jeudi ? s'inquiète Chantal.

— Non seulement je te l'ai réservé, mais je te l'offre.

— Il n'est pas question que tu paies mon billet !

— Laisse-toi donc gâter pour une fois. De toute façon, je ne l'ai même pas payé. Monsieur Laberge me l'a donné.

— Oui, mais c'est à toi qu'il l'a offert, pas à moi.

— Il savait que c'était pour toi. D'ailleurs, je devrais te le présenter. Il me semble que vous iriez bien ensemble.

La réaction de Chantal est instantanée.

— Quelle bonne idée ! Surtout que je le trouve bien beau, ton directeur. Alors, s'il savait que le billet était pour moi, ça change tout.

Tu peux compter sur moi, je serai là jeudi. Je pourrais même aller te rejoindre dans les coulisses après le spectacle, si tu veux.

Savoir que Sylvie a pensé à elle réjouit Chantal. Avec ses horaires de fou, rares sont les occasions pour Chantal de rencontrer un homme intéressant. Et pourtant, ce n'est pas faute de ne pas croiser d'hommes. Non, c'est plutôt le fait que la très grande majorité d'entre eux voyagent avec leur femme qui complique les choses. Dans un autre contexte, ça ne l'empêcherait pas d'avoir une aventure même s'ils n'étaient pas libres. Mais dans le cadre du travail, Chantal a pour principe qu'il y a des choses qui ne se font pas et celle-là arrive en tête de liste.

— Oui, ce serait parfait. De mon côté, je vais m'arranger pour te le présenter. Je t'avertis, cependant : il peut paraître froid au premier abord.

— Puisque tu m'as prévenue, je n'en ferai pas de cas. Juste à l'idée de rencontrer quelqu'un d'intéressant, je me sens comme une vraie gamine. Parle-moi de tes solos maintenant.

— Il n'y a pas grand-chose de neuf de ce côté, si ce n'est que ça va très bien. J'ai eu droit à une ovation à chacune de mes chansons depuis le début des spectacles. Monsieur Laberge est enchanté de mes performances. J'adore ça. Tu ne peux même pas t'imaginer tout le plaisir que ça me donne de chanter devant des salles combles et d'être applaudie comme si j'étais une grande vedette. Parfois, je ferme les yeux pendant quelques secondes juste pour être certaine que je ne rêve pas.

— C'est maman qui aurait été contente.

— Tu peux en être sûre !

— Mais il faut que tu me dises quelque chose, Sylvie. Si tu avais le choix, consacrerais-tu ta vie à une carrière de chanteuse ?

— Sans aucune hésitation. Il n'y a rien que je n'aurais souhaité davantage que d'aller chanter partout dans le monde. J'aime être sur scène et jouer des rôles. Je trouve cela tellement gratifiant qu'on m'apprécie. En fait, tout ce qui vient avec le métier de chanteur me plaît énormément. Mais comme tu le sais, la vie en a décidé autrement et c'est correct. Je n'ai aucun regret. J'aime Michel et mes enfants et, tant que je vivrai, ils seront ce qu'il y a de plus important pour moi.

Le sens du devoir de Sylvie est tellement fort que jamais elle ne se permettrait de faire passer sa famille en deuxième. Elle a choisi de se marier et d'avoir des enfants et elle va assumer ses responsabilités jusqu'au bout sans rechigner.

— Je t'admire d'être capable de passer à côté de ton rêve aussi facilement.

— La facilité n'a rien à voir là-dedans. J'ai fait des choix et je les assume. Jusqu'à il n'y a pas si longtemps, j'ignorais même que je pouvais chanter devant les gens. Pour moi, les choses sont parfaites telles qu'elles sont. Et ne va pas croire que je suis malheureuse. Au contraire, je me sens comblée.

— Comment peux-tu être capable de parler ainsi après que la vie t'a enlevé un de tes enfants ? Moi, je n'y arriverais pas.

— Il ne faut surtout pas que tu oublies que c'est Martin qui est mort, pas notre famille. Il n'y a pas une seule journée, pas même une seule heure qui passe sans que je pense à lui. Mais je ne dois pas perdre ma vie à le pleurer ; je l'ai déjà trop fait. Tant que le bon Dieu me prêtera vie, je n'ai pas le droit de la gaspiller à m'apitoyer sur mon sort. Je suis en pleine santé et j'ai la chance d'avoir six beaux enfants et un mari, et...

— Et une charmante sœur aussi... la coupe Chantal.

— ... et une charmante sœur, reprend Sylvie en souriant. Alors, je n'ai pas une minute à perdre si je veux profiter de tout ça.

Chantal est touchée par les propos de sa sœur, à tel point qu'elle passe un bras autour des épaules de Sylvie et l'embrasse ensuite doucement sur une joue. Elle murmure ensuite :

— J'ai beaucoup de chance de faire partie de ta vie.

— Et moi, je suis heureuse de t'avoir, dit simplement Sylvie.

Les deux sœurs gardent le silence pendant quelques minutes. Perdues dans leurs pensées, elles profitent de la vue magnifique que leur offre le fleuve. Quel que soit le côté où elles regardent, c'est superbe. Quand elles lèvent les yeux un peu, elles peuvent admirer Montréal à distance. Qui aurait pu prédire qu'un jour deux Montréalaises pure laine regarderaient la ville qu'elles aimaient de toutes leurs forces – tellement qu'aucune n'aurait cru la quitter un jour –, assises sur un banc de parc de l'autre côté du fleuve ? Qui aurait pu prédire que ces deux mêmes femmes parviendraient à apprécier la banlieue au point d'être heureuses d'y vivre et que Montréal leur manquerait de moins en moins, même si cette ville occupera toujours une grande place dans leurs cœurs ? Alors qu'avant ni l'une ni l'autre ne voyaient de salut hors de Montréal, voilà maintenant que toutes deux sont très fières d'habiter Longueuil.

— As-tu choisi une date pour ton fameux souper de famille ? demande Chantal.

— Il aura lieu samedi dans deux semaines.

— C'est juste avant qu'on parte en Angleterre, tante Irma, Sonia et moi.

— Oui, deux jours avant. Je ne peux pas recevoir tout le monde avant cette date, et je ne peux pas non plus attendre que vous reveniez parce que ça ne me laissera pas assez de temps avant que Michel et moi partions pour Edmonton. Je veux que papa et Suzanne passent un bon été.

— C'est parfait pour moi.

— Demain, j'appellerai Ginette et les autres pour les inviter.

— Penses-tu vraiment qu'ils vont venir ?

— Fais-moi confiance : ils vont tous être là. Je sais déjà ce que je vais leur dire pour les convaincre d'accepter mon invitation.

— Est-ce que ton collègue a accepté de venir leur parler ?

— Oui. Et il ne veut même pas que je le paie. Il m'a assuré que ça lui faisait plaisir de me rendre service.

— J'espère qu'il sait à quoi s'attendre. C'est plutôt gênant qu'un étranger voie à quel point notre famille est folle.

Sylvie n'a rien caché à Maurice. Quand elle est arrivée au bout de l'histoire, il s'est contenté de lui dire qu'il avait vu bien pire. Quand Sylvie a voulu en savoir davantage, pour toute réponse il a baissé les yeux.

— Crois-moi, on n'est pas la seule famille à avoir des problèmes.

— Je veux bien croire, mais la nôtre sort du lot. En tout cas, j'espère que tout le monde n'a pas la malchance d'avoir une Ginette dans sa famille.

— Que ça fasse notre affaire ou pas, Ginette est là pour rester. J'aimerais bien que Paul-Eugène et toi arriviez un peu avant, pour qu'on ait le temps de faire le point avec mon collègue. Je lui ai demandé d'intervenir avant le souper. Comme ça, s'il y en a qui veulent s'en aller, ils pourront le faire avant qu'on fasse l'effort de les servir.

— Wow ! Tu m'étonnes, ma sœur ! Ça signifie que tu es prête à manger des restes pendant deux jours pour ne pas avoir de faces d'enterrement à ta table.

— Certain ! Je te l'ai déjà dit : c'est la dernière tentative que je fais pour que Ginette et sa bande comprennent le bon sens. Après, je vais convaincre papa et Suzanne de non seulement changer de numéro de téléphone, mais aussi de déménager.

Chaque fois qu'elle tient ce genre de discours à son père et à Suzanne, ces derniers se dépêchent de répondre que si un jour ils déménagent ce sera parce qu'ils en auront décidé ainsi, et non pour se sauver de Ginette et de sa bande.

— Ouf! Tu n'y vas pas avec le dos de la cuillère!

— Pour moi, il y a longtemps que le comportement de Ginette et des autres a dépassé les bornes. Je ne peux pas croire qu'on va encore en parler dans un an. Assez, c'est assez!

— Ce n'est pas facile de traiter avec des gens qui ne comprennent rien, ni de la tête ni du derrière.

— T'ai-je déjà avoué à quel point j'aime cette expression? À elle seule, elle qualifie parfaitement notre chère sœur et ses comparses.

— Crois-tu sincèrement qu'un jour on sera capables de former à nouveau une famille? Une vraie, je veux dire?

— À l'heure qu'il est, je serais tentée de te répondre que même dans nos rêves les plus fous ça n'arrivera jamais. Mais comme je n'ai pas de boule de cristal, j'espère que tout est possible. Qui sait? Peut-être qu'un beau matin, Ginette va revenir à de meilleures intentions. Même si c'est ce que je souhaite de tout mon cœur, rien ni personne ne peut me le garantir… sauf la principale intéressée.

Malgré tout ce que Ginette a fait endurer à Suzanne et à son père, au plus profond d'elle-même Sylvie espère toujours qu'un miracle va se produire. Elle ne l'a dit à personne, mais chaque fois qu'elle passe devant une église et qu'elle a un peu de temps devant elle, elle entre dans le lieu saint et allume un lampion. Elle n'a évidemment aucune assurance que ça va changer la situation, mais cela lui coûte seule-ment quelques pièces de monnaie. De nature optimiste, elle a tendance à voir le meilleur dans chaque personne. Mais depuis un certain temps, chaque fois qu'elle pose les yeux sur sa sœur Ginette, tout ce qu'elle arrive à voir c'est la colère que celle-ci éprouve envers leur père, qui lui a passé de l'argent sous le nez et a refusé de payer la caution de son fils ; envers Suzanne, qui met en péril son héritage à la mort de son père ; envers Sylvie elle-même, qui a hérité de Jeannine sans l'en avoir fait profiter de quelque manière que ce soit ; envers Chantal, qui parcourt le monde et jouit d'une liberté sans bornes ; envers Paul-Eugène, que le bonheur habite de plus en plus… Finalement, il serait peut-être plus simple de dire que Ginette en veut au monde entier.

Puis, sur un ton beaucoup moins sérieux, Sylvie ajoute :

— Mais tu ne connais pas encore la dernière. Imagine-toi que je vais m'acheter une auto !

— Toi ? s'enquiert Chantal d'un air surpris. Mais pourquoi ? Il me semblait que tu pouvais prendre celle de Michel autant que tu le voulais…

— Oui, mais il y a des années que je rêve d'avoir une Mustang dans le genre de celle d'Alain.

— C'est la première fois que j'entends parler de ton amour pour les Mustang.

— Michel m'a dit la même chose. C'est simple, avant, ça ne me donnait rien d'en parler parce que de toute façon je n'avais pas les moyens de m'en payer une.

— Tu es sérieuse ? Tu vas vraiment t'acheter une auto ?

— Bien sûr que je suis sérieuse ! Hier soir, Alain m'a téléphoné pour m'annoncer qu'il m'avait trouvé une Mustang. On va aller la voir ce soir. Je suis tellement énervée !

Depuis le coup de fil d'Alain, Sylvie ne porte plus à terre. Elle pense sans arrêt à sa future auto. Si on lui avait dit un jour qu'elle, Sylvie

Belley, posséderait sa propre Mustang, jamais elle ne l'aurait cru. Autant la vie peut être cruelle, autant elle peut être douce comme maintenant.

— Je vois bien ça ! Tant mieux si ça te rend heureuse. Tu t'es assez privée dans ta vie, il est temps que tu te gâtes.

— Sans l'héritage de Jeannine, jamais je n'aurais pu m'offrir une auto. Dommage que je ne puisse pas la remercier.

— Et Michel ? Est-ce qu'il est d'accord ?

— Oui, mais je pense qu'il est jaloux. Chaque fois que j'aborde le sujet, il coupe au plus court. Je lui répète pourtant souvent qu'il pourra l'utiliser. Mais on dirait que ça le rend malade que je m'achète une Mustang alors qu'il en meurt d'envie lui aussi depuis très longtemps.

— Je ne comprends vraiment pas ce que vous avez tous à vouloir une Mustang. Il y a des autos bien plus belles, et beaucoup plus silencieuses aussi.

— Une auto, c'est un peu comme un homme. Il faut avoir un coup de cœur pour elle.

— Il faudra que tu me fasses faire un tour quand tu l'auras.

— Promis ! J'imagine déjà l'air de Ginette quand elle va voir qu'on a deux autos dans la cour. À moins que je stationne la mienne dans la rue…

— Arrête de t'empoisonner la vie avec elle. De toute façon, elle va toujours trouver quelque chose à redire. Ce n'est pas sa faute, elle est née comme ça.

* * *

Depuis qu'elle a fait la connaissance de Louis, Lise ne touche plus à terre. Elle est resplendissante. On dirait même qu'elle a moins d'acné sur le visage. Peut-être est-ce l'amour qui lui fait un tel effet ? Une chose est certaine : elle respire le bonheur à 100 milles à la ronde. Chaque fois qu'elle croise Junior, elle ne manque pas de l'embrasser sur les deux joues et de l'inonder de remerciements. Chaque fois, le jeune homme est étonné par sa réaction. Certes, il lui a présenté Louis, mais pour le reste il n'a pas fait grand-chose. Aussitôt que Lise et Louis ont été en présence l'un de l'autre, ils se sont plu. L'autre jour, Lise a confié à Sonia qu'elle vivait un vrai conte de fées. Cette dernière est vraiment tentée de croire son amie. Celle-ci n'est plus la même depuis qu'elle a un *chum* : elle sourit toujours, elle fait des farces, elle taquine ses frères. En un mot, elle est heureuse.

— Lise, je ne te l'ai pas encore dit, mais mon père m'a parlé hier soir, annonce Sonia.

— À voir ton air, ça semble s'être bien passé.

— Mieux que je ne l'aurais cru. En gros, il m'a raconté qu'il n'en parlerait pas à maman, mais que j'avais intérêt à me trouver un autre endroit que ma chambre pour les prochaines fois.

— C'est tout ?

— Oui, répond Sonia en haussant les épaules. Il a ajouté que si je manquais d'idées pour trouver une place, il pourrait me faire des suggestions.

— Sais-tu au moins la chance que tu as d'avoir un père comme le tien ?

Ce n'est pas la première fois que la jeune fille envie son amie. La relation de Lise avec ses parents est loin de toujours tourner rond, même si elle s'est améliorée un peu depuis l'entrée de Louis dans sa vie. À part le fait que Lise ait gagné un peu de liberté, ses parents et elle se disputent chaque fois qu'ils sont ensemble.

— Oui ! Je t'avoue que j'étais contente qu'il me parle. Ça devenait invivable de ne pas savoir ce qui m'attendait. Antoine était tellement inquiet qu'il n'a voulu rien faire depuis.

— Ben voyons donc ! C'est ridicule ! La ville est assez grande pour que vous trouviez un coin pour vous isoler.

— Tu sais à quel point Antoine aime maman et combien elle l'apprécie elle aussi. Il m'a dit qu'il ne ferait jamais rien pour la décevoir.

— Franchement, il va falloir qu'il s'en remette. Avec tout le respect que j'ai pour ta mère, c'est toi sa blonde, pas elle.

— C'est ce que je lui ai répliqué. Maman répète souvent qu'Antoine est un bon gars.

— Je veux bien croire. Mais s'il veut te garder, il vaudrait mieux qu'il se remette à l'ouvrage… si tu vois ce que j'entends par là !

Les deux amies éclatent de rire. Sonia est parfaitement d'accord avec Lise, d'autant que maintenant elle sait ce qu'elle manque. Elle peut comprendre beaucoup de choses, mais pas que son *chum* la repousse sous prétexte de ne pas vouloir déplaire à la mère de celle-ci.

— Je peux même vous suggérer quelques endroits où vous serez à l'abri, laisse tomber Lise d'un air coquin. Moi, il y a longtemps que j'ai commencé à les repérer.

— Mais tu n'avais même pas de *chum* ! s'exclame Sonia.

— Tout le monde a le droit de rêver, à ce que je sache.

— Cré Lise ! En tout cas, toi, tu n'auras pas ce problème-là. Louis a une auto.

— Je te remercie du tuyau, répond Lise d'une voix légère. Je n'y avais pas encore pensé.

— N'essaie pas de me faire croire ça ! s'indigne Sonia en donnant des petits coups de poing sur l'épaule de son amie. Si j'étais à ta place, je peux t'assurer que j'en profiterais, et vite à part ça !

# Chapitre 13

Cette fois, Sylvie ne veut prendre aucune chance de manquer son après-midi de congé, même pas à cause d'une visite impromptue de son père adoré. Elle a chanté ses solos pour la dernière fois hier soir et elle a décidé de s'offrir un petit temps d'arrêt avant de revenir à une vie plus normale. C'est pourquoi, aussitôt que les jumeaux et Luc repartent à l'école, elle file à sa chambre, prend vivement son sac à main et ses clés d'auto et passe dans la cuisine sans jeter un seul coup d'œil à la vaisselle qui traîne sur l'évier. Une petite voix lui murmure qu'il lui faudrait à peine quelques minutes pour ranger la cuisine, mais Sylvie résiste. Elle s'en occupera à son retour. Elle sort rapidement de la maison sans se retourner, ferme la porte à clé et regarde fièrement sa Mustang. Il y a encore des jours où elle a l'impression de rêver. Elle, Sylvie Pelletier, possède sa propre auto – et pas n'importe laquelle, à part ça. Chaque fois qu'elle s'assoit derrière le volant, elle est prise d'un fou rire nerveux. Qui aurait dit qu'un jour elle roulerait dans une Mustang rouge rutilante et que celle-ci lui appartiendrait totalement ? Il y a encore des jours où Sylvie se pince pour être certaine que tout ce qu'elle vit est réel.

Bien qu'il fasse un temps magnifique, Sylvie a décidé d'aller au cinéma sur l'île. D'abord, parce qu'elle a une envie irrésistible de conduire sa nouvelle auto. Ensuite, parce que le choix de films y est beaucoup plus grand qu'à Longueuil. Elle ignore encore ce qu'elle va aller voir ; elle décidera une fois sur place. Il y a tellement longtemps qu'elle n'est pas allée au cinéma que tous les films à l'affiche seront des primeurs pour elle. Tout ce que Sylvie souhaite, c'est de passer quelques heures toute seule. Elle baisse la vitre de l'auto, ouvre la radio et monte le volume. Elle aime quand la musique résonne dans ses oreilles et qu'elle sent le rythme battre sur sa peau. Aussitôt, la voix de Renée Martel remplit l'habitacle. Dès la première note, Sylvie se met à chanter à tue-tête : « Des fumées d'usine coiffent la ville d'ocre, de rouge et de violet. Un cargo français qui s'est perdu dans le brouillard du ciel anglais. Et là-haut... » Elle adore Renée Martel. Sylvie n'achète pas beaucoup de disques, mais elle écoute très souvent la radio. Elle connaît par cœur toutes les chansons qui jouent sur les ondes. Cela a toujours été ainsi : lorsqu'elle aime une chanson, elle apprend les paroles sans aucun effort. Quand elle était plus jeune, un de ses cousins s'amusait à faire jouer une ribambelle de chansons pour voir combien elle en connaissait sur le lot. Chaque fois, Sylvie relevait le défi avec brio. À peine entendait-elle la première mesure qu'elle donnait le titre ou le nom du chanteur.

Elle adore rouler au son de la musique ; elle se rendrait au bout du monde dans de telles conditions. Alors que Renée Martel vient à peine de pousser sa dernière note, Pierre Lalonde entonne un de ses succès : *Donne-moi ta bouche*. Sylvie jubile. Non seulement elle le trouve beau garçon et elle aime toutes ses chansons, mais en plus elle a un faible pour ce chanteur.

Vu l'heure, la circulation est fluide, ce qui plaît à Sylvie. Elle déteste au plus haut point la congestion sur les routes.

Elle se retrouve rapidement sur le tablier du pont Jacques-Cartier. Sylvie adore les ponts. Petits ou grands, elle adore franchir les cours d'eau. La seule chose qui lui déplaît sur un pont, c'est quand elle est prise dans la circulation et que les autos avancent pare-chocs contre pare-chocs. Alors, immanquablement, l'idée qu'elle ne sait pas nager lui vient à l'esprit. Elle fait alors son signe de croix, ce qui fait bien rire Michel.

— Crois-tu vraiment que ton petit signe de croix va te sauver si jamais le pont tombe ? se fait-il un malin plaisir de lui demander chaque fois.

— Laisse-moi tranquille ! Depuis le temps qu'on est mariés, tu devrais savoir à quel point je déteste faire du surplace sur un pont. Dois-je te rappeler que je nage comme une roche ?

— Arrête de t'énerver. Tu sais bien que le pont ne tombera pas. Avec le nombre d'autos qui sont passées dessus depuis son ouverture, il a été mis à l'épreuve. Ce pont-là, c'est du solide, tu peux me croire.

Sylvie voudrait bien prendre pour argent comptant les paroles de Michel, mais c'est plus fort qu'elle. Elle aime traverser les ponts, mais elle déteste rester sur ceux-ci plus longtemps que nécessaire pour se rendre d'une rive à l'autre.

Alors que l'animateur passe quelques publicités, Sylvie en profite pour penser à la première fois où elle a traversé à Montréal seule, au volant de l'auto de Michel. Elle était tellement nerveuse qu'elle en tremblait de partout. Elle avait fait le trajet de nombreuses fois, pourtant – mais comme passagère, c'est-à-dire sans se préoccuper de quoi que ce soit sinon d'admirer le paysage. Mais il a coulé beaucoup d'eau sous les ponts depuis qu'elle a commencé à conduire. Désormais, pour elle, c'est fini la nervosité au volant. Qu'il pleuve ou qu'il fasse soleil, Sylvie est en pleine possession de ses moyens. Et elle prend grand plaisir à conduire, à tel point que ça la contrarie de plus en plus de monter dans une auto comme passagère, même avec Michel. Évidemment, elle n'en parlera pas à son mari : elle sait qu'il n'accepterait pas de se faire conduire par une femme. Sous ses airs d'homme à la mode, Michel conserve quand même quelques petites résistances face au changement.

Quand elle arrive à proximité du cinéma, Sylvie regarde l'heure. Elle dispose à peine d'une dizaine de minutes pour se stationner et acheter un billet avant le début du film. Bénie des dieux, elle repère une place juste au coin de la rue. Elle descend de l'auto, met de la monnaie dans le parcomètre, puis elle presse le pas en direction du cinéma.

* * *

Pendant que Sylvie passe du bon temps dans une salle de cinéma en savourant un sac de chips au vinaigre, Alain hésite encore avant de sortir de son auto. Ça fait des mois qu'il y pense, mais on dirait que maintenant qu'il est juste en face, il hésite pour toutes sortes de fausses raisons qu'il pensait pourtant avoir réglées. Il appréhende la réaction de ses parents quand ils vont apprendre ce qu'il s'apprête à faire. Il craint que cela lui nuise quand le temps sera venu pour lui de se chercher un emploi comme dentiste. Il se demande ce que les gens vont penser de lui quand il va se promener torse nu ou porter des manches courtes. Il redoute de souffrir. Au fond, il a peur d'avoir peur, ce qui ne lui ressemble pas du tout. Il ne va pas commettre un meurtre, ni voler une banque – ou pire, attaquer une vieille dame à coups de bâton de baseball pour lui voler son sac à main. Non ! Il va juste se faire faire un petit tatouage sur le bras droit. Chaque fois qu'il en a l'occasion, il lit sur le sujet. Il paraît que les marins et les marchands sont particulièrement friands de tatouages. Il a vu quelques photos présentant les réalisations de tatoueurs reconnus. Ça fait des mois qu'il y pense. Il en a parlé avec Lucie et elle l'a encouragé à aller jusqu'au bout.

Ça fait déjà une bonne dizaine de minutes qu'Alain réfléchit. Il regarde sa montre et songe que c'est maintenant ou jamais. Il remonte la vitre et sort de son auto. Il se dirige ensuite d'un bon pas vers l'International Tattooing Studio, situé à quelques pâtés de maisons de l'endroit où il est stationné sur la rue Saint-Laurent. Alain est maintenant devant le commerce. Il jette un coup d'œil à la vitrine et, sans plus de réflexion, il entre.

— Salut, le jeune ! lance un homme d'âge mur. Tu as bien choisi ton moment pour venir, je viens justement d'avoir une annulation. Avance, je ne te mangerai pas.

Alain obtempère. L'homme lui tend la main.

— Bienvenue chez nous ! Je m'appelle Clément Demers. Et toi ?

— Alain Pelletier, répond le jeune homme d'une voix incertaine.

Le tatoueur ne fait aucun cas du manque d'aise de son client. Il l'invite à s'asseoir près de lui.

— Vas-y, je t'écoute. Dis-moi pourquoi tu viens me voir.

Alain prend une grande respiration avant de répondre.

— Je veux avoir un tatouage sur le bras droit.

— Es-tu bien certain ? Parce qu'une fois que c'est fait, c'est là pour un sacré bout de temps. En réalité, c'est là pour tout le temps. Alors, il vaut mieux que tu sois sûr de ton coup, parce que sinon il est préférable que tu retournes d'où tu viens.

— Ça fait des mois que j'y pense. Je suis prêt.

— C'est bien beau tout ça, mais sais-tu au moins ce que tu veux te faire tatouer ?

— Oui ! Je veux un papillon avec plein de couleurs, juste ici, à la même hauteur que le vaccin sur mon bras gauche.

— OK ! Je vais te montrer mes catalogues. Mais s'il n'y a rien qui t'intéresse, je dessinerai un papillon juste pour toi.

— Si je trouve ce que je veux, allez-vous pouvoir me le faire tout de suite ou je vais être obligé de revenir ?

— J'ai tout mon temps. Le gars qui a annulé avait réservé le reste de l'après-midi.

Alain feuillette les catalogues du tatoueur à la recherche d'un papillon à son goût. Quand il en voit un, il s'écrie :

— C'est exactement ce que je veux !

Le tatoueur regarde attentivement l'insecte qu'Alain pointe.

— C'est un excellent choix. Si tu es bien certain que c'est ce que tu veux, on peut commencer tout de suite.

Une fois les formalités réglées, le tatoueur prépare son matériel. Il invite ensuite Alain à venir s'asseoir sur une chaise placée juste en dessous des néons.

— Tu vas sentir un petit picotement, mais c'est tout ce que tu vas éprouver. Je n'en ai même pas pour une heure. Pendant que je vais travailler, parle-moi un peu de toi.

— Eh bien, j'habite à Longueuil. Mais avant que ma famille ne soit expropriée, on vivait dans l'est de Montréal. Je me suis marié il y aura bientôt un an et je vais au cégep. Je veux devenir dentiste. Je travaille à deux endroits à longueur d'année, une épicerie et une usine, quand je n'ai pas de cours. Aussi, j'adore voyager. Cet été, ma femme et moi allons retourner passer un mois en Europe. Il y a de fortes chances qu'on aille encore en France, car il y a tellement de choses à voir dans ce pays. J'ai quatre frères et une sœur, tous plus jeunes que moi. J'avais un autre frère. On était toujours ensemble, mais il est mort subitement l'automne passé.

— Maintenant, j'aimerais savoir ce qui t'a donné le goût d'avoir un tatouage.

— Quand je vais dans les bars, les portiers en ont souvent. Chaque fois, je me dis que je pourrais en avoir un moi aussi. J'adore lire et, l'autre jour, je suis tombé sur un article qui parlait du tatouage et qui montrait plusieurs réalisations. Même si les images étaient en noir et blanc, certains tatouages ressemblaient à de vraies œuvres d'art. On parlait aussi d'un homme qui s'est fait dessiner la réplique de la Joconde dans le dos. J'imagine un peu à quel point ça doit être beau.

— Ça va, Alain ? Ça ne fait pas trop mal ?

— Je ne sens pratiquement rien.

Même si ça lui faisait mal, Alain aurait donné la même réponse. Quand il était tout petit, chaque fois qu'il pleurait, son père lui répétait qu'il n'était pas une mauviette et que les Pelletier étaient faits forts. Avec les années, il s'est endurci et est devenu plus endurant à la douleur.

— Est-ce que je peux vous poser une question, monsieur Demers ?

— Autant que tu voudras.

— Ça fait combien de temps que vous êtes tatoueur ?

— Plus de vingt ans. J'ai ouvert à Ottawa en 1947. Tu n'étais même pas encore au monde. Cinq ans plus tard, je suis parti en voyage avec ma famille. On a parcouru tout le Canada. On vivait dans une grande roulotte. On arrêtait dans toutes les bases militaires et les hôtels. J'installais tout ce qu'il fallait et je faisais des tatouages tant que j'avais des clients.

— Wow !

— En 1957, je suis venu m'installer à Montréal. Je n'ai plus bougé depuis.

— Vous ne trouvez pas ça dur de rester toujours à la même place ?

— Non. Tant que je fais ce que j'aime, je n'ai pas de problème.

— Est-ce qu'il y a des femmes qui se font faire des tatouages ?

— Il y en a, mais elles ne sont pas encore nombreuses. J'ose espérer qu'un jour elles se ficheront des qu'en-dira-t-on et qu'elles oseront venir me voir.

Les deux hommes poursuivent leur discussion. Alain ne voit pas le temps passer. Quand monsieur Demers annonce qu'il a terminé, le jeune homme est surpris.

— Va devant le miroir, Alain. Ça va être plus facile pour toi de voir le résultat. Pour ma part, je trouve que ton tatouage est très beau.

Une fois devant le miroir, Alain se dépêche de regarder son tatouage. S'il ne se retenait pas, il embrasserait monsieur Demers. Il sourit à pleines dents.

— C'est en plein ce que je voulais. Vous êtes un artiste. Merci!

— Ça risque d'être sensible pendant quelques jours. Si tu as une crème pour soigner les éraflures chez vous, tu pourrais en mettre un peu. Ça aiderait ta peau à cicatriser.

Après avoir payé, Alain tend la main au tatoueur et sort du studio. Il est impatient de montrer son tatouage à Lucie. Quant à ses parents, il choisira le moment opportun pour le leur montrer. Il monte dans son auto et prend la direction du pont Jacques-Cartier pour retourner sur la Rive-Sud. Autant il a eu de la misère à s'habituer à vivre en banlieue, autant il est maintenant content d'y retourner. Il se demande même comment il faisait pour vivre à Montréal auparavant.

* * *

C'est en reniflant que Sylvie sort du cinéma. Elle n'y peut rien. Chaque fois qu'elle écoute un film, elle a les larmes aux yeux. Que l'histoire finisse bien ou mal, le résultat est le même. Dans les deux cas, l'émotion devient tellement forte que Sylvie ne peut pas résister à la pression: elle se met à pleurer comme une Madeleine. Au début de leur mariage, Michel se moquait d'elle, ce qui la mettait en furie. Un beau jour, Sylvie s'est plantée devant lui; les deux mains sur les hanches, elle lui a fait une crise dont il se souvient sûrement encore aujourd'hui. Elle lui a ordonné d'arrêter de rire d'elle parce qu'elle pleure en regardant un film. Elle a ajouté que s'il recommençait, ne serait-ce qu'une fois, plus jamais elle n'irait au cinéma ni même n'écouterait un film à la télévision avec lui.

Sylvie s'essuie une autre fois les yeux et part ensuite dans la direction où elle a stationné son auto. Plus elle s'approche, plus elle sent que quelque chose cloche. S'est-elle trompée de rue ? Elle ne voit sa Mustang nulle part. Elle se frotte les yeux et regarde à nouveau tout autour. Mais à la place où elle a laissé son auto, il y a une vieille Oldsmobile décrépite. Elle ne peut pas s'être fait voler son auto. Non, pas sa Mustang ! Sylvie est dans tous ses états. Elle ne sait pas quoi faire. Elle se mordille la lèvre supérieure et essaie de réfléchir. Elle paraît sans doute désemparée parce que le propriétaire du commerce devant lequel elle avait laissé son auto vient la rejoindre. Il lui demande si tout va bien.

— Ça ne pourrait pas aller plus mal ! se plaint-elle. Je me suis fait voler ma Mustang. Je l'avais stationnée devant votre commerce pour aller au cinéma et elle n'est plus là.

— Venez avec moi, dit-il gentiment. Il faut appeler la police.

Sylvie le suit sans rechigner. Que pourrait-elle faire d'autre de toute façon ? Quand les policiers arrivent, elle répond à leurs nombreuses questions. Ensuite, la mine basse, elle se rend à la station de métro la plus proche. Elle qui voulait simplement s'offrir une petite pause, voilà qu'elle s'est fait voler son auto dans le centre-ville de Montréal, et en plein jour de surcroît.

* * *

Sylvie a été chanceuse dans sa malchance : les policiers ont retrouvé son auto deux heures plus tard. Heureusement, la Mustang n'avait subi aucun dommage, sauf que le voleur avait vidé le réservoir d'essence. Quand Sylvie est allée la chercher avec Michel, le policier lui a dit qu'elle avait eu beaucoup de chance non seulement de retrouver sa voiture, mais de la retrouver intacte.

Cette nuit-là, Sylvie s'est levée au moins trois fois pour aller vérifier que son auto était toujours dans la cour.

# Chapitre 14

Il est enfin arrivé le jour où le petit manège de Ginette et de sa bande va cesser ; c'est en tout cas ce que Sylvie souhaite de tout son cœur. Pour l'occasion, elle n'a rien laissé au hasard. Elle a d'abord demandé à Shirley si elle pouvait garder les trois plus jeunes. Les garçons étaient enchantés à l'idée d'aller souper là-bas sans leurs parents et d'y passer toute la soirée. Si Sylvie ne les avait pas retenus, ils seraient partis tout de suite après le dîner. Il faut dire qu'ils s'entendent plutôt bien avec les enfants de Shirley.

Sylvie ne s'est pas lancée dans une nouvelle recette. Elle a décidé d'y aller avec une valeur sûre. Elle est déjà suffisamment nerveuse. Elle a rempli sa rôtissoire de petits cubes de porc et de tous les ingrédients que demandait la recette d'Alice. Il n'était pas encore midi quand elle a mis le plat au four. Si la rencontre tourne au vinaigre, ils pourront au moins profiter de la bonne odeur qui s'est répandue partout dans la maison. Elle va servir des patates pilées avec le porc. Quand ils ont su pour qui leur mère préparait à manger, Sonia et Junior ont proposé d'éplucher les patates pour elle. Pendant ce temps-là, Sylvie a coupé une grosse laitue Iceberg ; elle y ajoutera les tomates, les échalotes et la vinaigrette qu'elle vient de préparer juste avant de passer à table. Elle a aussi fait un gros pouding chômeur, le dessert préféré de son père. Maintenant que tout est prêt, il ne lui reste plus qu'à attendre que son père, Suzanne, Paul-Eugène, Chantal et Maurice, l'avocat, arrivent.

Assise au bout de la table, Sylvie se tire les peaux autour des ongles depuis un petit moment déjà, ce qui lui arrive seulement lorsqu'elle est très nerveuse. En constatant l'état de ses mains, elle se dit qu'il vaut mieux qu'elle arrête vite si elle ne veut pas avoir les mains en sang quand tout le monde va arriver. Elle regarde l'heure. Comme elle dispose d'une bonne demi-heure avant que les premiers invités arrivent, elle sort ses timbres-primes et les étale sur la table. Il y a un bon bout de temps qu'elle n'en a pas fait le décompte. Avant de les compter, elle les place par piles selon leur valeur. Quand elle complète son addition, un large sourire s'installe sur ses lèvres. Elle a sûrement assez de timbres-primes pour s'offrir une petite gâterie. Elle prend le catalogue et tourne les pages une à une, de la première à la dernière, pliant le coin de celles où il y a quelque chose qui pourrait non seulement l'intéresser mais qui exige surtout le nombre de timbres-primes qu'elle possède. Elle a beau adorer ramasser les timbres-primes pour pouvoir s'offrir des cadeaux, elle a quand même des principes. Jamais elle ne fournira un seul cent de sa poche ; elle attendra plutôt d'avoir le nombre requis de timbres-primes pour obtenir l'objet convoité. Quand elle arrive à la fin du catalogue, elle se met à rire : elle a plié pas moins de dix coins de page. Après avoir passé en revue les pages sélectionnées, elle déplie plus de la moitié de celles-ci. Elle hésite à présent entre trois choses : une horloge murale pour la cuisine dont le contour est décoré de fruits, un gant de baseball en similicuir pour Luc dont la fête approche à grands pas et un porte-monnaie jaune soleil pour elle. Elle tourne et retourne les trois pages en réfléchissant. Elle en est encore là quand la sonnette de la porte d'entrée retentit. Elle range ses affaires en vitesse dans l'armoire avant d'aller ouvrir. Alors qu'elle arrive devant la porte, celle-ci s'ouvre sur Chantal et Paul-Eugène.

— Étais-tu en train de faire une sieste ? s'écrie Chantal.

— Rassure-toi. Même si j'avais voulu en faire une, je ne pense pas que j'aurais seulement pu fermer les yeux. Venez vous asseoir.

— Une chance que c'est une rencontre importante, parce que c'était plein à craquer au magasin, commente Paul-Eugène. Je ne sais vraiment pas comment Michel va faire pour pouvoir servir tout le monde, même s'il demande à Fernand de l'aider.

— Il me semblait que vous aviez engagé le gendre de Fernand, émet Sylvie.

— Oui. Et il s'en tire assez bien. Mais il fallait qu'il parte à trois heures aujourd'hui, exceptionnellement.

— J'ai une idée, déclare Sylvie. Je pourrais demander à Junior et à Sonia d'aller donner un coup de main à leur père. Ils sont tous les deux dans leur chambre.

Paul-Eugène songe que c'est l'occasion rêvée de vérifier si ce serait une bonne affaire d'engager des femmes. Michel est tellement débordé qu'il ne refusera pas d'avoir un peu d'aide.

— C'est une excellente idée ! répond Paul-Eugène. Va vite les avertir d'aller au magasin.

Sitôt dit, sitôt fait. Alors que Sonia et Junior s'apprêtent à sortir de la maison, ils arrivent face à face avec un inconnu.

— Maman, il y a quelqu'un pour toi, annonce Sonia.

— C'est sûrement Maurice, dit Sylvie en se levant.

— Grand-papa et grand-maman arrivent aussi, indique Junior d'une voix forte.

Une fois les présentations faites, Maurice explique :

— Vous devez comprendre que je ne suis pas ici pour faire peur aux autres membres de votre famille. Comme je l'ai dit à Sylvie, je vais les informer sur ce que prévoit la loi concernant leurs agissements. Je pourrai répondre aux questions. Par contre, je ne m'impliquerai pas dans vos débats familiaux, si toutefois il y en avait. Après, je vous laisserai entre vous.

— En tout cas, intervient Chantal, moi, si j'étais à leur place, j'arrêterais mon petit manège tout de suite. Surtout qu'ils n'ont aucune chance d'en tirer quoi que ce soit.

Maurice reprend la parole :

— Vous savez, Chantal… Mais vous permettez que je vous appelle Chantal ?

La question de Maurice fait un petit velours à Chantal. Elle mettrait sa main au feu qu'elle a rougi jusqu'à la racine des cheveux. Il faut dire que l'avocat est un bel homme – enfin, à son goût. Il n'est peut-être pas aussi racé que monsieur Laberge, mais il est plus accessible, et surtout plus chaleureux. Chantal songe qu'il faudra qu'elle demande à Sylvie s'il est marié, parce que tant que monsieur Laberge ne se manifestera pas, elle est libre comme l'air. Elle s'est arrangée pour faire savoir à ce dernier qu'il l'intéressait ; à présent, elle doit attendre qu'il se décide à lui téléphoner.

— Bien sûr ! répond-elle d'une voix chaude.

— Vous savez comme moi qu'il faut de tout pour faire un monde, formule l'avocat. Il y a des gens qui se font un malin plaisir à empoisonner la vie des autres en sachant pertinemment qu'ils dépassent le cadre de la loi. Je ne connais pas encore les autres membres de votre famille, mais j'ai bien l'impression qu'ils font partie de cette catégorie – du moins Ginette, si je me fie à ce que Sylvie m'en a dit.

— Et s'ils ne veulent rien comprendre, demande monsieur Belley d'un air attristé, qu'est-ce qu'il va falloir qu'on fasse ? Je ne peux pas passer le peu d'années qu'il me reste à vivre à me faire harceler par mes enfants.

— À part déménager et changer de numéro de téléphone pour qu'ils perdent votre trace, il n'y a pas beaucoup d'autres solutions.

— Mais ils n'ont pas le droit d'embêter papa comme ils le font ! s'exclame Chantal.

— Monsieur Belley pourrait les poursuivre. Toutefois, j'estime que dans les circonstances, ce n'est pas la meilleure chose à faire. Non seulement ça lui coûterait très cher, mais ça affecterait grandement sa santé. Cependant, attendez avant de vous tracasser. On ne sait jamais : peut-être vont-ils enfin entendre raison.

— C'est permis de rêver, dit Paul-Eugène. Mais lorsque vous aurez fait la connaissance de Ginette, vous comprendrez tout.

De nature conciliante la plupart du temps, Paul-Eugène commence à en avoir plus qu'assez du petit manège de sa sœur. Si les choses tournent au vinaigre aujourd'hui, il se promet de lui faire goûter à sa propre médecine… Il y a trop longtemps qu'elle dépasse les bornes.

— Bon, laisse tomber Suzanne qui n'a pas encore pris part à la conversation, il ne nous reste plus qu'à attendre qu'ils arrivent.

— Je suis désolé… s'excuse monsieur Belley en posant sa main sur la cuisse de sa femme. Je suis tellement désolé…

— Arrête, Camil, répond Suzanne d'une voix douce. Tu n'as pas à être désolé, car tu n'as rien à voir là-dedans. On ne choisit pas ses parents, mais on ne choisit pas non plus ses enfants.

Il n'y a pas une seule journée où Camil ne se dit pas qu'il a vraiment de la chance d'avoir une femme comme Suzanne. Avec tout ce qu'il lui fait vivre, il y a longtemps que d'autres l'auraient abandonné là avec sa misère sans demander leur reste. Mais Suzanne l'encourage et lui remonte le moral chaque fois que Ginette fait des siennes.

— Je sais tout ça. Ce qui me dérange le plus, c'est qu'ils s'en prennent à toi.

— Ne t'en fais pas avec ça, le rassure-t-elle. Je suis assez grande pour me défendre. C'est bien mal me connaître que de penser que je toucherai à leur héritage. Au risque de paraître mal élevée, ajoute-t-elle à l'intention de Sylvie, aurais-tu une once de gin pour ton père ? Ça lui ferait du bien.

— Certain ! Je m'excuse. On dirait que j'ai perdu toutes mes bonnes manières. J'ai complètement oublié de vous offrir quelque chose à boire. J'ai du gros gin et de la bière aussi.

La sonnette de la porte se fait entendre alors que Sylvie finit de servir tout le monde. Elle va ouvrir. Ginette en tête, ses deux autres sœurs et ses deux autres frères se joignent à la réunion dans la cuisine. Avant même de saluer qui que ce soit, Ginette lance :

— Moi qui pensais que tu nous servirais des hot dogs ! Si c'est aussi bon que ce que ça sent, ça promet. Si je me fie à ce que tu nous faisais manger quand on était jeunes, tu as sûrement suivi des cours de cuisine parce qu'on ne peut pas prétendre que tu étais la meilleure cuisinière de Montréal. J'espère que tu en as fait en masse parce que je suis affamée. Mais, dis-moi donc, c'est à qui la belle Mustang rouge ?

— À moi, répond Sylvie.

— Il y en a qui ont de la chance, déclare Ginette d'un ton méprisant. Pas de saint danger qu'ils nous en donnent un peu, ces gens-là, par exemple.

Paul-Eugène songe qu'il est urgent que quelqu'un arrête Ginette avant qu'elle aille trop loin, ce qu'il fait promptement.

— Si tu permets, Ginette, dit Paul-Eugène en faisant un effort pour se contenir, je vais vous présenter la seule personne que vous ne connaissez pas. Il s'appelle Maurice Desbiens, et il est avocat.

Il n'en faut pas plus pour mettre le feu aux poudres. Ginette se lève comme une flèche et s'écrie :

— Je savais bien qu'il y avait quelque chose de louche ! J'ai dit aux autres que vous nous réserviez sûrement une mauvaise surprise.

J'aurais mieux fait de suivre ma première idée et de rester chez nous. En tout cas, ajoute-t-elle en regardant Sylvie dans les yeux, tu es une belle menteuse. Moi qui pensais que tu avais un peu de cœur. Ce n'est pas un cœur que tu as, c'est une pierre aussi grosse que toi. Venez, ajoute-t-elle à l'intention de ses comparses, on sacre notre camp d'ici et vite à part ça.

Tous sont sous le choc. Même s'il avait dit qu'il ne se mêlerait pas des discussions familiales, Maurice décide d'intervenir. Il se racle la gorge avant de prendre la parole.

— Madame, je vous demande de vous rasseoir. Je n'en ai que pour quelques minutes. Après, vous pourrez partir si vous le souhaitez.

Ginette lui jette un regard noir. Les lèvres serrées et les sourcils froncés, elle met quelques secondes avant d'obtempérer.

— Je vous accorde cinq minutes, pas une de plus, émet-elle d'une voix sifflante.

Maurice commence par exposer les faits. Il relate l'une après l'autre toutes les actions que Ginette et sa bande ont commises pour embêter leur père et, par ricochet, Suzanne. Il résume ensuite la loi concernant la protection des personnes âgées.

Pendant le compte rendu de l'avocat, Ginette reste de marbre comme si tout ce qu'elle entendait ne l'atteignait aucunement, tandis que ses quatre complices blêmissent de plus en plus. Ayant conclu, Maurice regarde tour à tour les cinq coupables avant d'ajouter :

— Si vous avez des questions, j'y répondrai. Dans le cas contraire, je quitterai cette réunion.

Maurice attend quelques secondes. Personne ne pose de questions. Alors, l'avocat salue tout le monde avant de se diriger vers la porte d'entrée. Saisissant l'occasion, Chantal dit :

— Je vais vous raccompagner.

Une fois sur le perron, Chantal remercie Maurice de s'être déplacé. Elle lui tend la main en le regardant dans les yeux. La poignée de main se prolonge. Alors que Chantal s'apprête à retirer sa main, l'avocat la retient. Il glisse d'une voix douce :

— J'ai cru comprendre que vous étiez célibataire lorsque Sylvie m'a parlé de vous. Si vous êtes d'accord, j'aimerais vous inviter au restaurant.

— Ça me ferait très plaisir, répond Chantal d'une voix enjouée. Mais dans deux jours, je prends l'avion. Je m'en vais passer trois semaines en Europe.

— Rien ne nous empêche de nous voir demain… à condition que vous ayez le temps, bien entendu.

— Je peux m'arranger.

— Je vous laisse retourner à votre réunion de famille. Si vous me le permettez, j'appellerai Sylvie demain matin pour qu'elle me donne votre numéro de téléphone.

— Ce ne sera pas la peine. Je suis dans le bottin. J'habite ici, à Longueuil, sur la rue des Marguerites.

— À demain, alors.

Dans d'autres circonstances, Sylvie aurait remarqué ce que sa sœur manigançait. Mais pour le moment, elle est incapable de réfléchir. Elle regarde ses frères et sœurs à tour de rôle tout en se demandant ce qui va se passer dans les prochaines minutes. Sans même s'en rendre compte, elle a commencé à réciter un *Notre Père*. Elle en enchaîne plusieurs, jusqu'à ce que son père prenne la parole, la voix remplie d'émotion.

— Jamais je n'aurais pensé qu'un jour on serait obligés de faire venir un étranger pour nous aider à régler nos problèmes de famille. Vous êtes mes enfants et je vous aime pour tout ce que vous êtes, de beau et de moins beau. Mais là, certains d'entre vous sont allés un peu trop loin.

— Pas un peu trop loin, rouspète Chantal, mais beaucoup trop loin.

— Laisse-moi finir, lui demande son père. J'aime autant vous le dire, si vous continuez comme ça, c'est ma peau que vous allez avoir… et, du même coup, votre héritage, si c'est ce que vous voulez. Je vous ai donné tout ce que je pouvais depuis que je vous ai mis au monde. Je n'ai pas été un père parfait, je le sais, mais j'ai fait mon gros possible avec les moyens que j'avais. Je vous ai donné ma vie ; je vous demande maintenant de me laisser vivre en paix avec Suzanne le peu de temps qu'il me reste. C'est tout ce que j'avais à déclarer. Pour le reste, la décision vous appartient.

Tous sont ébranlés par les propos de leur père, sauf Ginette. Celle-ci se lève et lance d'une voix forte :

— J'en ai assez entendu ! C'est un piège que vous nous avez tendu.

Puis, à l'adresse de ses acolytes, elle ajoute :

— Venez ! Il n'est pas question qu'on reste une minute de plus dans cette maison. Plutôt aller manger au casse-croûte du coin que de risquer l'indigestion si on avale ce que notre chère sœur a cuisiné.

Ginette se dirige vers la porte d'entrée. Personne ne la suit. Quand elle en prend conscience, elle revient sur ses pas. L'air agressif, elle déclare :

— Je vous avertis : si vous ne venez pas avec moi tout de suite, vous vous arrangerez tout seuls. Vous n'allez pas me faire accroire que l'avocat vous a fait peur au point de vous ranger du côté de notre sainte sœur Sylvie ?

Ghislain, qui est agent d'assurances, explique :

— L'avocat n'a rien à voir avec ma décision de rester. C'est ce que le père a dit qui m'a fait changer d'idée. Le pauvre vieux, il ne mérite pas que ses enfants empoisonnent les quelques années qu'il lui reste à vivre.

— Je pense exactement la même chose que Ghislain, expose Jacques.

— Moi aussi, renchérit Charlotte.

— Moi aussi, annonce Claire. Tu devrais venir te rasseoir avec nous. Pour une fois qu'on est tous ensemble…

— Jamais ! crache Ginette. Vous êtes juste une bande de lâches. J'aurais dû le savoir aussi que vous finiriez par me laisser tomber. Je vous préviens : ne venez pas pleurer sur mon épaule parce que je vais vous retourner d'où vous venez, et vite à part ça !

— Voyons, Ginette ! s'écrie Sylvie. Pour une fois dans ta vie, tu pourrais piler sur ton orgueil et admettre que tu es dans l'erreur.

— Toi, la pimbêche, mêle-toi de tes affaires ! Si c'est comme ça que vous le prenez, vous allez entendre parler de moi, je vous le garantis.

Ginette sort de la maison en prenant soin de faire claquer la porte, ce qui fait sursauter tout le monde. Alors que monsieur Belley s'essuie discrètement les yeux, Suzanne lui passe une main dans le cou. Tous sont sous le choc.

Au moment où Paul-Eugène va ouvrir la bouche, son père lui fait signe qu'il veut parler. La voix chargée d'émotion, Camil dit :

— Je vous remercie tous d'être là, avec moi. Ça me touche beaucoup… même s'il nous manque un joueur…

Mais il n'a pas le temps de finir sa phrase que la porte s'ouvre en coup de vent sur Ginette. Cette dernière reprend sa place à la table et fait comme si de rien n'était.

— Vu que nous sommes tous là, poursuit Camil, j'aimerais qu'on fête nos retrouvailles. J'ai apporté deux bouteilles de vin. Elles sont dans le sac brun que j'ai déposé sur le comptoir.

Monsieur Belley s'essuie les yeux, ce qui n'échappe pas à Ginette. Celle-ci va se poster devant son père. La seconde d'après, elle le prend dans ses bras et lui chuchote à l'oreille : «Je suis désolée, papa.» Elle retourne ensuite à sa place. Puis, elle s'écrie, à l'intention de Sylvie :

— Vas-tu me faire faire un tour dans ta Mustang un de ces jours ?

— On pourrait y aller après le souper, si tu veux.

— On devrait partir juste les filles, suggère Chantal.

— Et moi ? s'inquiète Suzanne. Est-ce que je vais pouvoir y aller avec vous ?

— Certain ! répond Sylvie. Bon, si on ne veut pas manger trop tard, il vaudrait mieux que je fasse cuire les patates.

— Je pourrais dresser la table, propose Charlotte.

— C'est une bonne idée, répond Chantal. Je vais t'aider, d'autant que je sais où notre sœur cache ses nappes et tout le reste.

— Pendant ce temps-là, je vais verser le vin dans les coupes, propose Claire.

Il y avait bien longtemps que la famille de Sylvie n'avait pas été réunie au grand complet ; en réalité, cela faisait des années que ce n'était pas arrivé. Pendant qu'elle vérifie la cuisson du porc, Sylvie ravale ses larmes. Elle a bien cru qu'elle ne verrait jamais le bout de cette sordide histoire. Ce soir, quand elle ira se coucher, elle remerciera Dieu d'avoir éclairé sa sœur Ginette. Piquée par le commentaire de cette dernière à l'égard de ses talents de cuisinière, elle mange trois petits cubes de viande pour s'assurer que tout est parfait.

Suzanne observe les enfants de son mari et elle sourit. Si elle se fie à ce qu'elle voit, Camil et elle devraient avoir la paix maintenant. Elle ignore ce qui a fait pencher la balance pour que tous acceptent de rendre les armes, et elle ne connaîtra probablement jamais le fond de l'histoire, mais l'important c'est que la bonne entente soit revenue entre eux tous. Certes, rien ne garantit qu'ils deviendront les meilleurs amis du monde ; mais tant qu'ils se respectent, la vie va s'écouler doucement, comme il se doit. Au fond d'elle-même, une petite voix souffle à Suzanne qu'elle devrait remercier le ciel d'avoir une famille unie, une famille tricotée serrée comme il s'en trouve si peu.

Quand chacun tient un verre de vin, monsieur Belley dit :

— Je souhaite que ce souper soit le premier d'une longue série. À votre santé, mes chers enfants !

# Chapitre 15

Pendant que Sonia file aux toilettes, tante Irma et Chantal en profitent pour flâner dans la librairie. Maintenant qu'elles ont passé la douane, il ne leur reste plus qu'à attendre tranquillement l'heure d'embarquement de leur vol. Chantal n'a pas été obligée de prendre son auto pour venir à l'aéroport. Lionel a tellement insisté pour conduire les voyageuses qu'elle a fini par accepter son offre. «N'oubliez pas de vérifier si notre vol est en retard avant de venir nous chercher à notre retour. Croyez-moi, il n'y a rien de moins fiable qu'une compagnie d'aviation quand il s'agit de respecter un horaire. Là-haut, il se passe de drôles de choses qui obligent même parfois les pilotes à changer de route – enfin, si je peux m'exprimer ainsi. »

Aussitôt que Sonia les rejoint, elles se dirigent vers le quai d'embarquement. Toutes trois préfèrent garder leur argent pour le voyage plutôt que de le gaspiller dans les boutiques hors taxes, d'autant plus qu'elles ont tout ce qu'il leur faut jusqu'à ce qu'elles montent à bord de l'avion. Elles ont plus de magazines qu'elles ne pourront en lire, et des provisions en quantité. C'est Sylvie qui a tout préparé, et celle-ci n'a rien négligé : des boissons gazeuses aux goûts de chacune, des sandwiches sans croûte au jambon haché, des radis, un gros sac de chips Humpty Dumpty ordinaires. Et, bien sûr, du sucre à la crème qu'elle a fait spécialement pour Sonia, tante Irma et Chantal. Ces dernières seraient allées pique-niquer sur le mont Royal qu'elles n'auraient pas eu un meilleur repas.

— Je ne sais pas si vous êtes comme moi, dit Sonia, mais j'ai un petit creux.

— Je prendrais bien quelques pointes de sandwiches, répond tante Irma.

— Et moi du sucre à la crème, indique Chantal.

— Mais tu n'as encore rien mangé ! s'étonne Sonia.

— Où est le problème ? demande Chantal. Où est-ce que c'est écrit qu'il faut toujours commencer par le salé ? En vacances, j'essaie de changer mes habitudes. Je ne te l'ai jamais raconté, mais quand j'étais petite, j'avalais toujours le dessert avant la soupe et le plat principal. C'est la faute de ta mère si je ne le fais plus. Après la mort de maman, elle s'est mise sur mon cas, comme on dit. Elle a fini par m'avoir à l'usure.

— Je ne sais pas comment tu fais, commente Sonia. Tiens, ajoute-t-elle en lui tendant le sac rempli de sucre à la crème.

— Tante Irma et toi, vous devriez essayer ma méthode, déclare Chantal. Vous verriez que c'est très plaisant de commencer par le dessert – ça donne une tout autre dimension à un repas –, sans compter qu'on peut en manger bien plus.

Sonia et tante Irma se laissent facilement convaincre. C'est pourquoi, à la suite de Chantal, elles glissent une main dans le sac. Les trois femmes sourient quand elles portent un petit carré de sucre à la crème à leur bouche.

— Et puis, qu'en dites-vous ? s'enquiert Chantal.

Pour toute réponse, tante Irma et Sonia haussent les épaules. La seconde d'après, Sonia déclare :

— Bon, je suis prête pour un sandwich maintenant.

— Moi aussi, la seconde tante Irma.

— Pas moi ! proteste Chantal. En tout cas, pas avant d'avoir gobé un deuxième carré de sucre à la crème. Il est trop bon. Je ne sais pas ce que ta mère a mis dedans cette fois, Sonia, mais il a un petit goût de revenez-y.

— S'il n'en tient qu'à moi, tu peux avoir le sac au complet, dit Sonia.

— Depuis quand lèves-tu le nez sur le sucre à la crème de ta mère ? demande tante Irma.

— La dernière fois que maman en a fait, j'en ai tellement mangé que j'ai eu mal au cœur pendant des heures. Comme je suis incapable de vomir, j'ai souffert le martyr. Étendue sur mon lit, j'ai attendu que ça finisse par passer.

— Et moi qui croyais que tu étais toujours raisonnable ! s'exclame Chantal pour la taquiner.

— Je ne le suis pas toujours, loin de là, confie Sonia. Il faut que je vous parle de quelque chose. Mais avant, vous devez me promettre de ne jamais rien dire à maman à propos de ce que je vais vous raconter.

En guise de réponse, Chantal et tante Irma lèvent l'index et le majeur de leur main droite et les posent sur leur cœur. À présent, Sonia sait qu'elle peut se livrer en toute confiance. À part Lise, Isabelle et son père, personne ne sait qu'elle a perdu sa virginité le soir de la première du spectacle de sa mère. Elle aurait bien voulu en parler avec Junior, mais chaque fois, il est arrivé quelque chose qui a mis fin à la conversation. Il n'était pas question qu'elle lui en parle en revenant de l'école ; c'est un sujet beaucoup trop important. Elle s'est promis de se reprendre quand elle reviendra de voyage, ou mieux encore, quand ses parents iront dans l'Ouest canadien. Elle est très contente que ce soit ses grands-parents maternels qui viennent s'occuper de la maisonnée. Lorsque ses parents ont annoncé qu'ils partaient, elle s'est dit qu'elle écoperait sûrement de la tâche de gardienne. Chaque soir, elle récitait une dizaine de chapelets pour ne pas être l'heureuse élue. Elle peut survivre à une journée de gardiennage des jumeaux, mais jamais à deux semaines.

— Ça me gêne un peu, mais c'est plus fort que moi, il faut que je vous en parle.

Sonia prend une grande respiration avant de lancer d'une seule traite :

— J'ai fait l'amour avec Antoine le soir de la première de maman, dans ma chambre. Et papa nous a pris sur le fait… enfin, presque.

Surprises par ce qu'elles viennent d'entendre, Chantal et tante Irma ne réagissent pas.

— Avez-vous entendu ? s'écrie Sonia. Je ne viens pas de vous dire que je suis allée faire l'épicerie, je…

— Arrête ! ordonne Chantal. J'ai très bien compris, c'est juste que j'étais en train d'imaginer la réaction de ta mère quand elle l'a appris.

— Ma pauvre enfant ! compatit tante Irma. Tu as dû passer un mauvais quart d'heure.

Chantal et Irma connaissent suffisamment Sylvie pour savoir que sa réaction a dû être explosive car elle a la fâcheuse habitude de tout ramener à sa propre expérience. Il y a fort à parier même que Sylvie croyait dur comme fer que Sonia allait suivre ses traces et attendre le jour de son mariage pour faire l'amour.

— Mais maman n'est pas au courant ! Papa m'a juré qu'il ne lui dirait rien.

— Ouf ! confie tante Irma. J'aime mieux ça.

— Je ne suis pas certaine de bien comprendre, commente Chantal. Michel ne l'aurait pas dit à Sylvie ? Ça ne lui ressemble pas du tout.

— C'est quand même ce qu'il a fait, répond Sonia. Mais il m'a avertie que je devais trouver un autre endroit pour faire ça.

Les yeux malicieux, Chantal déclare :

— Si tu manques d'imagination, je pourrai te donner une liste d'endroits où tu ne cours aucun danger de te faire prendre. N'oublie pas que j'ai eu la même mère que toi – enfin, d'une certaine façon. Avec elle, il valait mieux que je sois ratoureuse, sinon elle aurait fait de ma vie un réel enfer.

Sonia n'a aucune envie de plaisanter. Si ses tantes l'observaient un tant soit peu, elles verraient tout de suite à quel point elle est découragée.

— Vous ne comprenez pas ! affirme Sonia d'un ton plaintif. Ce n'est pas ça le problème. Depuis ce soir-là, Antoine refuse de faire l'amour parce qu'il ne veut pas décevoir maman.

— Qu'est-ce que ta mère a à voir là-dedans ? demande tante Irma.

— Maman aime beaucoup Antoine et lui, il fait tout pour lui faire plaisir chaque fois qu'il la voit.

— Je veux bien croire, mais ta mère n'est pas toujours avec vous deux, déclare Chantal.

— Je sais tout ça. Mais je n'arrive pas à le faire changer d'idée.

Depuis ce fameux soir, Sonia a tout essayé pour qu'Antoine revienne à de meilleures dispositions, mais sans succès, ce qui la désespère.

— Oui, dit tante Irma, mais il l'a quand même fait une fois.

— Quand je le lui rappelle, il me répond qu'il a perdu le contrôle et qu'il ne veut plus que ça arrive.

— Ma foi du bon Dieu, tu n'es pas sortie de l'auberge, ma pauvre Sonia! s'exclame Chantal. S'il n'est pas plus fougueux que ça à l'âge qu'il a, ça augure bien mal pour l'avenir.

— Chantal a raison, confirme tante Irma. Je n'ai pas une grande expérience dans ce domaine, mais j'en ai quand même suffisamment pour savoir que les gens ne changent pas beaucoup en vieillissant.

— À moins que ça te convienne… insinue Chantal.

— Mais non! proteste Sonia. J'avais enfin trouvé le courage de faire le saut, mais voilà que je me retrouve à la case départ. Pas parce que je suis seule, mais parce que mon *chum* a des vieux principes. En tout cas, une chose est sûre : je ne passerai pas ma vie avec un homme comme lui. J'aurais bien trop peur de m'ennuyer. Pourtant, tout allait comme sur des roulettes jusqu'à ce soir-là. Depuis, on passe plus de temps à discuter qu'à s'aimer et ça m'embête drôlement.

— Tu as bien raison, confirme Chantal. À ton âge, on n'a pas envie de réfléchir, mais d'agir. Tu as trois semaines pour penser à ce que tu vas faire à ton retour de voyage.

— Qui sait? déclare tante Irma. Tu vas peut-être rencontrer un bel Anglais.

— Vous n'êtes pas sérieuse, j'espère! réagit Sonia sur un ton désespéré. Je ne m'entends même pas avec un gars qui habite à moins d'une demi-heure de métro. Comment voudriez-vous que j'y arrive avec quelqu'un qui reste de l'autre côté de l'océan? Toutefois, je peux vous assurer d'une chose : il n'est pas question que je gâche mes vacances pour Antoine.

— Bravo! se réjouit Chantal. Voulez-vous que je vous en raconte une bonne maintenant?

En réalité, Sonia n'est pas si peinée de ce qui lui arrive. Certes, cela l'attriste, mais c'est plus son orgueil qui en a pris un coup. Une fois de plus, elle s'est trompée sur un garçon. Avec Langis, elle aurait voulu tout faire alors qu'il refusait. Avec Normand, c'était exactement le contraire ; mais il était volage, donc elle avait eu raison de refuser. Et alors qu'elle a accepté d'aller jusqu'au bout avec Antoine, après une fois, voilà que celui-ci refuse de récidiver. Maintenant qu'elle a goûté à l'amour, Sonia sait qu'elle ne pourra plus s'en passer. Elle aurait dû mettre fin à sa relation avec Antoine avant de partir en voyage. Pas parce qu'elle ne l'aime pas, mais parce qu'il refuse de continuer à avancer. Elle est trop passionnée pour se contenter d'un amour platonique qui, tôt ou tard, finira par ressembler à celui qui la lie à Junior, sauf que Junior est son frère et non son *chum*.

— Eh bien, reprend Chantal, allez-vous me croire si je vous dis que je n'ai pas un mais bien deux prétendants ?

— Depuis quand ? s'enquiert tante Irma.

— Depuis hier ! Imaginez-vous que Sylvie m'a présenté le directeur de son ensemble vocal.

— Monsieur Laberge ? lance Sonia, l'air ravi. Le beau monsieur Laberge de maman ?

Chantal flotte sur un nuage. Certes, elle a eu plusieurs hommes dans sa vie, mais deux en même temps, il y a un sacré bout de temps que ça ne lui est pas arrivé. Et elle adore ça. Se sentir autant désirée la comble de joie et lui donne une grande confiance en elle.

— Lui-même en personne ! Hier, il m'a téléphoné pour m'inviter à souper. Comme j'avais déjà un rendez-vous…

— Avec qui ? s'informe tante Irma.

— Avec Maurice Desbiens, un collègue de Sylvie dans l'ensemble lyrique. Il est avocat. C'est lui qui est venu parler à Ginette et aux autres samedi soir.

— Tu as du goût! s'exclame Sonia. Je l'ai croisé en sortant de la maison. Et alors?

— Alors, je suis allée manger avec lui hier soir. Je me suis beaucoup amusée. Il est drôle et très intéressant. Il voyage beaucoup; on a pratiquement visité les mêmes pays.

— Et monsieur Laberge? s'inquiète Sonia.

— On est supposés se revoir à mon retour.

— Et l'avocat? demande sa nièce.

— On verra bien. J'ai l'intention d'accepter l'invitation de monsieur Laberge avant de revoir Maurice. Pour une fois que j'ai le choix, je serais bien folle de m'en priver.

— Je suis bien contente pour toi, indique tante Irma. C'est toujours comme ça : après le désert, c'est l'abondance.

— Moi, si j'étais à ta place, tante Chantal, je choisirais monsieur Laberge. J'aime sa prestance, son air un peu hautain. Et il est beau; il ressemble à un acteur. C'est quand même drôle la vie. Alors que moi je suis en plein désert avec Antoine, toi tu as deux hommes à tes pieds.

— Il ne faudrait quand même pas exagérer. Pour le moment, j'ai deux touches, mais rien ne garantit que je vais faire remonter un poisson à la surface!

Les trois femmes éclatent de rire. Alors que Sonia commence une nouvelle tournée de sandwiches, tante Irma prend la parole.

— J'ai quelque chose à vous demander. Voudriez-vous être mes demoiselles d'honneur à mon mariage?

À peine a-t-elle fini sa question que Sonia et Chantal l'embrassent chacune sur une joue.

— Vous me faites vraiment plaisir, dit tante Irma. Quand on reviendra, on ira vous acheter une robe. Et c'est moi qui payerai. Il devrait y avoir une centaine d'invités au mariage. Lionel va poster les invitations en revenant de son voyage de pêche. Finalement, on a décidé de faire la réception dans un grand hôtel de Montréal, mais je vous réserve la surprise.

Tante Irma file le parfait bonheur avec son Lionel. Si elle avait su ce que serait sa vie hors des murs du couvent, elle aurait défroqué bien avant. Elle mord dans la vie à pleines dents et remercie Dieu chaque jour de la lui faire si belle. Elle a de bons amis et, bientôt, elle unira sa destinée à l'homme qu'elle aime plus que tout – après le Seigneur, bien sûr.

— Ça va vous coûter cher, réplique Sonia.

— Oui, et même encore plus cher que tu peux l'imaginer, ma petite fille. Mais c'est important pour nous de faire les choses en grand. Après tout, à l'âge qu'on a, on ne risque pas de se remarier. Alors, on veut que tout le monde se souvienne de notre mariage.

— Vous allez quand même nous donner une idée de ce que vous attendez de vos demoiselles d'honneur ? s'enquiert Chantal.

— Ne t'inquiète pas. On a prévu une répétition la veille du mariage.

— J'espère que ce ne sera pas trop tôt, gémit Chantal. Comme je vous l'ai dit, je reviens de voyage justement la veille de votre mariage. Je suis supposée débarquer de l'avion au début de l'après-midi. Mais vous savez comme moi que c'est loin d'être coulé dans le béton.

— On aura juste à attendre que tu arrives, affirme tante Irma.

— Mais le prêtre risque de ne plus être disponible, objecte Chantal.

— Il n'y aura pas de problème avec ça.

— Avez-vous trouvé votre robe ? demande Chantal.

— Oui ! s'exclame avec bonheur tante Irma. Je l'ai trouvée vendredi dernier. Je suis certaine que vous allez l'adorer… mais vous la verrez juste le jour du mariage.

Chaque fois qu'elle parle de son mariage, tante Irma se sent comme une petite fille. Elle est tellement heureuse. Depuis que Lionel est entré dans sa vie, celle-ci a changé du tout au tout. Tous deux ont de plus en plus de plaisir à être ensemble. Ils font des projets. Hier, ils ont même parlé de s'acheter une maison à la campagne. L'un comme l'autre, ils adorent les grands espaces. Lionel a promis de l'initier à la pêche. Ils ont aussi prévu de voyager ensemble. Pour leur voyage de noces, ils iront aux chutes du Niagara. Ce n'était pas le premier choix de Lionel, mais quand il a vu à quel point sa bien-aimée y tenait, il a abdiqué. Il paraît que c'est la destination préférée des nouveaux mariés. Là-bas, tout est supposément en forme de cœur – même les lits. Comme ils voyageront en voiture, ils auront tout le loisir de reprendre la route si l'endroit ne leur plaît pas suffisamment pour s'y attarder.

— Il y a autre chose dont j'aimerais vous parler, commence Sonia d'une voix mal assurée. Il m'arrive d'avoir envie de connaître ma mère biologique. Je ne sais pas trop quoi faire, surtout que j'ai toujours dit à mes parents que c'étaient eux mes vrais parents et que je ne voulais jamais la rencontrer.

— Je suis certaine qu'ils comprendraient, émet Chantal. Tu ne vas pas les aimer moins même si tu fais connaissance avec ta mère biologique. Moi, je trouve que ton désir est normal.

— Si j'avais été adoptée, moi aussi j'aurais voulu connaître ma mère biologique, indique tante Irma. C'est un désir tout à fait légitime.

— Ça dépend pour qui, déclare Sonia. Dans ma classe, il y a une fille qui a été adoptée ; elle ne veut rien savoir de sa mère biologique. Elle lui en veut à mort de l'avoir abandonnée quand elle est venue au monde.

— Il ne faut pas être trop sévère envers ces femmes, explique tante Irma. Moi, je pense qu'elles ont fait pour le mieux. Quand on n'a pas seize ans et qu'on se retrouve enceinte, qu'on n'a pas fini ses études et que notre famille met toute la pression possible pour qu'on se débarrasse de notre enfant, il ne reste plus d'autre choix que celui de donner celui-ci en adoption sans même lui avoir vu le bout du nez. Croyez-moi, il ne doit pas se passer une seule journée sans que ces femmes pensent à leur enfant, qu'elles essaient de trouver des ressemblances chaque fois qu'elles croisent une fille ou un garçon de l'âge qu'a maintenant l'enfant qu'elles ont abandonné bien malgré elles. Elles se comptent par milliers les filles des régions qui sont venues accoucher à Montréal sous prétexte qu'elles venaient prêter main-forte à une vieille tante. Sans compter que plusieurs d'entre elles ont goûté à la misère en attendant que leur enfant vienne au monde. Après la naissance du bébé, la majorité des jeunes filles retournaient dans leur famille. Elles faisaient ensuite tout leur possible pour cacher leur peine. Il leur était interdit d'en parler à qui que ce soit. Je suis certaine que plusieurs ne se sont jamais remises de leur chagrin.

— On pourrait presque croire que ça vous est arrivé… souffle Chantal.

— Heureusement non, mais certaines de mes amies religieuses recevaient ces jeunes filles. Elles me racontaient à quel point elles se sentaient mal chaque fois qu'elles devaient refuser à une nouvelle mère de voir son enfant, ne serait-ce qu'une seule fois. La règle était stricte : aucune des accouchées ne pouvait jeter un seul regard sur le fruit de son péché. N'oubliez pas que les jeunes filles avaient conçu leur bébé dans le péché.

— Quand même, on dirait que la religion n'a pas de cœur ! s'indigne Sonia. Ces femmes n'ont pas choisi de tomber enceintes. Il s'agit de malchance, c'est tout.

— Malchance ou pas, le résultat est le même : il y a un petit être innocent qui naît, formule tante Irma. Je voudrais bien pouvoir te dire que tous ces enfants ont eu la même chance que toi, mais ce serait te mentir. Plusieurs d'entre eux n'ont jamais connu la joie de vivre dans une famille et ont passé une bonne partie de leur vie à l'orphelinat. D'autres encore, même s'ils ont été adoptés, ont eu droit à une vie pire que celle qu'ils auraient eue à l'orphelinat.

Alors que Sonia est sur le point de commenter, une voix forte livre le message suivant :

— Les passagers du vol 924 en direction de Londres sont priés de se préparer pour l'embarquement.

Les trois femmes prennent leurs sacs à main et s'apprêtent à aller faire la file. Sonia lance :

— Est-ce que ça vous est déjà arrivé d'être avec quelqu'un et d'avoir l'impression de le connaître depuis toujours ?

Surprises par la question de la jeune fille, ses deux tantes la regardent en souriant. Elles lui répondront dans l'avion.

# Chapitre 16

Sur la courte distance entre l'épicerie, où il travaille une quinzaine d'heures par semaine depuis la fin des classes, et la maison, Junior réfléchit à la proposition que lui a faite son père la veille. Ce dernier lui a offert de travailler à son magasin une vingtaine d'heures par semaine, au même salaire que celui qu'il reçoit à l'épicerie. Sur le coup, Junior a été flatté ; mais plus il réfléchit, plus il s'inquiète à l'idée de se sentir prisonnier, de ne pas pouvoir quitter cet emploi un jour sans être obligé de donner une raison extraordinaire à son père. Il connaît suffisamment Michel pour savoir que, tôt ou tard, celui-ci lui servira le même discours qu'à Alain et à Martin : que c'est inutile qu'il poursuive ses études, qu'il a un bon emploi, qu'il a besoin de lui, qu'il est sa relève. C'est bien beau tout ça, mais Junior n'a aucune envie de passer sa vie à vendre des vieux meubles. Pas par snobisme, mais simplement parce qu'il a d'autres projets. Il veut devenir musicien et photographe, et parcourir le monde.

Mine de rien, il a demandé à son père combien d'heures Sonia allait faire. La réponse de ce dernier ne s'est pas fait attendre : « Aucune ! Un magasin d'antiquités, ce n'est pas la place d'une fille. Elle ira garder si elle veut travailler. » Décidément, Junior ne comprendra jamais les hommes de la génération de son père. Sonia a été parfaite quand elle a dépanné au magasin le jour où Sylvie a reçu sa famille. Son père n'a pas cessé d'encenser la jeune fille, mais elle n'est manifestement pas assez bien pour travailler pour lui. Le pire, c'est que Junior mettrait sa main au feu que son oncle Paul-Eugène serait prêt à embaucher Sonia, lui. Mais comme il n'est pas seul à prendre les décisions… Junior se promet de lui en parler.

Sa mère lui a appris que dans le doute il vaut mieux s'abstenir. C'est décidé : Junior va refuser l'offre de son père. Il va proposer à Luc de prendre sa ronde de journaux, mais pas avant d'en avoir parlé à sa mère. Le jeune homme en a assez de se lever aux aurores. À l'épice-rie, il gagne suffisamment pour se tirer d'affaires. Contrairement à Alain, il n'a pas de grands besoins. En réalité, tant qu'il peut s'ache-ter des films et payer leur développement, il est heureux. À l'opposé de bien des garçons de son âge, il n'a aucune envie d'avoir une auto ; en tout cas, pas maintenant. La dernière fois qu'il a vu Alain – son frère est venu à l'épicerie –, celui-ci lui a proposé de donner son nom à l'usine où il travaille. « Mais j'aime autant te le dire tout de suite : la majorité des gens qui bossent à l'usine le font pour l'argent, pas parce qu'ils aiment ça. D'ailleurs, je n'ai jamais compris comment quelqu'un peut faire un travail répétitif jusqu'à sa retraite. En tout cas, pense à ma proposition », a conclu Alain. Si Junior travaillait à l'usine, il pourrait mettre beaucoup d'argent de côté pour ses futurs voyages. Mais ce serait la seule raison pour lui de se faire embaucher à cet endroit.

Junior monte sur la galerie de la maison. Mais au lieu de pousser la porte d'entrée, il revient sur ses pas et s'assoit sur la première marche de la galerie. Il a une autre décision à prendre. Depuis qu'il a fait la connaissance de Christine, il n'arrête pas de penser à elle, à tel point qu'il lui est arrivé plusieurs fois de donner le prénom de la jeune fille à Francine. Évidemment, celle-ci lui a demandé qui était Christine. Junior a répondu qu'il s'agissait d'une de ses cousines et que, comme il l'avait vue dernièrement, il confondait son prénom avec le sien dont la finale est identique, et qu'il était désolé. Francine n'a pas été dupe. Pas besoin d'être devin pour voir que Junior n'est plus le même depuis un bout de temps. Il est souvent distrait, même quand il danse, ce qui ne lui ressemble pas du tout. Au dernier cours, il a marché sur les pieds de Francine à trois reprises. Le professeur a dit à Junior que s'il voulait avoir des chances de gagner au concours auquel il est inscrit, il devait réflé-chir un peu plus à ce qu'il fait. Junior s'est contenté de sourire en haussant légèrement les épaules. Francine était furieuse contre lui. De nature orgueilleuse, elle tolère très difficilement que quelqu'un d'autre, même son petit ami, la fasse mal paraître. Après le cours,

elle a dit à Junior qu'il était mieux de se replacer s'il voulait continuer à danser avec elle. « N'oublie pas une chose : tu es loin d'être
le seul garçon à vouloir danser avec moi. » Junior l'a trouvée
vraiment mesquine cette fois-là. Depuis, il jongle à son avenir avec
elle. En fait, il est de plus en plus clair pour lui qu'il est arrivé au
bout de sa route avec Francine. C'est fou, l'amour. Avant l'appari-
tion de Christine, Junior était plutôt satisfait de son sort, et il se
trouvait très bien avec sa Francine. Plus les jours passent, plus ses
sorties avec elle lui pèsent. C'est normal, car Junior n'est pas un
profiteur. Il est droit comme une ligne, et très honnête. Pour lui, il
vaut mieux être célibataire que mal accompagné. Ce soir, il ira voir
Francine pour lui dire que c'est fini entre eux. Il suspendra même
ses cours de danse pendant quelques semaines, le temps de laisser
retomber la poussière un peu.

Maintenant, il se sent bien mieux. Il regarde autour de lui. En ce
début de juillet, la nature est à son apogée. Les pelouses sont à leur
meilleur. Les plates-bandes sont fleuries. Les arbres sont à maturité.
Les oiseaux ont tellement d'endroits où aller qu'ils volent d'une
branche à l'autre sans jamais s'arrêter. C'est à ce moment que
Junior réalise qu'il y a un petit moment qu'il n'a pas sorti son
appareil photo. D'ailleurs, s'il ne se trompe pas, il a encore suffisamment de temps pour participer à un concours portant sur la
nature. Au moment où il va se lever pour aller chercher son
appareil, sa mère sort de la maison.

— Il me semblait bien aussi que j'avais entendu quelqu'un
monter sur la galerie, lance-t-elle. Mais qu'est-ce que tu fais dehors
par cette chaleur ? On est bien mieux en dedans.

— J'avais besoin de réfléchir.

— Tu n'as pas de problèmes, au moins ?

— Non, répond Junior.

— Si tu préfères ne pas en parler, je comprends.

— Je peux tout te dire. J'ai décidé de ne pas aller travailler au magasin de papa. Et puis, je vais laisser Francine.

— Wow! Tu fais le grand ménage dans ta vie. Mais pour ton père, as-tu bien réfléchi?

— Oui. J'ai retourné la question de tous bords, tous côtés, et je ne peux pas accepter.

— Est-ce que je peux savoir pourquoi?

Junior fait part de sa réflexion à sa mère. Quand il arrive à la fin de ses confidences, Sylvie commente:

— Je pense que tu prends la bonne décision, mais il faut que cela reste entre toi et moi. Et maintenant, raconte-moi pourquoi tu as décidé de laisser Francine?

Junior raconte sa brève rencontre avec Christine à sa mère et comment il se comporte avec sa blonde depuis ce jour-là.

— Francine ne mérite pas ça, conclut-il.

— Tu es vraiment quelqu'un de bien, déclare Sylvie en regardant son fils avec amour. Mais cette Christine, sais-tu au moins où elle habite?

— Pas vraiment! Et j'ignore même son nom de famille. En fait, tout ce que je sais, c'est que ses grands-parents habitent au bout de notre rue.

— Et tu n'as encore rien fait pour la revoir? s'étonne Sylvie.

— J'ai peur d'avoir l'air déplacé…

— Moi, en tout cas, si un garçon avait fait des pieds et des mains pour me retrouver, j'aurais été très flattée.

— Mais peut-être que je ne lui ai fait aucun effet.

— Le seul moyen de le savoir, c'est d'aller vérifier par toi-même.

— Merci maman! s'écrie Junior avant de poser un gros bec sonore sur chacune des joues de Sylvie.

Peu portée sur les démonstrations d'affection, celle-ci se dépêche de changer de sujet.

— Bon, assez parlé, j'ai besoin de ton aide. Il faudrait que tu viennes jouer avec les oreilles de lapin. Je suis incapable de les arranger et l'image de la télévision est affreuse.

— Depuis quand écoutes-tu la télévision avant le souper?

— Depuis que j'ai décidé de m'accorder une petite pause chaque fois que j'en ai l'occasion. Et puis, maintenant que vous êtes plus vieux, ta sœur, tes frères et toi, j'ai du temps. Par exemple, aujourd'hui, le souper est au four depuis deux heures et la table est déjà dressée. Il ne me reste plus qu'à attendre que tout le monde arrive – enfin, ceux qui seront là.

Sylvie trouve difficile de voir que le nombre de personnes autour de sa table a diminué. Les jumeaux et Luc sont à Jonquière, chez leurs grands-parents; ils ne reviendront qu'à la fin de la semaine. Sonia est en Angleterre, ou en Irlande, ou en Écosse – Sylvie n'en sait trop rien. Heureusement, ce soir, Alain et Lucie viennent souper. Depuis le départ de ses trois plus jeunes, la mère de famille trouve la maison bien grande. En réalité, à part les quelques apparitions de Junior – entre ses rondes de journaux, son gardiennage chez Manon en remplacement de Sonia et son travail à l'épicerie –, Sylvie passe ses grandes journées toute seule, ce qui lui fait vraiment drôle. Depuis plusieurs jours déjà, elle a fini de remplir le congélateur de plats cuisinés pour que son père et Suzanne n'ait pas à cuisiner pendant qu'ils séjourneront dans l'Ouest canadien, Michel et elle. Comme elle n'a pas encore reçu les chansons du prochain spectacle, elle a beaucoup de temps à tuer, à tel point qu'elle a même pensé retourner tisser au Cercle des fermières. Mais avant, il faudrait au moins qu'elle sache à qui elle pourrait donner ses catalognes. Il y en a déjà une sur chacun des lits de la maison et, en plus, elle en a une bonne demi-douzaine en réserve dans son coffre de cèdre. L'autre jour, quand elle a mentionné à son père qu'elle avait de plus en plus de temps libre, il lui a conseillé de faire du bénévolat. Elle n'est pas contre, mais il faudrait qu'elle découvre quel genre de bénévolat l'intéresse.

À l'instant où Sylvie et Junior entrent dans la maison, la sonnerie du téléphone retentit. Sylvie accélère le pas. Au moment où elle va poser le combiné sur son oreille, le téléphone se tait.

— Maudit téléphone ! C'est la deuxième fois que la ligne coupe aujourd'hui. Je pense que le règne de notre appareil achève.

— Tu devrais regarder dans ton catalogue de timbres-primes, suggère Junior. Je suis certain que tu y trouveras des modèles du genre Touch-Tone. Ça serait bien mieux que ton vieux téléphone à cadran.

— Tu as bien raison, d'autant que ce serait loin d'être un luxe. En attendant que la personne se décide à rappeler, sors donc le catalogue. Il est dans l'armoire en haut du frigidaire.

Aussitôt que la sonnerie du téléphone se fait réentendre, Sylvie décroche. Elle répond en souhaitant que la ligne ne coupe pas. C'est Langis, l'ancien *chum* de Sonia.

— Tu peux compter sur moi, l'assure Sylvie. Je vais lui dire de te rappeler aussitôt qu'elle va revenir de voyage. Bon été, Langis !

Dès que Sylvie raccroche, Junior lui demande :

— Est-ce qu'il t'a dit pourquoi il voulait parler à Sonia ?

— Tout ce que je sais, c'est qu'il veut qu'elle le rappelle.

— Bizarre ! C'est à peine s'il regarde Sonia depuis qu'elle l'a laissé. Viens voir, maman, j'ai trouvé un beau modèle de téléphone.

Après que Sylvie a vérifié le nombre de timbres requis pour commander l'appareil, un large sourire fleurit sur ses lèvres.

— J'ai tout ce qu'il faut pour le commander. Ce ne sera vraiment pas un luxe. Notre téléphone est assez vieux que ton père pourrait presque le vendre à son magasin. Peux-tu t'occuper de la télévision, maintenant ?

En moins de quelques secondes, Junior règle le problème.

— Décidément, je ne comprendrai jamais rien à tout ça, affirme Sylvie. J'ai fait exactement la même chose que toi avant d'aller te chercher, sans aucun résultat. Toi, tu as à peine touché aux oreilles de lapin et tout est parfait. Je te remercie. Mais j'y pense… Vu que tu es le seul enfant Pelletier présent dans cette maison, voudrais-tu venir avec ton père et moi au ciné-parc ce soir ?

— J'avoue que ça me tente. C'est tellement rare que j'aie l'occasion d'y aller. Mais tu es certaine que papa et toi vous ne préférez pas y aller juste tous les deux ?

— Mais non ! De toute façon, on va partir en voyage ensemble dans peu de temps. Viens donc avec nous ! Il paraît que le film à l'affiche est très drôle. Et puis, Alain et Lucie sont supposés venir avec nous autres, eux aussi. Ça va être comique de voir les deux Mustang rouges côte à côte.

— Je veux bien y aller, mais à la condition que papa me dise lui-même que ça ne le dérange pas d'avoir un chaperon.

— Un chaperon ? Tu es drôle, toi ! À notre âge, il y a longtemps qu'on n'a plus besoin de chaperon.

— C'est pour qui le paquet sur l'évier ?

— Pour Luc ! Ça vient de son parrain.

— Mon Dieu, il doit sentir sa mort proche pour lui envoyer un cadeau !

— On va attendre qu'il l'ouvre avant de passer des commentaires. On ne sait jamais.

— Tu as raison, maman.

\* \* \*

Les conversations vont bon train pendant tout le souper, et la bière coule à flots. Il est très rare qu'il y ait aussi peu de convives autour de la table des Pelletier. Sans la présence des trois petits derniers, tous peuvent s'exprimer sans jamais se faire couper la parole, ce qui leur fait tout drôle. Pour une fois, Junior a accepté la bière que lui a tendue son père. Il sait depuis longtemps qu'il ne risque pas de devenir alcoolique, en tout cas pas à cause de la bière. Il n'en apprécie pas tellement le goût. En fait, le seul alcool que Junior aime, c'est celui que son parrain lui a fait goûter quand il est allé chez lui l'été dernier : le Beefeater. D'ailleurs, il va demander à sa mère de lui en acheter une bouteille la prochaine fois qu'elle ira à la Régie des alcools.

Junior, assis à côté d'Alain, a le regard sans cesse attiré par la couleur qui transparaît sous la manche courte de la chemise blanche de son frère. Vient un temps où la curiosité l'emporte sur tout le reste. Junior demande :

— Alain, est-ce que c'est ta chemise qui est sale ou ton bras ?

Alain regarde son frère d'un drôle d'air. Voyant bien qu'il n'a guère le choix, il lève sa manche droite et annonce :

— C'est un tatouage.

Si Junior avait pu photographier la réaction de sa mère quand elle a entendu le mot *tatouage,* il aurait sûrement remporté un prix. On aurait cru qu'elle venait de recevoir une douche d'eau froide. La seconde d'après, Sylvie se lève d'un bond et vient se placer entre Alain et Junior.

— Montre-le-moi ! lance-t-elle d'un ton autoritaire.

Alain s'exécute sans savoir à quoi s'attendre. D'après l'air de sa mère, il y a fort à parier que celle-ci va lui tomber dessus. Mais il réalise que c'est le cadet de ses soucis.

Sylvie examine attentivement le tatouage d'Alain avant de déclarer :

— C'est un artiste, le tatoueur qui l'a fait. Je suis contre les tatouages, mais je reconnais que le tien est vraiment très beau. Tout ce que j'espère, c'est que tu y as pensé à deux fois avant parce que, même quand tu auras la peau toute plissée, ton tatouage paraîtra encore. Ce papillon-là ne s'envolera jamais.

— Ne t'inquiète pas pour moi, maman, affirme Alain. Je peux t'assurer que je ne l'ai pas fait faire sur un coup de tête.

— Est-ce que moi aussi je vais être obligé de me lever pour pouvoir le voir ? demande Michel d'une voix légèrement pâteuse.

— Non, non ! s'exclame Alain.

Il se tourne en direction de son père pour que celui-ci voie bien le tatouage.

— Ta mère a raison, il est très beau. Mais pourquoi as-tu choisi un papillon ?

— Parce que cet insecte est libre d'aller là où il veut et qu'il est capable de se transformer. Et aussi, parce qu'il est coloré et qu'il est beau à voir. J'ai toujours adoré les papillons.

— Moi, chaque fois que je vois un homme avec un tatouage, je l'envie, avoue Michel. Il va falloir que tu me donnes l'adresse du tatoueur. Tout à coup que je me déciderais à m'en faire faire un.

— J'espère que tu n'es pas sérieux! déclare Sylvie en jetant un regard noir à son mari. C'est beau sur le bras d'Alain, mais sur un vieux bras comme le tien…

— Qui te dit que je me ferais tatouer sur un bras? répond promptement Michel d'un ton taquin.

Tous éclatent de rire. Le cœur léger, Alain songe que pour une fois ni son père ni sa mère n'ont contesté sa décision. Ce petit geste le réconforte au plus profond de lui. Il devient difficile à la longue de ne jamais faire l'unanimité auprès de ses parents, et ce, quoi qu'on fasse ou quoi qu'on dise. Ce soir, il a l'impression d'être enfin devenu un adulte à leurs yeux. Il se souviendra longtemps de ce souper.

— Et toi, Junior, qu'est-ce que tu en penses? demande-t-il.

— J'aime tellement ça que j'en veux à la grandeur de mes bras. Moi aussi, je veux avoir l'adresse du tatoueur.

— Si tu veux, on ira ensemble, lui propose Michel.

Tous s'esclaffent, sauf que cette fois, Sylvie rit jaune.

# Chapitre 17

Les jumeaux et Luc viennent tout juste de rentrer de Jonquière, après deux semaines d'absence. Si cela a paru long à Sylvie, c'est loin d'être le cas pour les trois garçons. Ils se sont amusés ferme avec leurs cousins, et c'est la tête remplie de nouvelles idées qu'ils sont revenus. À peine ont-ils jeté leurs sacs de voyage sur le plancher de leur chambre qu'ils accourent à la cuisine pour tout raconter à leur mère. Autour de la table, la conversation devient vite un feu roulant.

— Laisse-moi donc parler ! s'écrie François. Tu n'arrêtes pas de me couper la parole.

— Ce n'est pas ma faute si tu parles si lentement, réplique Dominic du tac au tac. On n'a pas toute la nuit devant nous ! Au cas où tu l'aurais oublié, on est supposés aller voir nos amis.

— Depuis quand vous vous chamaillez, tous les deux ? s'étonne Sylvie en regardant sévèrement ses petits derniers.

— On ne se chamaille pas, on s'exprime, ce qui est bien différent, précise Dominic. Tout le monde a l'air de croire que parce qu'on est jumeaux, on est toujours obligés d'être d'accord l'un avec l'autre, mais c'est faux.

— Bon, bon… en convient Sylvie. Continue, François, je t'écoute.

— Ce que j'étais en train de dire, c'est qu'on a passé tout notre temps avec nos cousins.

— On allait chez grand-papa et grand-maman juste pour manger et… commence joyeusement Luc.

Dominic se dépêche de l'interrompre :

— … et pour dormir aussi. En tout cas, les grands-parents ne pourront pas dire qu'on a été embarrassants.

— Hé ! s'exclame François. À ce que je sache, c'est moi qui avais la parole. Veux-tu bien attendre ton tour ?

Cette fois, Dominic se contente de lever les yeux en haussant les épaules.

— Comme je disais, on a passé notre temps avec nos cousins, reprend François. On a fait un paquet d'affaires ensemble. On est allés se baigner. On a construit une cabane dans le bois. On est allés ramasser des framboises. On a joué à la cachette, au drapeau et au baseball.

— On a même fait les foins ! s'écrie Luc.

Sylvie blêmit. Elle savait bien qu'elle n'aurait pas dû le laisser aller là-bas.

— Tu as vraiment fait les foins ? s'inquiète-t-elle.

— Oui, et je n'ai même pas été obligé de prendre ma pompe une seule fois.

— Tu ne l'as pas utilisée de tout le voyage ? lui demande Sylvie, agréablement surprise par ce qu'elle vient d'entendre.

— Non. Et si ça continue comme ça, je ne serai même plus obligé de la traîner avec moi.

— Wo ! Wo ! s'exclame Sylvie. J'aimerais mieux que tu attendes un peu avant d'aller jusque-là.

— Mais maman, je ne l'ai pas prise une seule fois là-bas ! objecte Luc. Si tu ne me crois pas, tu n'as qu'à appeler grand-maman.

Il y a des jours où Luc en a plus qu'assez que sa mère le couve autant. Il sait bien que c'est parce qu'elle l'aime, mais il aimerait bien qu'elle le laisse un peu tranquille.

— Ce n'est pas parce que je ne te crois pas. C'est juste qu'il faudrait que tu me laisses le temps de m'habituer.

— Arrête d'achaler maman! déclare Dominic en se tournant vers Luc. Tu le sais bien que ton asthme, ça l'inquiète.

— Est-ce que je vais enfin pouvoir parler? demande François d'un ton impatient. À cause de vous deux, je ne sais même plus où j'étais rendu.

— Tu venais de dire qu'on a joué au baseball, le nargue Dominic. Si ça continue comme ça, Luc et moi n'aurons plus rien à raconter.

— Veux-tu bien le laisser finir? ordonne Sylvie en posant une main sur le bras de son fils.

— J'ai fini, dit François, l'air excédé. Vas-y, parle!

Dominic reprend aussitôt le flambeau.

— On est allés pique-niquer plusieurs fois au petit lac. C'était vraiment plaisant. Moi, de tout ce que je connais, c'est mon endroit préféré.

— Vous n'y alliez pas seuls au moins? s'inquiète Sylvie.

— Mais non, répond promptement Dominic. Tu sais bien que grand-maman ne nous aurait jamais laissés partir seuls. Elle est encore plus mère poule que toi. Elle s'installait sous les arbres et elle lisait pendant qu'on se baignait.

— Même que des fois, il lui arrivait de s'assoupir, intervient Luc.

— Quand on s'en apercevait, on lui lançait de l'eau pour la réveiller, confie Dominic. Une journée où il faisait très chaud, elle s'est même baignée avec nous. Et là, c'est elle qui nous a arrosés. Tu aurais dû la voir, maman. Elle était tellement drôle dans son costume de bain !

— Ce n'était même pas un vrai costume de bain, c'était comme un genre de robe, précise François.

— En tout cas, ça n'a pas d'importance, déclare Dominic. On a aussi fait des feux, chaque soir.

— Et on a mangé des centaines de guimauves ! annonce fièrement Luc.

— Chaque fois que le sac était vide, grand-maman nous en tendait un nouveau ! lance joyeusement Dominic. Une chose est certaine : avec toutes les guimauves qu'on a mangées, on a dû lui coûter cher. Ça a été les plus belles vacances de toute ma vie !

Le sourire fendu jusqu'aux oreilles, Dominic repense à tout ce qu'il a fait à Jonquière. Il adore jouer avec ses cousins. Ce qu'il aime encore plus, c'est la liberté dont ils jouissent, ses frères et lui, chez leurs grands-parents paternels. Ils se couchent à l'heure qu'ils veulent. Ils mangent tout ce qui leur fait envie. Leur grand-mère remplit les armoires de toutes leurs friandises préférées : des grosses boîtes de chips, des bonbons de toutes les sortes, des pleines boîtes de petits gâteaux Vachon, des tablettes de chocolat… Là-bas, nul besoin de demander quoi que ce soit. Ils n'ont qu'à penser à quelque chose pour cela apparaisse comme par magie. Bref, grand-maman Marie-Paule, c'est de l'or en barre – non seulement pour François, Luc et lui, mais pour tous ses petits-enfants. Leur grand-mère, c'est en quelque sorte leur trésor. Grands et petits veillent au grain pour la protéger.

En revanche, cette année, ça n'a pas été tout à fait comme d'habitude. Avant, leur grand-père faisait beaucoup d'activités avec eux.

Mais là, il restait bien tranquille dans sa chaise, se contentant de se bercer en fumant. D'ailleurs, aussitôt qu'il a vu son grand-père avec une cigarette à la main, Dominic la lui a enlevée des mains. Puis, il lui a déclaré d'un ton sévère :

— Grand-papa, il ne faut plus que tu fumes. Ce n'est pas bon pour toi. Si tu veux, je vais aller te chercher des bonbons à la place.

— Donne-moi ma cigarette, mon garçon, lui a dit gentiment son grand-père en tendant une main. C'est le seul plaisir qu'il me reste dans la vie.

— Mais je ne veux pas que tu meures comme le grand-père d'un de mes amis à l'école. La cigarette, ça peut donner le cancer.

— Je comprends tout ça. Mais au point où j'en suis, rien ni personne ne peut me guérir. Ce n'est pas nous qui décidons, c'est Dieu.

— Je vais lui parler, moi, à Dieu. Je vais lui dire que je ne veux pas qu'il m'enlève mon grand-père.

— Donne-moi ma cigarette, maintenant, a répété Adrien aussi doucement que la première fois.

Ce n'est pas de gaieté de cœur que Dominic s'est exécuté. Quand il a remis la cigarette à son grand-père, deux grosses larmes coulaient sur ses joues, ce qui n'a pas échappé à sa grand-mère.

— Viens avec moi, lui a-t-elle murmuré. On va aller chercher François et Luc.

Une fois qu'elle a eu ses trois petits-enfants avec elle, Marie-Paule leur a expliqué que leur grand-père n'en avait plus pour très longtemps à vivre. Elle a répondu du mieux qu'elle le pouvait à toutes leurs questions sur sa maladie, et sur la mort aussi. Elle les a ensuite serrés bien fort dans ses bras en leur disant que tout ce qu'ils pouvaient faire pour aider leur grand-père, c'était d'aller jouer et d'être heureux, comme avant.

Luc se tourne vers sa mère. L'air fanfaron, il lance :

— On a aussi fait des mauvais coups avec nos cousins. Et pas juste un, à part ça !

Instantanément, les jumeaux se tournent vers lui. S'ils avaient des fusils à la place des yeux, Luc mourrait sur-le-champ. Surpris, celui-ci déclare :

— Mais pourquoi vous me regardez comme ça ? C'est vrai qu'on a fait des mauvais coups avec nos cousins.

— On t'a pourtant répété plusieurs fois qu'il ne fallait pas en parler, réplique François.

— Ouais ! confirme Dominic. Si tu racontes tout, on ne pourra plus jouer de tours.

— Je vous arrête tout de suite ! s'insurge Sylvie. Vous savez ce que je pense des mauvais coups… Je vous avertis, vous êtes mieux de faire attention à ce que vous allez faire parce que personne dans la rue n'a oublié le coup des craies de couleur.

— C'est ça que je ne comprends pas avec les adultes, soupire Dominic. On dirait qu'ils sont incapables de rire. En tout cas, moi, c'est notre punition que je n'ai pas oubliée : on a été obligés de tout nettoyer nous-mêmes.

— C'était la moindre des choses ! s'écrie Sylvie. Ça aurait vraiment été le comble si, en plus de faire les frais d'un de vos tours, les victimes avaient été obligées de tout nettoyer. On dirait que vous êtes incapables de penser aux conséquences de vos gestes. Réfléchissez une minute. Vous partez travailler le matin comme d'habitude, sauf que lorsque vous arrêtez à une lumière rouge ou à un stop, tout le monde vous regarde bizarrement. Ce n'est qu'après avoir fait le tour de votre auto une fois celle-ci stationnée que vous comprenez enfin pourquoi les gens vous dévisageaient ainsi. Sûrement que plusieurs ont ri, mais il y en a d'autres qui ont vu rouge en voyant les roues de leur véhicule.

— Moi, mon mauvais coup préféré c'est… commence Luc sans se soucier des jumeaux.

Luc se retrouve avec deux paires de mains sur la bouche. Il se débat comme un diable dans l'eau bénite pour se libérer de ses bourreaux, mais ceux-ci tiennent bon. Pour une fois, Sylvie décide de les laisser faire pour voir jusqu'où ils vont aller.

— On n'enlèvera pas nos mains tant et aussi longtemps que tu ne nous jureras pas de te taire, vocifère Dominic.

— Tu n'auras qu'à lever la main droite dans les airs quand tu seras prêt, explique François.

Luc connaît assez les jumeaux pour savoir qu'il vaut mieux qu'il se plie à leurs exigences s'il ne veut pas les avoir sur le dos trop longtemps. C'est pourquoi il lève vite sa main droite.

Aussitôt, les jumeaux retournent à leur place. Ils n'ont pas encore posé les fesses sur leur chaise que Luc déclare sur un ton brusque :

— Mon tour préféré, c'est celui du bébé qui pleure.

Les jumeaux lui jettent un regard noir, ce qui ne lui fait ni chaud ni froid. Luc est tellement fâché qu'il en tremble. Ce n'est pas la première fois que les jumeaux agissent de la sorte avec lui. On dirait qu'ils le prennent pour un demeuré. Ils devraient pourtant savoir qu'il est de leur côté et qu'il n'est pas assez naïf pour tout raconter. Il comprend pourquoi il ne doit pas donner trop de détails sur les mauvais coups que les jumeaux projettent de faire. Depuis le temps, Dominic et François devraient savoir qu'ils peuvent avoir confiance en lui.

— Allez-vous finir par arrêter de me prendre pour un bébé ? demande Luc d'une voix forte aux jumeaux. Je vous rappelle que je suis plus vieux que vous et que vos petites menaces ne me font pas peur.

Surprise, Sylvie observe Luc. Il est tellement rare qu'il tienne tête à qui que ce soit. Est-ce parce qu'il fait de moins en moins de crises d'asthme qu'il a pris autant d'assurance ? Elle l'ignore. Tout ce qu'elle sait, c'est que son petit malade a beaucoup vieilli ces dernières semaines et que ce nouveau Luc lui plaît beaucoup.

— Maintenant, dites-moi ce que vous aimeriez manger pour souper, s'enquiert Sylvie pour faire dévier la conversation.

Surpris par la question soudaine de leur mère, les trois garçons se consultent du regard. Puis, ils s'écrient en chœur :

— Du pâté chinois !

— Parfait ! Mais j'y pense, Luc, tu as reçu un paquet de ton parrain pendant que tu étais à Jonquière. Je l'ai déposé sur ton bureau.

# Chapitre 18

Voilà plus de deux semaines que Sonia est partie et Sylvie n'a toujours pas reçu de nouvelles de sa part, ce qui commence à l'inquiéter sérieusement. Elle avait pourtant fait promettre à sa fille de lui écrire au moins une fois. Lorsqu'elle a fait part de ses tourments à Michel la veille, il l'a assurée qu'elle s'en faisait pour rien. Sonia lui a sûrement écrit, mais peut-être que la poste anglaise est plus lente que la poste belge. De toute manière, s'il était arrivé quelque chose à Sonia ou à une de ses tantes, ils auraient été prévenus.

— Aussi bien t'habituer tout de suite, a ajouté Michel, sinon tu risques de souffrir longtemps. Tous nos enfants aiment voyager. Si, chaque fois que l'un d'entre eux part, ton anxiété t'empêche de vivre, tu vas finir par tomber malade.

— Je sais tout ça, mais c'est plus fort que moi. Quand un de mes poussins s'éloigne, je n'arrête pas de penser à lui.

— Il va falloir que tu prennes sur toi et que tu laisses les enfants faire leur vie.

Sylvie sait que Michel a raison sur toute la ligne. Mais changer une habitude, bonne ou mauvaise, n'est pas la chose la plus facile à faire, surtout lorsque celle-ci touche ses enfants.

\* \* \*

Michel a enfin décidé de quitter son emploi. Il a réfléchi tellement longtemps avant de donner sa démission que plus les jours passaient, plus Sylvie croyait qu'il ne s'y résoudrait jamais. Elle était même arrivée à se faire à l'idée qu'un beau jour, Paul-Eugène deviendrait l'unique propriétaire du magasin d'antiquités alors que celui-ci était né du rêve de Michel.

À moitié endormi dans son fauteuil, Michel écoute les nouvelles d'une oreille distraite. Dans quelques jours, il tournera une page importante de sa vie. Fini l'obligation de se lever aux aurores pour être au travail à sept heures. Fini la boîte à lunch, car il va pouvoir venir manger à la maison chaque fois qu'il en aura envie. Fini les longues heures assis dans son camion. Fini les attentes qui n'en finissent plus parce que les gens ne sont pas prêts à recevoir un chargement ou à remplir la benne de son camion. Il a adoré être camionneur, mais il se sent prêt à relever un nouveau défi. Certes, il est heureux, mais il est aussi un peu inquiet. Qui ne le serait pas avant de faire un aussi grand saut? Le commerce va très bien, mais rien ni personne ne peut garantir à Michel que les affaires vont continuer à s'améliorer comme c'est le cas depuis l'ouverture. Une chose est certaine: il va falloir que Paul-Eugène et lui vendent beaucoup de vieilleries pour lui verser un salaire au moins égal à celui qu'il gagnait sur la construction.

À son retour de vacances, Paul-Eugène et lui réfléchiront à des moyens d'augmenter leur chiffre d'affaires. La restauration des vieux meubles leur rapporte pas mal, mais il leur faudrait au moins une autre vache à lait. Aujourd'hui, pendant qu'il était dans son camion, Michel s'est souvenu que Fernand lui avait dit qu'il pourrait fabriquer des reproductions de meubles antiques. Paul-Eugène et Michel pourraient faire le décompte des objets qui sont les plus populaires auprès de leurs clients depuis qu'ils sont en affaires et en discuter ensuite avec Fernand. À première vue, Michel estime que ce sont les armoires de toutes les grandeurs qui remportent la palme, même qu'il est difficile de fournir à la demande. Il y a aussi les armes japonaises. Depuis le jour où un homme a acheté le seul sabre en magasin, il ne se passe pas une seule semaine sans qu'un acheteur potentiel se manifeste. Comme les armes japonaises intéressent le plus souvent des collectionneurs, cela assure d'en tirer un bon prix. Surtout que, plus souvent qu'autrement, Paul-Eugène et lui les paient trois fois rien. Il faudra que Michel réfléchisse aux endroits où il serait susceptible d'en dénicher.

Michel n'a même pas entendu Sylvie entrer dans le salon. Bien installée sur le divan, elle écoute attentivement les nouvelles. Quand elle entend que le salaire minimum sera porté à 1,25 dollar à partir du 1er novembre, elle s'écrie :

— Ça, c'est une belle augmentation !

Réveillé en sursaut, Michel se frotte les yeux. Puis, il regarde sa femme sans trop comprendre où il est.

— Ma foi du bon Dieu, c'est rendu que tu t'endors aussitôt que tu poses les fesses sur ton fauteuil ! s'exclame Sylvie. Il est plus que temps que tu tombes en vacances.

Sans attendre que Michel réagisse à ses propos, Sylvie reprend :

— On vient d'annoncer que le salaire minimum va être augmenté à 1,25 dollar.

Michel se redresse sur sa chaise et clame :

— Ça n'a aucun bon sens ! Ça signifie une augmentation de presque 20 %.

— Voyons donc, depuis quand tu es contre une augmentation de salaire ?

— Depuis que je suis patron ! Vingt cennes de plus pour celui qui gagne le salaire minimum, c'est parfait. C'est pour celui qui le verse que ça ne marche pas. Au magasin, on va être obligés de puiser cet argent-là dans nos profits.

— Arrête donc de te plaindre. Paul-Eugène et toi, vous êtes loin de faire pitié !

— Je voudrais bien te voir jongler avec tous ces chiffres… Crois-moi, être en affaires ce n'est pas aussi facile que ça en a l'air. On a quand même trois familles à faire vivre et un employé en plus.

— Je comprends tout ça. Mais je sais que vous allez bien vous en tirer.

— Une chose est certaine : on va faire tout ce qu'il faut pour que les affaires continuent de bien marcher.

— C'est un peu comme pour la franchise de baseball que Montréal a obtenue. À l'heure qu'il est, personne ne peut dire si les gens vont aller voir les matchs.

— Ouais ! Mais Paul-Eugène et moi, on est loin d'avoir les mêmes moyens que la ville de Montréal.

Maintenant bien réveillé, Michel se lève de son fauteuil. Il prend les clés de son auto et sort de la maison. Surprise, Sylvie se demande ce qui se passe. Au moment où elle va partir à sa suite, Michel entre dans la maison avec une grosse boîte dans les bras. Il dépose la boîte devant elle.

— C'est pour toi, dit-il. J'attendais le bon moment pour te le donner.

— Mais ce n'est pas ma fête !

— Une chance parce que ce n'est pas ton cadeau de fête. En fait, c'est pour te remercier de m'avoir fait profiter aussi généreusement de ton héritage. Grâce à toi, c'est un peu comme si j'étais tout le temps en vacances d'une certaine façon. Mais tu ferais mieux de l'ouvrir avant que je commence à dire des niaiseries.

Même si elle ignore ce qui se trouve dans la grosse boîte, Sylvie est heureuse. Comme tous les joints de la boîte sont retenus par une large bande de papier collant, elle va vite chercher un couteau. Elle glisse ensuite doucement celui-ci dans chaque jonction jusqu'à ce qu'elle puisse enfin lever le couvercle. Du papier de soie de couleur crème recouvre le contenu en entier. Après l'avoir soulevé, Sylvie découvre un manteau de vison brun. Elle se sent tout à coup prise d'étourdissements. Alors qu'elle déteste le vison pour s'en confesser, voilà qu'elle est sur le point d'essayer un manteau confectionné avec cette fourrure. Elle prend une grande respiration avant de plonger ses mains dans la boîte pour le prendre.

Michel observe attentivement sa femme. Quand il la voit grimacer légèrement, il lui dit :

— Si tu ne l'aimes pas, tu peux aller l'échanger. J'ai gardé la facture. Je vois bien que mon cadeau ne te fait pas plaisir, en tout cas pas autant que je l'espérais.

Sylvie prend une grande respiration avant de répondre à Michel. Elle tient le manteau à bout de bras.

— Il est vraiment très beau, mais je n'aime pas cette fourrure et je sais que je ne porterai pas ce manteau. Tu ne pouvais pas le savoir, je ne t'en ai jamais parlé. Mais chaque fois que je vois un manteau de vison, c'est plus fort que moi, ça me donne envie de vomir. Quand j'étais petite et qu'on recevait toute la famille pour fêter le jour de l'An, ma mère mettait tous les manteaux de fourrure de la visite sur son lit. Et moi, chaque fois j'allais me coucher en dessous de cette montagne. C'était tellement chaud que je m'endormais pratiquement en me couchant. Un jour, une vieille tante de ma mère est venue pour prendre le sien. Mais comme elle avait levé le coude un peu trop, elle a vomi sur tous les manteaux qui étaient sur le lit. Elle faisait tellement de bruit que je suis vite sortie de ma cachette. Quand j'ai vu tous les visons souillés de vomi, je suis sortie de la chambre en pleurant. Depuis ce jour-là, je n'ai plus jamais été capable de voir un manteau de vison, si beau soit-il, sans l'imaginer couvert de vomi.

— Ma pauvre Sylvie ! Si j'avais su, je t'aurais acheté autre chose. Mais juste pour me faire plaisir, pour voir si j'ai l'œil, crois-tu que tu pourrais au moins l'essayer ?

Sylvie prend quelques secondes avant de répondre.

— Je serais bien mal placée pour te refuser ça. Mais je t'avertis : ne me demande surtout pas d'aller me regarder dans le miroir.

Sylvie enfile le manteau rapidement et le boutonne. Michel est bouche bée.

— Dommage que tu ne te voies pas. Il te va comme un gant. Je n'aurais pu mieux choisir.

— J'aimerais bien l'enlever, maintenant.

— Vas-y, dit Michel.

Sylvie se dépêche de remettre le manteau dans la boîte. D'une main habile, elle replace le papier de soie et referme le couvercle. Elle va ensuite rejoindre Michel. D'une voix remplie d'amour, elle murmure :

— Je ne te remercierai jamais assez pour ton attention. Mais, même si j'ai refusé ton cadeau, est-ce que ton offre de l'échanger tient toujours ?

— Certainement ! On peut aller au magasin ensemble pour que tu en choisisses un nouveau.

— J'ai une meilleure idée. Étant donné que tu as l'œil, j'aimerais mieux que tu me fasses une autre surprise – si tu es d'accord, bien sûr. J'adorerais avoir un manteau en mouton de Perse.

— Aucun problème pour moi, affirme Michel, mais à une condition. Demain, je rapporterai mon cadeau au magasin, mais il te faudra attendre qu'on revienne de vacances pour avoir ton nouveau manteau. Avant de choisir le vison, je suis allé au magasin au moins cinq fois avant d'être certain de mon choix.

— Mais maintenant que tu sais que la grandeur est bonne, ça devrait être moins long.

— Laisse-moi un peu de temps. Cette fois, je ne voudrais pas manquer mon coup.

— Mais tu n'as pas manqué ton coup ! Tout était parfait. Tu ne pouvais pas savoir que je déteste le vison, car je ne t'ai jamais raconté l'histoire de la vieille tante.

Sylvie fait les yeux doux à son homme. C'est alors qu'une idée se fraie un chemin dans sa tête.

— Si tu te dépêches d'aller porter la boîte dans ton coffre d'auto, je pense qu'on aurait le temps de se coller un peu avant que les jeunes rentrent. Qu'est-ce que tu en dis ?

Michel ne prend pas le temps de lui répondre. Il saisit la boîte et sort en vitesse de la maison. En moins de temps qu'il n'en faut pour crier ciseau, il vient rejoindre Sylvie. Il la prend par le cou. Au moment où ils vont entrer dans leur chambre, la sonnerie du téléphone retentit. Beaucoup trop occupés à être heureux, ni Michel ni Sylvie n'ont l'intention de répondre.

# Chapitre 19

— Maman ? s'écrie joyeusement Sonia en ouvrant la porte de la maison. C'est moi. Je suis revenue.

Occupée à faire sa valise, Sylvie met quelques secondes à réagir. Aussitôt qu'elle réalise que c'est bel et bien la voix de sa fille qu'elle vient d'entendre, elle laisse tomber ce qu'elle avait dans les mains et sort de sa chambre en quatrième vitesse. Quand elle arrive en face de Sonia, elle est prise d'une envie incontrôlable de pleurer. Elle ravale un bon coup et s'exclame :

— Tu ne peux même pas t'imaginer à quel point je suis contente de te voir !

— Voyons, maman, tu savais où j'étais et quand j'allais revenir !

— Mais j'étais sans nouvelles.

— Je sais. Le facteur vient de me remettre le courrier ; ma lettre y était. C'est fou, j'arrive en même temps qu'elle et pourtant je l'ai postée à la fin de ma première semaine là-bas.

Sylvie s'essuie les yeux du revers de la main, ce qui n'échappe pas à Sonia. Celle-ci ne sait pas trop comment réagir. Il est si rare que Sylvie fasse dans les sentiments. Tout ce que la jeune fille trouve à faire, c'est de prendre sa mère dans ses bras et de la serrer très fort.

— Toi aussi, tu m'as manqué, lui chuchote-t-elle à l'oreille.

— Viens t'asseoir au salon. Tu dois être morte de fatigue avec le décalage horaire…

— Personnellement, j'ai bien plus de difficulté quand j'arrive là-bas que lorsque je reviens. Tu devrais me voir les deux premiers jours : je dors debout. Mais rassure-toi. Le pire qui puisse arriver aujourd'hui, c'est que j'aille me coucher plus tôt. Demain, tout devrait être rentré dans l'ordre.

— Maintenant, il faut que tu me racontes ton voyage dans les moindres détails. Et que tu me donnes ma lettre aussi.

— Si tu y tiens. Mais une fois que tu vas m'avoir entendue, je t'avertis : ma lettre risque d'être du réchauffé.

— Je ne suis pas d'accord avec toi. On ne dit jamais les choses de la même façon qu'on les écrit. Et puis, une lettre, on peut la relire autant de fois qu'on veut contrairement à une discussion qui ne fait que passer. J'y tiens vraiment. Je la rangerai dans mon coffre et, quand je serai vieille, je la relirai.

Sylvie a toujours aimé recevoir des lettres. Elle conserve la correspondance reçue dans un coffre qu'elle range précieusement dans sa garde-robe. Il lui arrive parfois de relire ces lettres, surtout quand elle a le vague à l'âme.

— Wow ! s'exclame Sonia. Te voilà devenue bien sentimentale.

— Tu n'as pas le droit de te moquer de moi ! lance Sylvie en riant. Vas-y, je t'écoute. Tu ne vois pas que je n'en peux plus d'attendre ?

— D'abord, il faut que tu sache que j'ai fait un très, très beau voyage.

— Plus beau que celui de l'année passée ?

— C'était tellement différent que c'est impossible de les comparer. Dans l'avion, j'ai dit à mes tantes que si je devais choisir entre les deux voyages, je pense que je n'y arriverais pas. On a visité Londres, Dublin…

Sonia arrête de parler seulement lorsque les trois plus jeunes font leur entrée. Sylvie lui a posé un tas de questions, beaucoup plus que d'ordinaire. La jeune fille croit que, cette fois, sa mère s'est vraiment ennuyée.

Aussitôt qu'ils voient leur sœur, les jumeaux et Luc viennent l'embrasser. Ils sont contents de la voir. Une fois leur petite démonstration d'affection terminée, Dominic demande à Sonia :

— Est-ce que tu nous as apporté un cadeau ?

Avant même que sa fille ait le temps de répondre, Sylvie prend la parole :

— Combien de fois vais-je devoir te répéter que c'est une question qui ne se pose pas ? Personne n'a l'obligation d'offrir des cadeaux à qui que ce soit.

— Mais c'est à ma sœur que je me suis adressé, pas à la reine d'Angleterre ! réplique Dominic.

— Ça ne change rien, et tu le sais très bien.

Sonia écoute la conversation en souriant. À cet instant précis, elle réalise que c'est ce qui lui manque le plus en voyage : le sans-gêne des jumeaux et leur sens de la répartie, les réprimandes de ses parents pour tout et pour rien, la douceur et la réserve de Luc, la présence de Junior et l'audace d'Alain. Lorsqu'elle est loin de la maison, il vient toujours un temps où elle est en manque de chacun des membres de sa famille. Dans ces moments, elle parle d'eux en les montrant évidemment sous leur meilleur jour. Ses deux tantes le lui ont fait remarquer encore récemment. Alors qu'elle s'excusait de les embêter avec ses histoires, l'une comme l'autre lui ont dit de ne pas s'en faire, que c'était normal. Quand on aime des gens et qu'on s'éloigne d'eux pendant un certain temps, à un moment donné on donnerait cher pour les avoir là, juste devant nous.

— Alors Sonia, est-ce que tu as un cadeau pour nous, oui ou non ? interroge François.

Sylvie se contente de le fusiller du regard. Ce n'est pas aujourd'hui qu'elle va pouvoir faire des gentlemen avec les jumeaux – ni demain non plus, d'ailleurs. Pour l'instant, elle renonce momentanément à faire leur éducation.

Sonia regarde tendrement ses trois frères avant de répondre.

— Vous savez bien que je ne vous ai pas oubliés. Si vous m'aidez à apporter ma valise dans ma chambre, je vais vous donner tout de suite vos cadeaux.

— Et moi ? demande timidement Luc.

— C'est sûr que j'en ai un pour toi aussi.

Heureux de revoir leur sœur, mais surtout impatients de savoir ce qu'elle leur a rapporté, les trois mousquetaires s'emparent de la valise et la transportent dans la chambre de Sonia. Ils poussent même l'amabilité jusqu'à la placer sur le lit.

— Comme ça, tu n'auras pas besoin de te baisser.

— J'avais presque oublié à quel point vous pouvez être gentils. Je suis très contente de vous revoir !

\* \* \*

Quand Junior revient de l'épicerie, il salue sa mère et se dépêche de lui demander si Sonia est arrivée.

— Oui, elle est dans sa chambre.

Junior file aussitôt. S'il ne se retenait pas, il entrerait sans frapper dans la chambre de sa sœur tellement il a hâte de revoir celle-ci. Mais ce ne sont pas quelques secondes de plus qui vont changer grand-chose. Il frappe trois petits coups et il attend que Sonia lui indique d'entrer. Comme il n'obtient pas de réponse, il frappe à nouveau, mais cette fois avec un peu plus d'énergie.

Réveillée en sursaut, Sonia se frotte les yeux. Alors qu'elle était en train de défaire sa valise, elle a été prise d'une envie irrésistible de dormir. Elle s'est allongée sur son lit, à côté de sa valise. L'espace d'un instant, la jeune fille se demande où elle se trouve. Elle voit bien qu'elle est dans sa chambre, mais hésite encore à y croire. Pendant ce temps, de l'autre côté de la porte, Junior commence à s'impatienter. Il songe que s'il ne reçoit pas de réponse cette fois, il va entrer sans y avoir été invité. Quand elle entend les trois petits coups frappés à sa porte, Sonia se lève et s'écrie :

— Entre, Junior !

Dès que Junior voit Sonia, un grand sourire s'installe sur ses lèvres. Elle lui a vraiment manqué, sa petite sœur. Depuis qu'il s'est levé, il surveille l'heure. Pour une fois, il a trouvé que le temps ne passait pas vite à l'épicerie. Pourtant, cela n'a pas dérougi de la journée.

— Salut ! déclare Junior en franchissant le seuil.

Avant même que Sonia ait le temps de lui répondre, il la prend dans ses bras.

— Je suis tellement content de te voir !

— Moi aussi, répond-elle d'une voix ensommeillée.

— Je ne t'ai pas réveillée, au moins ? s'inquiète-t-il.

— Oui, mais c'est correct. Si je veux dormir cette nuit, il vaut mieux que je reste éveillée. Moi aussi, je suis contente de te voir. Il n'y a pas une seule journée où je n'ai pas pensé à toi. En fait, chaque fois que je voyais quelque chose de beau, c'est-à-dire la plupart du temps, je songeais que tu aurais pu prendre une magnifique photo et participer à un concours avec. Mais assois-toi à côté de moi et raconte-moi tout ce qui t'est arrivé pendant mon absence.

— Pas avant que tu me dises si tu as fait un beau voyage.

— Très, très beau, mais je t'en parlerai plus tard. Pour le moment, j'ai envie de t'écouter.

— Eh bien, il s'est passé un tas de choses pendant ton absence. D'abord, j'ai cassé avec Francine.

— C'est vrai ? Il me semblait que tu l'aimais…

— Comme tu viens si bien de le dire, je l'aimais. Mais je ne l'aime plus maintenant.

— Est-ce que c'est à cause de la fille qui t'a fait une bosse sur le front ? demande Sonia d'un ton espiègle.

— Pas complètement, mais la rencontre avec Christine m'a permis de m'ouvrir les yeux. Tu aurais dû me voir ; il y a eu des moments où je faisais pitié à voir, je crois. J'appelais Francine du nom de Christine. Je lui pilais sur les pieds quand on dansait. J'étais rendu que je lui trouvais des tas de défauts dont je ne soupçonnais même pas l'existence jusque-là. Je ne pouvais pas lui faire endurer ça plus longtemps, ce qui fait que j'ai cassé la semaine dernière. Depuis, je me sens libre comme l'air.

— Wow ! Il va falloir que tu me montres comment faire parce que j'ai pris la décision de rompre avec Antoine aussitôt que je vais le voir.

— Pourtant, tu paraissais très amoureuse.

— Je ne voudrais pas avoir l'air de te copier, mais ça ressemble pas mal à ton histoire, sauf que je n'ai personne d'autre en vue.

— Pourtant, il doit y avoir au moins un Anglais qui t'a fait de l'œil…

— Oui. Mais avec le nombre d'heures d'avion qui nous séparent, il faut être réaliste. Aucune relation ne pourrait fonctionner, surtout pas à mon âge et avec mon peu de moyens pour me déplacer.

— Tant qu'à ça, tu as bien raison. Mais revenons à Antoine. Est-ce que c'est indiscret de te demander pourquoi tu veux casser avec lui?

— Je te raconterai tout une autre fois, répond simplement Sonia.

— En même temps que tu vas me parler de ton voyage, je suppose?

Le frère et la sœur se regardent et éclatent de rire. Ils sont vraiment bien ensemble.

— Et que s'est-il passé d'autre pendant mon absence? demande Sonia.

— Papa m'a offert de travailler à son magasin, mais j'ai refusé.

— Il me semblait que tu n'aimais pas trop ton emploi à l'épicerie?

— Je me suis habitué et ça va bien maintenant. Je sais depuis mon premier jour que je ne passerai pas ma vie là, mais comme travail d'été et de fin de semaine, c'est correct. Pour en revenir à l'offre de papa, j'ai refusé parce que je ne voulais pas courir le risque qu'il essaie de me faire abandonner mes études pour me garder avec lui. Quand j'ai expliqué mon point de vue à maman, elle m'a dit que j'avais bien fait.

— Alors, j'ai peut-être des chances de pouvoir prendre ta place, déclare Sonia en se frottant les mains. Je déteste tellement garder que je serais prête à faire n'importe quoi d'autre.

— Je ne veux pas t'enlever tes illusions, mais j'ai bien l'impression qu'il ne te proposera pas de travailler au magasin.

Les sourcils froncés, Sonia se demande pourquoi son frère tient ce discours.

— Je ne suis pas devin, mais je crois que papa ne veut pas avoir de filles – ou de femmes, si tu préfères –, comme employées à son magasin.

— Si c'est comme ça, je vais en parler avec oncle Paul-Eugène, réplique Sonia.

— Tu peux. Toutefois, comme ils sont deux à décider, je doute fort que ça change quelque chose.

— Mais pourquoi ce serait papa qui déciderait et non oncle Paul-Eugène ? Pourtant, papa avait l'air content de moi quand on est allés l'aider le soir où maman a reçu sa famille. Je n'y comprends rien.

— D'après moi, il était vraiment content. Mais tu sais comme moi qu'il est parfois vieux jeu, notre père.

— Tu as raison, approuve Sonia. Et puis, si ce n'est pas à son magasin que je travaille, eh bien ce sera ailleurs. J'ai l'intention de faire le tour des galeries d'art aussi… Qui sait ? Étant donné que je peins, j'aurai peut-être une chance d'être engagée. À moins que je tente ma chance au restaurant de monsieur Desbiens. Tante Chantal m'a suggéré d'aller voir dans les agences de voyage. Je n'ai pas suivi de cours dans ce domaine, mais vu que j'ai voyagé un peu… En tout cas, une chose est certaine : je vais chercher jusqu'à ce que je trouve quelque chose. Il n'est pas question que je passe le reste de mon été à changer des maudites couches.

Bien qu'elle garde des enfants depuis un bon moment déjà, la jeune fille déteste toujours autant changer des couches. Chaque fois qu'elle est contrainte de le faire, ce qui arrive de nombreuses fois dans une journée, elle doit prendre son courage à deux mains.

— Il me semblait que c'était maman qui allait les changer ?

— L'an passé, oui, mais pas cette année. Elle m'a avertie de ne plus compter sur elle. Sais-tu quoi? Ça me lève le cœur juste à l'idée de devoir changer une couche, même si ce n'est que du pipi.

— Qu'est-ce que tu vas faire quand tu auras des enfants?

— Comme dirait grand-papa Belley, dans le temps comme dans le temps. Je chercherai un pont quand je voudrai traverser une rivière. De toute façon, je n'ai pas l'intention d'avoir des enfants.

— C'est la même chose pour moi. Si maman nous entendait, elle nous lancerait qu'il ne faut jamais dire : « Fontaine, je ne boirai pas de ton eau. » Elle ajouterait qu'à notre âge, on a bien le temps de changer d'idée.

— On verra bien. As-tu participé à un concours de photo récemment?

— Oui! Pas plus tard qu'hier, j'ai envoyé une photo. Tu te rappelles peut-être, c'était un concours sur la nature. Je suis certain que tu aurais adoré celle que j'ai choisie : une belle coccinelle sur une feuille de lilas. J'ai eu de la chance, j'ai pris ma photo au moment où elle déployait ses ailes pour s'envoler.

— La chance n'a rien à voir là-dedans. Tu as du talent, un point c'est tout. Est-ce que les prix sont intéressants?

— Plutôt, oui. En plus d'y avoir plusieurs prix en argent, il y a un séjour à Toronto d'une semaine. Je souhaite de tout mon cœur remporter ce prix. Je commence à trouver qu'il serait temps que je sorte un peu.

— Tu pourrais au moins aller à Montréal, lui lance Sonia en souriant.

Junior met quelques secondes à faire le lien avec Christine. Puis, il éclate de rire et commente :

— Si au moins je savais que mes chances sont bonnes…

*  *  *

Sylvie a bouclé sa valise et celle de Michel il y a à peine une minute. Pleine de bonne volonté, elle essaie d'en soulever une. Mais elle la laisse tomber, car elle est trop lourde. Alerté par le bruit, Michel arrive en courant. En voyant les deux valises, il dit à sa femme :

— Laisse. Les bagages, j'en fais mon affaire.

Sans aucune hésitation, il prend une valise dans chaque main. Aussitôt qu'il les lève de terre, il grimace et s'écrie :

— Mais qu'est-ce que tu as mis là-dedans ?

— Rien de spécial, répond Sylvie d'un air gêné. Des vêtements, c'est tout.

— Je serais prêt à gager que tu as vidé tout le contenu de nos bureaux et de la garde-robe aussi ! s'exclame Michel. On part seulement deux semaines, ajoute-t-il sur un ton taquin. J'espère qu'on ne sera pas obligés de payer un supplément pour l'excédent de poids des valises. Selon André, ce n'est pas donné.

— Je le paierai, s'il le faut. Mais comme c'est la première fois que je pars en voyage, j'en ai pris plus que moins. Tu comprends, ce n'est pas après notre départ que ça va être le temps de s'apercevoir qu'on a oublié la moitié des choses.

— Tu peux dormir sur tes deux oreilles, ma femme. La seule chose dont on risque de manquer, c'est de temps pour porter tous les vêtements qu'on apporte. Viens, il va falloir qu'on pense à y aller si on ne veut pas rater le train. Ton père tient absolument à nous emmener à la gare.

— Cher papa, il est toujours si serviable.

— Sérieusement, si tu as tout ce qu'il faut, c'est le temps de se mettre en route.

— J'ai les billets de train et les billets d'avion. Et de l'argent liquide aussi.

— Allons-y !

Malgré l'insistance de Sylvie et de Michel, monsieur Belley attend qu'ils montent dans le train avant de s'en aller. Il leur souhaite un beau voyage et leur dit de ne pas penser à la maison une seule fois. Sylvie sourit. C'est au-dessus de ses forces… et son père le sait, lui aussi.

Une fois que les Pelletier sont installés dans leurs sièges, Michel prend la main de Sylvie dans la sienne et la porte à ses lèvres.

— Je te fais la promesse que ce voyage ne sera pas le dernier. Je suis l'homme le plus heureux de la terre !

# Chapitre 20

Le gardiennage de Camil et de Suzanne tire à sa fin. Aucun des enfants ne leur a causé le moindre souci. Ils sont très contents d'avoir eu la chance de passer du temps avec leurs petits-enfants. Ces deux semaines leur auront donné l'occasion de mieux les connaître. Il ne s'est pas passé une seule journée sans que les jumeaux les fassent rire. Luc n'a même pas eu à sortir sa pompe une seule fois. Junior et Sonia étaient toujours là, prêts à les aider. Pour sa part, Alain ne s'est montré qu'une fois la première semaine. Après, il est parti pour la France avec Lucie.

Au fond de lui, Camil espère de tout cœur que la nouvelle de son gardiennage ne viendra pas aux oreilles du reste de sa famille. S'il a accepté de donner un coup de main à Sylvie, c'est parce que la demande venait d'elle. Elle a tellement fait pour lui qu'il avait enfin une occasion de lui rendre un peu la pareille. Elle a de quoi être fière de sa famille. Certes, ses enfants ne sont pas parfaits – mais qui peut se vanter de l'être ? Ils sont bien élevés et gentils. Jamais Camil n'a eu à se plaindre de leur attitude envers Suzanne et lui. Les Pelletier sont de bons enfants comme on n'en trouve pas dans toutes les maisons. C'est facile de voir qu'ils vont tous aller loin dans la vie. Chacun à leur façon, ils sont inventifs et bourrés de talents, du premier au dernier. Alain est débrouillard – et opportuniste, aussi. Malgré son jeune âge, il parvient à concilier les études, le travail et les voyages. Camil l'envie d'avoir le cran de partir comme il le fait. Junior, lui, est tellement talentueux en photographie – les nombreux concours qu'il a gagnés à ce jour en témoignent – qu'il n'y a aucun doute que, dans un avenir rapproché, il sera sollicité par les plus grands journaux. Et Sonia est de plus en plus belle. Et tellement charmante en plus ! Elle peint déjà de manière admirable et définit son style au fur et à mesure. Sonia, c'est sa petite-fille préférée. Bien sûr, il reste discret à ce sujet. Il aime tous ses petits-enfants, mais il a des préférences, ce qu'il trouve tout à fait normal. C'est du moins ce qu'il se dit quand les remords le démangent un peu. Alors, il se rappelle qu'on ne peut pas aimer tout le monde également, que même s'il s'agit de nos petits-enfants, il y en a à qui on porte moins d'intérêt. Camil respecte chacun de ses petits-enfants, même celui qui est en prison. Aucun d'entre eux ne pourra jamais prétendre qu'il est injuste. Non, il est équitable avec tout le monde. Il ne donne pas plus à l'un au détriment des autres. Là où la différence réside, c'est en privé, dans son attitude.

Luc est en train de se refaire une santé. Il fait de moins en moins de crises d'asthme, ce qui est merveilleux. Tout le monde ignore pourquoi ce changement est survenu, mais l'important c'est que le garçon aille mieux. Il est de loin le plus sensible de la famille Pelletier : il sent tout ce qui se passe autour de lui. Camil n'est pas près d'oublier le jour où Luc s'est retrouvé à l'hôpital en même temps que lui. Quant aux jumeaux, eh bien s'ils n'étaient pas là il faudrait les inventer. François et Dominic, c'est de l'énergie à l'état pur, deux boules de feu. Ils sont allumés comme peu de jeunes de leur âge. Le cerveau de ces deux galopins est toujours en ébullition. Dominic et François collectionnent les mauvais coups comme leur mère collectionne les timbres-primes. Camil les aime beaucoup et il ne s'en cache pas. L'autre soir, il leur a raconté en long et en large les mauvais coups qu'il a faits dans sa jeunesse. Suzanne avait beau lui dire d'arrêter, il n'a porté aucune attention à ses mises en garde. C'est qu'il en a joué des tours dans son jeune temps !

— J'ai pensé faire des millefeuilles pour dessert, dit Suzanne. J'en mettrai de côté pour Sylvie et pour Michel.

— Pour le peu de temps que ça prend à manger des millefeuilles, je trouve que tu te donnes bien du mal, commente Camil. C'est à peine si on a le temps de regarder les desserts quand tu les poses sur la table qu'ils disparaissent comme par enchantement.

— Je peux au moins m'occuper des desserts. Sylvie avait préparé tous les repas avant de partir.

— Ce n'est sûrement pas moi qui vais t'empêcher de faire des millefeuilles. J'aime ces pâtisseries autant que Sylvie. Si le cœur t'en dit, vas-y. Si tu veux, je pourrai faire le souper.

— Veux-tu dire que tu vas mettre quelque chose au four ? le taquine Suzanne.

— C'est bien mal me connaître… Non, non, j'ai l'intention de faire un vrai souper. Je vais faire des *grilled cheese* et…

— Et tu vas ouvrir une couple de boîtes de soupe aux tomates. Je me régale juste à la pensée de ce festin !

— Si je ne te connaissais pas aussi bien, je penserais que tu te moques de moi.

— Et tu aurais raison ! s'écrie Suzanne en passant ses bras autour du cou de son mari. Tes talents de cuisinier sont assez limités. Va pour les *grilled cheese* s'il n'y a pas d'autre choix au menu. Une fois de plus, je vais me sacrifier !

Suzanne est vraiment très heureuse avec Camil. Outre le fait qu'il soit nul en cuisine, elle ne lui a pas encore trouvé un seul autre défaut, ce qui fait toujours rire monsieur Belley chaque fois qu'elle s'en vante auprès de ses amies en sa présence. Sérieusement, Camil est en plein l'homme qu'elle attendait. Pourtant, ce ne sont pas les offres qui ont manqué. Sans être une beauté rare, Suzanne est une belle femme, et intelligente en plus. Aussitôt que la nouvelle s'est répandue qu'elle était veuve, plusieurs ont tenté leur chance. Jamais Suzanne n'a levé le nez sur qui que ce soit sans vérifier par elle-même s'il y avait une chance que ça marche. Elle connaissait Camil de vue depuis un bon moment et elle le trouvait séduisant, mais jamais l'occasion ne s'était présentée d'échanger réellement avec lui. De son côté, il l'observait à distance en se disant qu'elle était trop bien pour lui, qu'il n'avait aucune chance. Comme le destin fait parfois bien les choses, un beau jour ils se sont retrouvés assis à la même table. Depuis, ils ne se sont plus jamais quittés. Suzanne aime Camil de tout son cœur. Et il la fait tellement rire. Il lui arrive de penser que s'il disparaissait de sa vie, jamais elle ne s'en remettrait.

— Ma pauvre Suzanne, déclare Camil en lui pinçant doucement les joues, pour toi je pourrais peut-être faire une exception. Et si je te préparais des œufs boulangés ? lui demande-t-il en se retenant d'éclater de rire.

— Beurk ! gémit Suzanne en grimaçant. Pour que tu trouves le moyen de les faire brûler ? Non merci ! À tout prendre, je préfère de loin les *grilled cheese* !

* * *

Pendant ce temps, de leur cachette dans le petit boisé, les jumeaux observent avec attention les lieux. Ils préparent leur prochain tour.

— On a tout ce qu'il faut : une punaise, un long fil et un écrou, indique François.

— Et un marteau aussi, complète Dominic.

— Mais j'y pense… Il nous manque l'essentiel. Comment veux-tu qu'on aille installer notre fil au-dessus de la fenêtre ? C'est bien trop haut. Il faudrait être un géant pour y arriver sans échelle.

— Je suis à peu près certain qu'il y a une échelle en dessous de la galerie sur le côté de la maison. Je vais aller voir.

Lorsque Dominic revient auprès de son frère, il a peine à respirer tellement il a couru vite. Accroupi, il reprend difficilement son souffle, ce qui fait dire à François :

— J'espère que tu n'es pas en train de faire une crise d'asthme comme Luc. On est pas mal loin de la maison.

— Non, non… répond Dominic en se relevant instantanément.

Après avoir respiré à fond à quelques reprises, il ajoute :

— J'avais raison : il y a une grande échelle en dessous de la galerie, sur le côté gauche de la maison. Le problème, c'est qu'elle est tellement longue que je ne suis pas certain qu'on va être capables de la soulever.

— Ben voyons donc ! s'exclame François. On est forts tous les deux.

— Si tu ne me crois pas, tu n'as qu'à aller voir par toi-même. Elle est immense, cette échelle.

— On essaiera de la lever quand on s'en ira. Si ça ne marche pas, on apportera celle de papa.

— Tu n'y penses pas ! objecte Dominic. On n'est pas pour se promener avec une échelle dans la rue. On va se faire repérer tout de suite.

— Tu as raison. Eh bien, on cherchera autour. S'il le faut, on en empruntera une à l'un des voisins le temps d'aller fixer le fil.

Cette fois, les jumeaux ont vu grand. Ils se sont mis dans la tête de faire un mauvais coup au curé de la paroisse. Rien de méchant, bien entendu. En fait, ils vont fixer un fil avec une punaise dans le haut de la fenêtre de sa salle à manger, dans le mastic ; c'est dans cette pièce que le saint homme prend tous ses repas. Il y a des jours que François et Dominic l'espionnent pour connaître ses habitudes. Ils vont attacher un écrou à une quinzaine de pouces sur ce même fil. Évidemment, monsieur le curé ne pourra pas voir le fil puisque celui-ci sera remonté au-dessus de ses yeux aussitôt qu'il se montrera à la fenêtre. Dès qu'il retournera s'asseoir, un des jumeaux laissera descendre l'écrou sur la fenêtre. De l'intérieur, le saint homme entendra « toc, toc », sans pouvoir déterminer d'où provient le bruit.

Les jumeaux se réjouissent à l'avance du plaisir qu'ils auront à voir le curé se gratter la tête parce qu'il n'y comprendra rien. Ils ont prévu tout installer pendant la messe de quatre heures. Seule l'échelle leur fait courir le risque d'être pris sur le fait. Mais comme le presbytère est en retrait, les chances sont bonnes pour les garçons de s'en sortir sans problème, surtout que cela ne leur prendra qu'une minute ou deux pour piquer la punaise. Une fois celle-ci installée, François et Dominic resteront cachés dans le petit bois d'où ils pourront très bien monter et descendre le fil et, ainsi, voir les réactions de monsieur le curé et rire tout leur soûl.

Les jumeaux passent de l'autre côté du presbytère et soulèvent chacun un bout de l'échelle. Quand ils la déposent par terre, ils sourient : elle semblait plus lourde qu'elle ne l'est en réalité. Ils enfourchent chacun leur bicyclette et filent à toute vitesse en direction de la maison. Ils ne seront certainement pas en avance pour le souper. Heureusement, leurs grands-parents sont encore à la maison, ce qui est beaucoup moins inquiétant. François et Dominic connaissent assez bien ces derniers pour savoir qu'ils vont se contenter de leur dire qu'il serait temps qu'ils s'achètent une montre. Ce à quoi les jumeaux répondront qu'ils n'ont pas d'argent.

Les jumeaux ne se sont pas trompés. Quand ils entrent dans la maison, Sonia, Luc, Junior et leurs grands-parents sont à table.

— Salut, tout le monde ! s'écrient-ils en marchant jusqu'à l'évier pour se laver les mains.

— Je vous félicite, dit monsieur Belley.

Surpris, les deux garçons regardent le vieil homme. Ils ne comprennent pas où il veut en venir.

— Je vous félicite, répète Camil. Vous avez été en retard à tous les repas, sans exception, depuis que vos parents sont partis. Pour ça, vous méritez un cadeau.

Il dépose deux petites boîtes devant son assiette.

— Finissez vite de vous laver les mains et venez vous asseoir, pour que je puisse vous donner vos cadeaux.

— C'est bien la première fois que quelqu'un nous récompense parce qu'on est en retard ! s'étonne Dominic.

— Ouais ! confirme François. On est plutôt habitués à se faire disputer. J'ai bien hâte de voir ce qu'il y a dans ces petites boîtes.

Aussitôt que les deux garçons sont assis, Camil leur dit :

— Ouvrez vite ! Tout le monde est impatient de savoir ce que je vous ai offert.

Le sourire fendu jusqu'aux oreilles, les jumeaux déchirent vivement le papier d'emballage. Ils sortent en même temps une belle petite montre avec un bracelet noir.

— À compter de maintenant, vous n'aurez plus aucune excuse pour arriver en retard, dit leur grand-père. Est-ce que vous m'avez bien compris ?

Il ajoute d'un ton plus sévère :

— Passez-la vite à votre poignet que je puisse constater si j'ai eu l'œil.

Chacun avec sa montre au poignet, les jumeaux ne sourient plus. Tant qu'ils n'avaient pas de montre, ils pouvaient aller et venir à leur guise. Mais là, les vacances sont terminées. Quand leur mère saura que leur grand-père leur a offert une montre, ils n'auront plus d'autre choix que d'arriver à l'heure.

L'air renfrogné, Luc fixe son assiette en se disant que la vie est trop injuste. Une fois de plus, les jumeaux sont récompensés alors qu'ils ne le méritent même pas. Il y a des jours où Luc en a assez d'eux. Il songe parfois qu'il devrait agir comme ses deux plus jeunes frères puisque les adultes, du moins ceux de sa famille, accordent plus d'attention à ceux-ci.

En remarquant l'air de Luc, monsieur Belley s'informe :

— Luc, est-ce qu'il y a quelque chose qui ne va pas ?

Pour toute réponse, le jeune garçon se contente de hausser les épaules légèrement, sans lever la tête. Que pourrait-il répondre, de toute façon ? Que ce n'est pas juste ? Que ce sont toujours les jumeaux qui obtiennent tout ?

— Regarde-moi, Luc, réclame Camil.

Au prix d'un grand effort, Luc obtempère.

— J'espère que tu n'as pas pensé que je t'avais oublié.

Aussitôt, Luc sourit.

— Tiens, dit son grand-père en lui tendant une petite boîte de la même grosseur que celle qu'il a donnée aux jumeaux. C'est pour toi. Ce cadeau, c'est pour te féliciter d'être toujours à l'heure, contrairement à tes frères.

Quand Luc découvre la montre que son grand-père lui a achetée, il est fou de joie. C'est la plus belle montre qu'il ait jamais vue !

— Merci grand-papa ! Elle est vraiment magnifique.

— Je suis très content que tu l'aimes.

— Elle est cent fois plus belle que la nôtre ! s'écrie François. Ce n'est pas juste.

— Comme je vous l'ai dit tantôt, si je vous ai offert une montre, à Dominic et à toi, c'est pour que vous soyez à l'heure dorénavant. Quant à Luc, je lui ai donné une montre pour le féliciter. Alors, c'est normal qu'elle soit différente.

Ensuite, Camil annonce :

— Il m'en reste deux à donner.

Il va chercher deux autres petites boîtes dans l'armoire. Avant de se rasseoir, il en remet une à Junior et une à Sonia. Surpris, ceux-ci remercient leur grand-père avant même d'ouvrir leur cadeau. Avoir leurs grands-parents avec eux pendant deux semaines représentait déjà un cadeau en soi. D'après le format du paquet, ils devinent qu'ils auront eux aussi une montre, ce qui leur ferait très plaisir puisque ni l'un ni l'autre n'en possèdent. Ils ont visé juste. Heureux, Sonia et Junior se dépêchent de mettre leur montre à leur poignet. Ils ne se contentent pas de remercier leur grand-père de leur place : sans même se consulter, ils viennent l'embrasser chacun sur une joue.

— Vous m'excuserez si je n'ai pas été original. Mais je n'ai jamais compris que personne ici n'ait une montre, à l'exception de vos parents. Bon, si vous voulez manger un millefeuille, il faut d'abord vider votre assiette.

— Attends ! s'exclame Suzanne. Moi aussi, j'ai quelque chose pour les jeunes.

— Tu ne m'avais pas dit ça ! déclare Camil d'un air surpris.

— Qui a déjà prétendu que j'étais obligée de tout te raconter ? s'esclaffe Suzanne.

Puis, elle s'adresse aux enfants :

— Après le cadeau que votre grand-père vient de vous offrir, le mien va vous paraître bien ordinaire. J'ai écrit une lettre à chacun de vous. Je vais aller les chercher, elles sont dans ma valise.

De retour dans la cuisine, Suzanne remet une enveloppe portant leur prénom à chacun des enfants. Pendant les minutes qui suivent, aucun bruit ne se fait entendre – à part ceux qui proviennent de l'extérieur parce que les fenêtres sont ouvertes. Chaque fois qu'un des enfants arrive au bout de sa lecture, il va embrasser Suzanne sur les deux joues. Ce n'est pas tous les jours que les enfants de la famille Pelletier reçoivent du courrier. Il y a fort à parier que tous conserveront précieusement la lettre reçue ce soir-là.

# Chapitre 21

Sylvie et Michel sont enfin dans l'avion. Cela a pris tellement de temps avant de pouvoir s'installer dans l'appareil qu'ils croyaient ne jamais y arriver. Cela aura été plus long de prendre place dans l'avion que la durée du vol lui-même. André les avait mis en garde. En riant, il leur avait dit que l'avion est le moyen de transport le plus rapide pour les gens qui ne sont pas pressés. « Le plus périlleux, c'est de se rendre jusqu'à son siège. » Habitués qu'ils sont à toujours être en mouvement, Sylvie et Michel ont dû ronger leur frein depuis leur entrée dans l'aéroport d'Edmonton. André est resté avec eux aussi longtemps qu'il a pu.

Assis dans son petit siège, Michel ne sait déjà plus quoi faire de ses grandes jambes et l'avion est toujours au sol. Sylvie et lui se tiennent par la main et regardent partout autour d'eux. Devant André et sa femme, ils se sont montrés bien braves alors qu'en réalité, prendre l'avion les angoisse au plus haut point. En fait, deux sentiments distincts les habitent. Ils sont énervés comme des enfants à l'idée de voler dans le ciel, mais, en même temps, ils éprouvent une grande inquiétude devant cette nouvelle expérience. Et si l'avion tombait, qu'adviendrait-il de leur progéniture ? Et s'ils souffraient du mal de l'air et qu'ils étaient malades pendant tout le vol ? Pendant que l'hôtesse termine sa présentation des mesures d'urgence, l'avion se met à rouler pour se rendre à la piste qui lui a été assignée pour le départ. Lorsque la tour de contrôle donne le signal au pilote, ce dernier lance les moteurs à plein régime. En moins de quelques secondes, tous les passagers se sentent poussés dans leur siège jusqu'à ce que l'avion flotte dans les airs au-dessus de l'aéroport d'Edmonton. Emballés par cette nouvelle expérience, Sylvie et Michel sourient, les yeux rivés sur le hublot.

— Je n'ai jamais rien vu d'aussi beau! s'exclame Michel. J'en ai presque les larmes aux yeux. Ce n'est pas croyable, on vole au-dessus des nuages. J'ai hâte de raconter ça aux gars. Je suis certain qu'il y en a plusieurs qui ne me croiront pas.

— Il faudra que tu fasses un voyage spécial si tu veux leur en parler, parce qu'aux dernières nouvelles tu as démissionné, répond gentiment Sylvie.

— C'est pourtant vrai! Tu vois ce que ça fait, les maudites habitudes… Pas moyen de s'en débarrasser.

— Donne-toi une chance. Jusqu'à aujourd'hui, il n'y avait aucune différence pour toi, car tu étais en vacances. C'est seulement demain que tu vas voir le changement.

— Tant qu'à ça, tu as bien raison! En tout cas, une chose est certaine: ça va me faire drôle de m'en aller au magasin un lundi matin.

— N'y pense pas! J'ai bien l'intention qu'on profite au maximum du temps qu'il nous reste d'ici là. C'était vraiment des belles vacances. Ton frère et sa femme nous ont reçus comme des rois. Je n'aurais jamais pensé qu'on ferait autant de choses en deux semaines. J'ai tout aimé: le train, le chalet, le motorisé, le bateau… Je comprends maintenant pourquoi Sonia aime tant voyager. J'ai vu tellement de belles choses que si je n'avais pas tout noté dans mon petit carnet, je suis certaine que j'en aurais oublié.

Michel et Sylvie venaient à peine de monter dans le train que cette dernière avait sorti son petit calepin noir. Michel s'était un peu moqué d'elle, mais heureusement ça n'avait pas duré. Dès la deuxième journée, il avait compris l'utilité du procédé et, sans même qu'elle le lui demande, il s'était mis à l'aider. Sylvie a noté religieusement toutes leurs activités, du premier jour au dernier. Sa belle-sœur lui a confié qu'elle faisait la même chose chaque fois qu'André et elle voyagent. Elle lui a même montré la boîte dans laquelle elle range tous ses carnets de voyage. Sylvie et Michel ont pu prendre des photos, car Junior leur avait prêté son appareil. Mais sans les notes de Sylvie, ce serait sûrement difficile de se rappeler ce que chacune des photos représente.

Pendant le voyage, Sylvie a regretté amèrement de ne pas parler anglais. À peine sortie du train, elle s'est vite rendu compte de sa lacune. Même si la plupart des gens étaient très gentils quand ils voyaient qu'elle ne comprenait pas l'anglais et que plusieurs d'entre eux faisaient un effort pour lui dire quelques mots en français, elle se sentait à part. Ayant toujours négligé l'apprentissage de la langue anglaise, voilà qu'elle aurait payé cher pour revenir en arrière. Elle jalousait un peu son beau-frère qui, lui, passe d'une langue à l'autre avec beaucoup d'aisance. Un soir, elle s'est confiée à André. Celui-ci lui a raconté à quel point il avait peiné à apprendre l'anglais : « Tu sais, au Saguenay, les occasions de parler anglais étaient quasi inexistantes. Même encore aujourd'hui d'ailleurs, c'est pareil – en tout cas, elles sont pas mal plus rares qu'à Montréal. Quand je vivais à Jonquière, ma connaissance de l'anglais se limitait à *yes* et à *no*. Tu peux t'imaginer facilement ce que j'ai pu vivre quand je me suis retrouvé sur un navire où la seule langue parlée était l'anglais. Les premiers jours, j'avais mal à la tête du matin au soir tellement je faisais des efforts non seulement pour comprendre, mais aussi pour parvenir à dire quelques mots. Un beau jour, je me suis mis à parler anglais. »

Il est vrai que ce n'est pas les occasions qui manquent de parler anglais à Montréal. Mais au lieu d'apprendre cette langue, Sylvie a préféré faire pratiquer le français à son amie Shirley. Pire encore, chaque fois qu'elle se rendait dans les grands magasins, et c'est encore pareil aujourd'hui, elle a toujours préféré jouer la carte de la pauvre francophone qui ne connaît pas un mot d'anglais. Aujourd'hui, elle comprend l'importance de parler anglais si on veut sortir du Québec. Ce voyage dans l'Ouest canadien lui a démontré que le Québec est une infime partie d'un pays anglicisé d'un océan à l'autre. Elle le savait mais jusqu'à ce qu'elle débarque à Edmonton, jamais elle ne s'en était préoccupée outre mesure. Tant qu'on reste au Québec, il y a toujours moyen de trouver quelqu'un qui parle français, même en plein cœur du quartier chinois. Elle n'en a rien dit à Michel, mais demain elle va aller voir Shirley pour lui demander de lui parler uniquement en anglais dorénavant. Sylvie sait d'avance qu'elle va rager par moments, mais si c'est le prix à payer pour voyager à l'aise lorsque Michel et elle iront en Égypte, elle est prête à fournir les efforts nécessaires. Maintenant qu'ils ont cassé la glace, son petit doigt lui dit que leur séjour dans l'Ouest canadien ne sera que le premier voyage d'une longue série... Il y a tellement de pays qu'elle aimerait visiter.

— À part les mouches à chevreuil quand je suis allé pêcher avec André, moi aussi j'ai tout aimé, raconte Michel. Mais j'ai quand même quelques préférences. J'ai adoré la couleur de l'eau des lacs et des rivières ; je n'avais jamais vu d'eau turquoise de toute ma vie. J'ai aussi beaucoup aimé la ville d'Edmonton. C'est vraiment différent de Montréal. Là-bas, c'est blanc ou c'est noir. J'ai trouvé qu'il y avait beaucoup d'Asiatiques à Vancouver. J'ai particulièrement apprécié Victoria : la traversée, la vue qu'on avait du bateau ainsi que la ville. Je ne connais pas la ville de Québec dans ses moindres détails, mais j'avais parfois l'impression d'être là et non à Victoria. En tout cas, quand André nous a promenés dans les quartiers chics, on a pu voir qu'il y a pas mal de richesse dans cette ville.

— Moi, j'ai bien aimé Jasper et Banff... et le lac Louise, bien entendu. La vue des glaciers, de la terrasse de l'hôtel, vaut le déplacement. J'ai beaucoup apprécié la vallée de l'Okanagan. Ils sont très chanceux là-bas de pouvoir cultiver autant de fruits : des pêches, des poires, et même des grosses cerises rouges. Il y a une chose que je ne comprends pas, par exemple. Pourquoi dit-on des cerises de France si celles-ci viennent de la Colombie-Britannique ?

— Si tu veux mon avis, c'est loin d'être le seul mensonge qu'on nous fait !

— Tu as probablement raison !

\* \* \*

De retour de l'aéroport, André a juste le temps de tourner la clé dans la porte d'entrée de sa maison que le téléphone se met à sonner. Il ne prend même pas le temps d'enlever sa clé de la serrure ; il se précipite pour répondre. Il saisit le combiné et lance, tout essoufflé :

— Allo !

— Mon Dieu, viens-tu de courir le marathon ? s'enquiert la voix à l'autre bout du combiné.

— Qui parle ?

— C'est Madeleine, ta sœur.

Si celle-ci lui téléphone en plein cœur de journée, c'est sûrement important. Prenant son courage à deux mains, André demande :

— Est-ce que c'est papa ?

Madeleine essaie de se ressaisir avant de parler. Après une dizaine de secondes, elle annonce, la voix chargée d'émotion :

— Maman l'a trouvé mort dans sa chaise en revenant de l'épicerie. Peux-tu aviser Michel ?

— Pas maintenant. Il se trouve quelque part dans les airs entre Edmonton et Montréal. Mais tu peux compter sur moi. Je vais attendre qu'il soit de retour chez lui et je lui téléphonerai.

— Je te laisse, il faut que je prévienne les autres. Je t'appellerai dès que je connaîtrai les détails pour l'enterrement. Penses-tu venir ?

— Certain ! Et maman, comment va-t-elle ?

— Tu la connais. En apparence, tout va bien. Je vais rester dormir chez elle au moins quelques jours.

— C'est une bonne idée. Je pourrais la ramener avec moi à Edmonton, si cela lui tente. Tâte le terrain, veux-tu ?

— Je vais lui en glisser un mot. Mais si j'étais à ta place, je ne compterais pas trop là-dessus.

— On verra bien. Salut !

Madeleine a raccroché depuis quelques minutes, mais André tient encore le combiné dans sa main. Assis sur la première marche de l'escalier qui mène aux chambres, il se laisse porter par la peine causée par la mort de son père. Il aurait aimé le voir une dernière fois avant qu'il meure, mais il ne pouvait pas s'absenter assez longtemps pour que ça vaille le coup de faire le voyage. Il se console en songeant qu'au moins il a pu faire la paix avec lui. Alors qu'il a cru longtemps qu'il ne reverrait plus personne de sa famille, il a renoué avec tout le monde, ce qui lui a fait le plus grand bien. Il a beau vivre à l'autre bout du pays, savoir qu'il y a des gens qui l'aiment et qui se soucient de lui au Québec le rassure.

André pense au jour où il a revu son père. Ce moment est si précieux pour lui qu'il restera gravé à jamais dans sa mémoire. Il se souvient pratiquement mot pour mot de leur conversation. Ils étaient assis l'un en face de l'autre à la table de cuisine chez ses parents et essayaient de rattraper le temps perdu. Pendant qu'ils parlaient, des larmes coulaient doucement de leurs yeux sans qu'aucun des deux ne fasse quoi que ce soit pour les essuyer… comme maintenant, sauf que cette fois André est seul.

Lorsque sa femme rentre avec les enfants et qu'elle le voit, elle vient vite le rejoindre. Elle lui enlève le combiné de la main et remet l'objet à sa place. Ensuite, elle se poste devant son mari et attend que celui-ci lui explique ce qui l'a mis dans cet état.

— Papa est mort.

Elle posera des questions plus tard. Pour le moment, elle en sait suffisamment. Elle s'assoit près de son mari et passe ses bras autour de ses épaules. Ce n'est qu'à ce moment qu'André laisse enfin libre cours à sa peine.

\* \* \*

Lorsque Sylvie et Michel font leur entrée dans l'aéroport, monsieur Belley leur fait signe. C'est tout sourire que le couple vient vers lui.

— Bonjour, papa ! s'écrie Sylvie en le prenant par le cou. D'après votre expression, j'ai presque envie de croire que les enfants ne vous ont pas fait la vie trop dure.

— Et tu aurais bien raison. Ce sont presque des anges.

Michel serre la main de son beau-père.

— N'en mettez pas trop tout de même, le beau-père. On connaît assez les jumeaux pour savoir qu'ils sont loin d'être de tout repos.

— Sérieusement, c'est vrai qu'on n'a pas eu de misère avec les enfants.

— Peut-être qu'on aurait dû partir trois semaines ? plaisante Michel.

— Ce n'est pas tout à fait ce que j'ai dit ! Je dois avouer que Suzanne et moi, on va être contents de dormir dans notre lit ce soir.

— Je vous comprends très bien, déclare Michel. S'il y a une chose qui m'a manqué pendant le voyage, c'est mon lit.

— Venez ! formule Camil. J'en connais qui vont être contents de vous voir.

— Et nous donc ! lance Sylvie d'un ton joyeux. Je sens qu'il y en a qui vont avoir des choses à nous raconter.

— Pas avant que vous nous ayez raconté votre voyage, quand même ! plaisante Camil.

# Chapitre 22

Alors que la maisonnée dort encore, il y a déjà plus d'une heure que Sonia peint dans sa chambre. Ces derniers jours, tellement de choses trottent dans sa tête qu'elle se réveille parfois même avant que le soleil se lève, ce qui la met en rogne chaque fois. Elle aime profiter au maximum de toutes les heures de sommeil dont elle peut disposer. Comme toute situation a du positif, son insomnie lui a permis d'avancer sa toile. Elle est particulièrement fière de celle-ci. Et il y a fort à parier que son œuvre va plaire à monsieur Desbiens. Aussitôt que le tableau sera terminé, Sonia demandera à sa mère d'aller le livrer. Il était urgent que la jeune fille se remette au travail. La semaine dernière, monsieur Desbiens lui a téléphoné, non seulement pour lui demander de lui apporter de nouvelles toiles, mais pour lui dire qu'il en avait vendu trois petites. Chaque fois que Sonia vend une petite toile, cela la réjouit. Elle est contente de voir que son idée de proposer des petits formats fonctionne bien. Ce n'est pas tout le monde qui peut se payer des grandes toiles. Même les siennes sont trop chères pour plusieurs personnes. Les gens sont prêts à payer le gros prix pour manger au restaurant, s'acheter de nouveaux vêtements, acquérir une deuxième voiture. Mais lorsqu'ils ont un coup de cœur pour un tableau, ils y pensent à deux fois même si la somme en jeu est beaucoup moins considérable. Plus souvent qu'autrement, ils résistent de toutes leurs forces à leur envie et finissent par l'abandonner. Est-ce parce qu'ils se sentent coupables de faire une telle dépense ? Sonia n'en sait rien. Malheureusement, acheter une toile compte encore au nombre des objets de luxe que peu de gens osent se procurer. Quand elle réfléchit à tout ça, Sonia entend sa mère lui dire qu'elle se prépare une vie de misère si elle s'entête à vouloir devenir artiste peintre et comédienne. Malgré la mise en garde de Sylvie, Sonia refuse de se laisser contaminer par ces croyances qui ont comme seul objectif de l'éloigner de sa route. Contrairement à sa mère, Sonia est plutôt du genre à voir le meilleur en tout. Elle ne porte pas toujours des lunettes roses, mais elle aime s'inspirer des gagnants et non des perdants. Certes, les artistes peintres et les comédiens qui tirent le diable par la queue sont légion ; toutefois, il ne faut pas oublier ceux qui réussissent. Ils sont des modèles pour Sonia.

La jeune fille a été très surprise d'apprendre que Langis voulait qu'elle le rappelle à son retour de voyage. Elle a mis fin à sa relation avec Antoine avant de lui téléphoner. Aussitôt les salutations faites, Langis a déclaré :

— Il faut qu'on se voie.

— Tu pourrais au moins me dire pourquoi.

— Pas au téléphone. Si tu es libre demain, on pourrait se retrouver au petit restaurant près de l'école, à 7 heures. Est-ce que tu vas venir ?

Sonia lui a promis qu'elle y serait. Ce n'est qu'après avoir raccroché qu'elle s'est demandé ce qui lui avait pris d'accepter l'invitation. Elle aurait dû réfléchir. Depuis qu'elle a laissé Langis, il ne lui a pas adressé la parole une seule fois. Même lorsqu'ils se croisaient à l'école, il tournait la tête dans la direction contraire quand il arrivait à sa hauteur, ou bien il faisait demi-tour. Elle sait qu'il a eu de la peine. Elle est bien placée pour comprendre : elle a mis des mois à se remettre de sa rupture avec Normand alors que c'est elle qui avait mis fin à la relation. Mais il y a quand même des limites. De toute manière, à part perdre un peu de temps, elle ne risquait pas grand-chose à revoir Langis.

Sonia a rencontré ce dernier comme prévu. Elle l'a trouvé encore plus beau qu'avant, et séduisant en plus. Comme il a passé l'été à travailler sur la ferme, il est bronzé à souhait et ses cheveux brillent de reflets dorés. En fait, pendant le peu de temps qu'elle a passé avec lui, elle n'a eu qu'une envie : lui jouer dans les cheveux et l'embrasser.

— Tu me manques trop, a avoué Langis sans plus de préambule. Je veux qu'on reprenne.

De prime abord, la jeune fille a été enchantée par l'idée. Mais très rapidement, elle a songé que ça n'avait pas de sens, qu'on ne pouvait pas faire du neuf avec du vieux comme le dit si bien son amie Lise, que si elle avait laissé Langis c'était parce qu'elle ne l'aimait pas suffisamment. Mais plus elle le regardait, plus elle ressentait une forte attirance ; il ne lui avait encore jamais fait un tel effet. Et là, elle s'est souvenue des paroles de sa mère : Langis était un bon garçon qui méritait une deuxième chance. La seconde d'après, ses remords ont repris du service. Elle lui avait fait mal une fois, il n'était pas question qu'elle lui refasse le même coup. Elle ne se le pardonnerait pas.

Témoin de son combat intérieur, Langis a pris ses mains dans les siennes.

— Arrête de réfléchir. La seule question que tu dois te poser, c'est si tu as envie d'être avec moi. Si oui, je suis prêt à courir le risque que tu me laisses une autre fois. J'ai eu le temps de réfléchir ces derniers mois. Crois-moi, j'ai l'intention de faire tout ce que je peux pour te garder. Alors, qu'est-ce que tu en penses ?

Sentir la chaleur des mains de Langis sur les siennes a rempli Sonia de bonheur. Mais pour une fois, elle voulait obtenir un délai.

— Laisse-moi un peu de temps, a-t-elle répondu.

C'est ce soir qu'elle doit faire part de sa décision à Langis. Elle hésite encore. Elle meurt d'envie d'accepter la proposition et, en même temps, elle tremble de tout son corps. S'il fallait qu'elle commette une erreur, ce serait terrible. Elle déteste par-dessus tout faire souffrir les autres. Hier soir, elle a discuté avec sa tante Chantal. Sonia n'était pas encore arrivée à la fin de son histoire que celle-ci lui a conseillé d'arrêter d'avoir peur et de plonger la tête la première si c'est ce dont elle avait envie. « Crois-moi, quand la vie te fait un cadeau, il faut que tu sautes dessus à pieds joints. Si ça ne marche pas, tu auras au moins la satisfaction d'avoir essayé. » Malgré tout, Sonia se questionne encore.

Il y a autre chose qui la dérange. Dans quelques jours, elle va commencer à suivre les cours de personnalité. Elle se rappelle très bien du marché passé avec sa mère, et ça valait vraiment la peine, mais savoir qu'elle va devoir passer tous ses mardis soir là-dessus pendant l'année scolaire au complet lui donne la nausée. Elle brûle d'envie de défendre sa cause auprès de sa mère pour que celle-ci la libère de son engagement. Cependant, une petite voix lui souffle qu'elle a intérêt à honorer sa part du marché. Sa tante Irma l'a mise en garde : « Tu connaissais parfaitement les règles du jeu ; c'est même toi qui as proposé le marché. Alors, à ton tour maintenant de respecter le contrat sans rechigner… À moins que tu veuilles compromettre ton avenir. Ta mère est une bonne personne, mais je te conseille de ne pas la faire sortir de ses gonds. »

C'est bien beau tout ça, mais Sonia croit que c'est toujours plus facile de parler quand on n'est pas directement concerné. Elle doit quand même admettre que personne ne lui a tordu un bras lorsqu'elle a soumis sa proposition à sa mère. Et si elle aimait, finalement, les cours de personnalité ? Tante Chantal y a quand même trouvé son compte…

Sonia dépose sa palette de couleurs sur son bureau. Elle s'apprête à nettoyer ses pinceaux quand on frappe à la porte de sa chambre. Sans même ouvrir, sa mère lui dit :

— Sonia, il y a un appel pour toi. C'est Isabelle.

Sonia sait très bien que si elle répond à son amie, elle en a au moins pour une demi-heure à parler au téléphone. Elle pourrait mettre ses pinceaux à tremper, mais ce n'est pas de cette manière qu'elle travaille. Quand elle arrête de peindre, la jeune fille nettoie tout sur-le-champ, sinon elle reporte constamment la corvée.

— Peux-tu lui faire le message que je vais la rappeler après le déjeuner ?

— Que dirais-tu de le lui dire toi-même ? répond Sylvie en entrouvrant la porte de la chambre de sa fille. Tiens !

C'est à regret que Sonia saisit le combiné de sa main libre. Sa mère aurait très bien pu transmettre le message. Finalement, l'appel ne dure pas aussi longtemps que Sonia l'avait craint. Aussitôt qu'elle aura fini de nettoyer ses pinceaux, elle ira déjeuner. Tant et aussi longtemps qu'elle peint, elle ne sent pas la faim. Mais là, elle mangerait un éléphant.

Quand elle entre dans la cuisine, tous les siens sont attablés. Ils disposent encore d'une heure avant d'aller à la messe.

— À quelle heure t'es-tu levée, Sonia ? demande Sylvie.

— J'ai fait très attention pour ne réveiller personne, se défend Sonia d'une voix plaintive.

— Rassure-toi, tu ne m'as pas réveillée. C'est juste qu'en te remettant le téléphone, j'ai constaté que ta toile était bien plus avancée qu'hier. Il faudra d'ailleurs que j'aille la voir de plus près…

— En fait, j'ai ouvert les yeux à cinq heures. J'ai essayé de me rendormir pendant au moins une heure, mais après j'ai commencé à peindre.

— Est-ce que c'est parce que tu n'as pas la conscience tranquille que tu t'es levée d'aussi bonne heure ? la taquine son père.

— Même pas ! Tu devrais le savoir : je mène une vie de sœur depuis que je suis revenue de voyage. Je n'ai même plus de *chum* maintenant. Tout ce que je fais, c'est travailler… et changer des maudites couches.

— Arrête de te plaindre ! intervient Junior. Je mettrais ma main au feu que tu ne resteras pas célibataire longtemps. Attends seulement que l'école commence et ce sera comme avant : les gars vont faire la file devant toi quand ils vont savoir que tu es libre.

— Tu peux bien parler, toi ! riposte Sonia. Tu n'as qu'à entrer en collision avec une belle fille pour qu'elle devienne ta blonde.

— Tut ! Tut ! Tut ! rectifie Junior. Ça n'a pas été tout à fait aussi simple que ça. J'ai été obligé de faire quelques prouesses pour arriver à mes fins, alors que toi les gars te tombent dans les bras dès que tu passes devant eux. Et ne prétends pas le contraire. Il faudrait être aveugle pour ne pas voir qu'ils bavent tous devant toi aussitôt que tu te montres le bout du nez.

— Tu exagères tout le temps.

— En tout cas, j'en connais un qui n'attend qu'un mot de ta part pour sortir avec toi.

Sonia lance un regard noir à son frère. Au lieu de se laisser impressionner, Junior reprend de plus belle :

— Tout le monde est au courant que Langis veut reprendre avec toi.

Junior est trop de belle humeur pour que Sonia parvienne à le faire taire. Depuis qu'il sort avec la belle Christine, il a tellement pris d'assurance qu'il n'est plus le même. Avant, il était de nature joyeuse, mais il avait ses hauts et ses bas comme tout le monde. Dorénavant, il est toujours de bonne humeur. C'est pourquoi Sonia s'empresse de lancer un nouveau sujet de discussion, après avoir fait une grimace à son frère.

— Je ne sais pas si c'est pareil pour vous, mais il y avait bien longtemps que je n'étais pas allée à un mariage aussi plaisant.

— Je suis tout à fait d'accord avec toi, renchérit Sylvie. Et tante Irma était tellement belle !

— Tu as bien raison, approuve Michel. Une chose est certaine : personne n'aurait pu deviner qu'il n'y a pas si longtemps elle portait le voile.

— Et Lionel, la soutane ! déclare Sylvie. Ce n'est pas croyable comment le monde change. Hier encore, on n'aurait même pas pu imaginer assister à un tel mariage.

— C'est une belle femme, la tante Irma, affirme Michel sans se soucier du commentaire de sa femme.

— On aura tout vu ! s'exclame Sylvie. Tu es même rendu que tu la trouves belle. Je n'en reviens pas ! Tu fais sûrement de la fièvre.

— Veux-tu que j'aille chercher le thermomètre ? demande Luc entre deux bouchées de pain doré dégoulinant de sirop d'érable.

— Non, non ! répond promptement Sylvie. C'était une plaisanterie.

— Un homme a bien le droit de changer d'idée, à ce que je sache, indique Michel en se retenant de rire.

— Au moins, cette fois tu as changé pour le mieux ! plaisante Sylvie.

— Je te trouve bien effrontée de me dire des choses comme ça juste avant d'aller à l'église. Si j'étais à ta place, je me laverais la bouche avec du savon.

François, Dominic et Luc grimacent.

— J'ai une meilleure idée, reprend Michel. On pourrait partir plus tôt pour aller à la messe. Comme ça, tu aurais le temps d'aller te confesser.

— Laisse-moi tranquille avec la confession ! s'indigne Sylvie. Je te l'ai déjà dit : le curé qui va me confesser n'est pas encore né.

— Tu ne devrais pas parler comme ça devant les enfants, déclare Michel, l'air faussement scandalisé.

La conversation se poursuit sur un ton détendu jusqu'à l'heure du départ. Aujourd'hui, les Pelletier ne reviendront pas à la maison immédiatement après la messe. Sylvie veut aller au Jardin botanique de Montréal.

— Je vous invite à dîner au restaurant, propose-t-elle pour convaincre les indécis.

— Est-ce qu'on pourrait aller dans le quartier chinois ? demande Dominic.

— C'est une excellente idée ! répond Sylvie.

Les Pelletier n'ont pas l'habitude de fréquenter les restaurants. Mais depuis que leur situation financière s'est améliorée, il leur arrive d'y aller de temps en temps, ce qui réjouit chaque fois les enfants. Avant, quand ils habitaient sur l'île, ils n'étaient jamais allés manger dans le quartier chinois. Ils se contentaient de s'offrir du poulet frit Kentucky une fois par année, pendant les vacances de Michel. Quand André est venu leur rendre visite durant l'Expo, il leur a tellement vanté la cuisine chinoise qu'ils ont eu envie d'y goûter. Tous ont adoré. Malgré tout, ce sera seulement la troisième fois qu'ils se régaleront de mets chinois.

— Moi, j'accepte d'y aller, mais à une condition, indique Junior.

Il fait une petite pause avant de poursuivre d'un ton sérieux :

— Il faut que tu nous promettes de ne pas nous servir une de tes nouvelles recettes la semaine prochaine.

Il n'en faut pas plus pour que toute la famille éclate de rire. Même si cela arrive moins fréquemment qu'avant, il arrive encore à Sylvie d'essayer de nouvelles recettes. Les deux fois où les Pelletier sont allés manger dans le quartier chinois, dans les jours qui ont suivi, elle leur a concocté un repas chinois – qui n'avait évidemment de chinois que le nom. Encore une fois, la poubelle s'était vite remplie. La famille avait jeté son dévolu sur des sandwiches au beurre d'arachide et à la confiture de fraises.

# Chapitre 23

Pour une fois qu'elle est chez elle, Chantal en a profité pour dormir. Elle est réveillée depuis un petit moment déjà, mais elle traîne au lit. Appuyée sur les oreillers, elle achève de lire le roman-photo qu'elle a acheté avant de rentrer hier soir. De temps en temps, elle aime encore lire ce genre de littérature. Quand elle en a accumulé une pile, elle donne ses romans-photos à Sonia. Contrairement à elle, sa nièce les lit très rapidement. Alors qu'elle va tourner la dernière page, la sonnette de la porte d'entrée la fait sursauter. Pendant quelques secondes, Chantal hésite entre aller répondre ou finir son roman-photo. Elle dépose celui-ci à regret sur son lit et se dépêche d'aller ouvrir.

— Je ne t'ai pas réveillée, au moins ? lui demande Sylvie.

— Non, je lisais. Entre, je vais nous faire du café.

— Si tu veux en profiter pour aller t'habiller, je peux m'en occuper.

— Est-ce que c'est parce que tu n'aimes pas mon pyjama ?

— Non, non ! répond Sylvie en riant. Je n'irais pas jusqu'à te demander où tu l'as acheté, mais pour un pyjama il est correct.

— Tu n'es vraiment pas gênée de lever le nez sur lui ! Je suis certaine que tu l'aimerais beaucoup plus si je te disais le prix que je l'ai payé. Je l'ai quand même pris chez Eaton.

— Tu devrais me connaître suffisamment pour savoir que ni le prix ni la marque n'ont d'effet sur moi. Tout ce que je veux, c'est en avoir pour mon argent. Moins je paie cher, plus j'en ai.

— Là-dessus, on est bien différentes. Moi, j'aime porter des vêtements de qualité, quitte à payer plus cher. J'aime que mes vêtements durent longtemps et qu'ils restent beaux.

— Et Maurice, lui, est-ce qu'il le trouve beau ton pyjama ? la taquine Sylvie.

Voyant la tournure que prend la conversation, Chantal lance :

— Je cours m'habiller et je te raconte tout après. Je veux un café très fort.

De retour dans sa chambre, Chantal s'empare de son roman-photo. Il n'est pas question qu'elle rejoigne Sylvie avant de l'avoir terminé. Elle s'assoit sur le bord de son lit et reprend sa lecture. Même si la conclusion était prévisible dès les premières pages – les romans-photos étant tous bâtis sur le même modèle –, Chantal essuie quelques larmes avec le revers de sa manche de pyjama quand elle arrive à la fin. Elle a beau savoir que la vraie vie n'a rien de commun avec ces romans, chaque fois elle entre totalement dans l'histoire comme s'il s'agissait de sa propre vie.

Chantal enlève rapidement son pyjama et enfile une paire de jeans. Elle se demande comment elle a pu vivre sans jeans pendant toutes ces années. Elle n'est pas devin, mais elle mettrait sa main au feu que cette nouvelle mode est là pour rester. Aux dires de Sylvie, c'est bien moins féminin qu'une robe. « Peut-être, répond chaque fois Chantal, mais c'est tellement plus confortable. » La dernière fois qu'elle a vu Sonia, celle-ci portait une paire de jeans tellement serrés que Chantal lui a demandé comment elle faisait pour entrer dedans. « C'est simple : je me couche sur mon lit et je me tortille tout le temps qu'il faut pour les mettre. Mais le plus difficile, c'est de monter la fermeture éclair. Parfois, je suis obligée de prendre un crochet à tricoter pour y arriver. » Des jeans aussi ajustés sur sa nièce, c'est très beau, mais pour sa part, Chantal a choisi les siens moins serrés. Elle est trop vieille pour avoir du mal à respirer par la faute de son pantalon. Sonia a tout fait pour la convaincre que c'était plus confortable que ça en avait l'air. Mais Chantal, qui a essayé d'entrer dans les jeans de sa nièce, est loin d'en être sûre.

En voyant sa sœur pénétrer dans la cuisine, c'est plus fort que Sylvie. Elle y va de son petit commentaire :

— Comme dirait Dominique Michel, je ne hais pas cette mode, je « l'haguis » !

— Ma pauvre Sylvie, il va falloir que tu en reviennes ! Je suis certaine que si tu essayais une paire de jeans, tu ne voudrais plus rien savoir de tes robes de madame.

— Moque-toi de mes robes autant que tu veux, mais tu le sais comme moi que c'est bien plus féminin que vos *overalls*. Les cultivateurs portent ça pour aller traire les vaches.

— Et pour faire les foins aussi ! la nargue Chantal. Je sais tout ça, mais maintenant que je connais le confort, il n'est pas question que j'y renonce.

Chantal sait très bien qu'il vaut mieux changer de sujet. Bien que les deux sœurs se ressemblent à de nombreux égards, aucune des deux ne cédera uniquement pour faire plaisir à l'autre.

— Que voulais-tu savoir sur Maurice au juste ? demande Chantal d'un air coquin.

— Je veux tout savoir ! répond promptement Sylvie.

— D'abord, laisse-moi te dire que j'ignore s'il aime ou non mon pyjama parce que lorsqu'on est ensemble… eh bien je n'en porte pas !

Plutôt que de se contenter de rire, Sylvie lance :

— Mais comment fais-tu pour…

Elle n'arrive pas à choisir les mots pour exprimer sa pensée. Le sourire aux lèvres, Chantal vient à sa rescousse.

— Pour faire l'amour avec lui sans être mariée ? C'est bien cela que tu veux dire ?

Sans laisser la chance à Sylvie de répondre, elle poursuit sur un ton légèrement ironique :

— C'est simple : exactement comme Michel et toi.

— Ne le prends pas comme ça ! s'insurge Sylvie.

— Comment veux-tu que je le prenne ? Tu me rebats toujours les oreilles avec les mêmes affaires. Au risque de me répéter, sache que je n'ai nullement l'intention de me marier pour le moment. Et Maurice est d'accord avec moi.

Sylvie n'aime pas la tournure que prend la conversation. C'est pourquoi elle décide de faire marche arrière.

— Excuse-moi, ce n'est pas de mes affaires. Je ne t'embêterai plus avec ça.

— Tu es tout excusée, répond Chantal en la prenant dans ses bras. Tu sais bien que je suis incapable de t'en vouloir plus d'une minute, même quand tu le mérites. En tout cas, je ne te remercierai jamais assez de me l'avoir présenté.

Il n'en fallait pas plus pour relancer la discussion.

— Mais je ne te l'ai pas présenté, c'est toi qui as fait les premiers pas.

— En tout cas, tu sais ce que je veux dire…

Sur un ton teinté de gentillesse, Sylvie déclare :

— Si tu ne bois pas ton café bientôt, il ne sera pas buvable tellement il va être froid.

Sylvie s'assoit en face de sa sœur.

— C'est vrai, je te n'ai pas raconté ça. La mère de Michel va venir passer une couple de semaines chez nous. Elle est supposée arriver samedi après-midi. Tu devrais voir les enfants : ils sont fous comme des balais à l'idée que leur grand-mère vienne les voir ! Depuis qu'ils le savent, les jumeaux et Luc sont intenables tellement ils sont énervés.

— Comment va-t-elle depuis la mort de son mari ?

— J'en parlais justement à Michel hier au souper. Madame Pelletier m'impressionne. Son moral est bon, en tout cas bien mieux que ce que j'aurais cru. Il paraît même qu'elle a arrêté de fumer, et c'était une grosse fumeuse. Michel me disait qu'avant que son père soit emporté par le cancer, elle fumait autant que lui, ce qui n'est pas rien. La dernière fois que monsieur Pelletier est venu chez nous, il m'avait dit qu'il fumait un paquet et demi par jour.

— Moi, je ne comprendrai jamais comment les gens font pour fumer autant.

— C'est simple, pourtant : ils fument leurs cigarettes l'une après l'autre ! ironise Sylvie.

Chantal se retient de lui donner une petite tape sur l'épaule.

— Je veux bien croire, mais il faut quand même prendre le temps de les allumer et de les fumer aussi.

— Tu ne peux pas comprendre, tu n'as jamais fumé. En tout cas, moi, je ne peux pas voir le jour où je cesserai de fumer.

— Je ne sais pas comment tu es faite. Ton beau-père vient de mourir d'un cancer du poumon et toi, tu continues à fumer comme si de rien n'était. Mais dis-moi donc comment va Michel depuis la mort de son père ?

— Tu sais, même s'il s'entendait bien avec son père, c'était loin d'être l'amour fou entre eux. C'est certain que ça lui a fait de la peine, mais selon moi tout est rentré dans l'ordre. En tout cas, il n'en parle pas et il n'a pas l'air si triste que ça. Mais tu aurais dû le voir quand sa mère lui a demandé si elle pouvait venir chez nous. Il avait à peine raccroché qu'il s'est mis à danser sur place. Il avait l'air d'un enfant. Réalises-tu que ce sera la première fois que sa mère va venir seule chez nous ?

— Et toi, qu'est-ce que tu en penses ?

— Je m'entends très bien avec ma belle-mère. Je suis contente et j'ai hâte de la voir. J'ai dit à Michel que je pourrais en profiter pour aller rendre visite à Alice avec elle. Ça lui donnerait l'occasion de voir Ottawa.

La dernière fois que Sylvie a parlé à Alice, son amie n'était pas au meilleur de sa forme. Elle avait des problèmes de foie. Elle lui a raconté qu'elle ne mangeait presque plus parce que chaque fois qu'elle prend une bouchée, elle a l'impression d'avoir avalé un éléphant. Même après une bonne nuit de sommeil, elle se sent fatiguée, tellement que certains jours elle dormirait partout. Elle qui était si enjouée, voilà qu'elle est obligée de se coucher une heure chaque après-midi. Sylvie espère de tout son cœur que les choses se sont améliorées pour sa vieille amie.

Lorsque madame Pelletier viendra en visite, Sylvie en profitera pour gâter un peu sa belle-mère. Elle l'emmènera dormir à l'hôtel et l'invitera à manger au restaurant. Elle attend cette occasion depuis qu'elle a reçu son héritage.

Michel a dans la tête de convaincre sa mère d'aller passer quelques semaines à Edmonton, chez André. Il lui en a glissé un mot au téléphone. Il a été surpris qu'elle lui dise qu'elle allait y penser ; auparavant, elle ne voulait jamais partir sans son mari.

— Il paraît qu'elle ne tient plus en place depuis que mon beau-père est mort, poursuit Sylvie. Madeleine a confié à Michel qu'elle doit téléphoner avant de passer voir sa mère si elle ne veut pas se river le nez sur une porte close.

— Ces choses-là arrivent souvent quand le mari meurt avant sa femme.

— Pourtant, je n'ai jamais eu l'impression que monsieur Pelletier l'empêchait de faire quoi que ce soit. Je l'ai même entendu plus d'une fois l'encourager à sortir avec ses amies.

— Tu sais, les femmes de sa génération ont l'habitude de tout faire avec leur mari.

— Toutes, sauf tante Irma ! s'écrie Sylvie en souriant.

— Tante Irma a peut-être l'âge de cette génération, mais c'est tout. Elle est plus moderne que ta fille, et ce n'est pas peu dire !

Effectivement, tante Irma ne ressemble pas beaucoup aux femmes de sa génération. Elle est toujours prête à sortir, même sans Lionel. Comme elle le répète, plus jamais elle ne laissera quelqu'un, pas même son mari, l'empêcher de faire ce dont elle a envie.

— Sais-tu la dernière, Chantal ?

— Ça dépend…

— Imagine-toi que la dernière fois qu'on est allés rendre visite à tante Irma, elle a réussi à faire fumer Michel avec elle.

— Mais ce n'est pas nouveau. Depuis que je le connais, Michel fume.

— Tu ne comprends pas. Elle lui a fait fumer un petit joint, comme elle dit.

— Non ? s'étonne Chantal. Je ne te crois pas !

— C'est la stricte vérité.

— Et tu les as laissés faire sans rien dire ? Et Lionel n'est pas intervenu non plus ?

— Tu me connais. J'ai essayé d'empêcher Michel, mais je dois avouer que je ne suis pas de taille avec tante Irma. Tu aurais dû les voir : ils avaient l'air de deux gamins quand ils sont revenus dans la maison. Et Michel n'arrêtait pas de prendre tante Irma par le cou et de lui murmurer qu'il l'aime.

— Et Lionel ?

— Il estime que tante Irma a été privée de liberté tellement longtemps que ce n'est certainement pas lui qui va l'empêcher de faire quoi que ce soit, surtout pas de fumer un joint si cela lui fait plaisir.

— Mais lui, il ne fume pas, si je me souviens bien ?

— Non. Il m'a raconté que la fumée lui donne la nausée. C'est d'ailleurs pour ça que tante Irma va fumer à l'extérieur. Mais tu la connais ; elle nous a tellement fait rire. Elle nous a dit qu'elle pensait sérieusement à faire pousser quelques plans de cannabis dans son jardin l'année prochaine. « C'est payant, vous savez. Le type à qui j'achète mon pot est agent d'assurance de métier, et producteur pendant la belle saison. Croyez-moi : c'est pas mal lucratif. »

— J'espère qu'elle ne se mettra pas à la culture ! s'exclame Chantal, l'air indigné. Il ne manquerait plus qu'elle se fasse arrêter.

— Arrête de t'en faire pour rien. Tante Irma est bien trop intelligente.

— C'est justement ce qui m'inquiète. Si tante Irma se met dans la tête de cultiver le cannabis, elle va agir envers et contre tous. Quand une idée lui traverse l'esprit, elle fonce la tête la première.

— Changement de sujet... As-tu des nouvelles d'Éliane ? Il y a un moment que je ne l'ai pas vue.

— Ça me fait tout drôle de te donner des nouvelles de ton amie, déclare Chantal. La dernière fois que je l'ai vue, elle allait très bien. Je ne l'ai pas lâchée cet été. C'est fou le nombre de touristes qu'on a eu. Je te jure, il y a des jours où je ne savais plus où donner de la tête. Éliane fait de l'excellent travail. Les touristes l'adorent. Selon moi, elle a dû recevoir beaucoup de pourboires. Hier, le prêtre en charge des visites de l'Oratoire m'a appelée ; il est enchanté. On aura beau dire tout ce qu'on veut contre l'Expo, une chose est certaine : depuis sa tenue, des gens de partout sur la planète veulent connaître Montréal.

— Grâce aux Expos de Montréal, le nom de la ville va circuler encore plus.

— Si on m'avait dit un jour qu'on aurait une équipe de baseball, j'aurais été la première à rire. Sincèrement, je ne pensais pas que les Québécois s'intéressaient à ce jeu. Je n'ai jamais vu quelque chose d'aussi plate de toute ma vie.

— C'est aussi mon avis. Mais selon Michel, c'est parce qu'on ne comprend pas le jeu.

— Une chose est certaine : à la vitesse où les matchs se déroulent, les joueurs ne courent pas grand risque de se blesser.

— C'est encore drôle. Il paraît qu'il y a de nombreuses blessures dans ce sport, mais ce n'est pas moi qui le dis.

— Je suppose que c'est Michel, dit Chantal d'un ton moqueur.

— Là, tu te trompes. C'est papa.

— Je n'aurais jamais cru qu'il s'intéresserait au baseball. On aura tout vu...

# Chapitre 24

Michel en est déjà à sa quatrième semaine de travail au magasin. Contrairement à ce qu'il craignait, la transition s'est faite en douceur. Il faut dire qu'il n'a pas eu beaucoup de temps pour penser. Entre la visite des greniers et des granges à laquelle il est attitré – ce qui lui prend pas mal de son temps –, l'étiquetage, la vente et la tenue de livres, c'est à peine s'il s'arrête pour dîner.

D'ailleurs, Paul-Eugène le sermonne fréquemment à ce sujet.

— Voyons, Michel, on ne travaille pas pour le diable ! Tu devrais au moins prendre le temps de manger. Je te promets de ne pas couper ta paie, si c'est ça qui t'inquiète.

— Ne te mêle pas de ça. Tu n'as qu'à me regarder pour constater que j'ai des réserves pour plusieurs jours.

— Tu le sais comme moi que c'est très mauvais pour toi.

Le regard noir, Michel affirme :

— Je t'avertis, tu es bien mieux de ne pas me parler de mon diabète. Je te vois venir avec tes gros sabots.

— Si tu mangeais aux heures habituelles, tu ne serais pas obligé de te gaver de petits gâteaux au beau milieu de l'après-midi, commente Paul-Eugène sur un ton ironique. Tu devrais faire comme moi et manger plus de légumes.

Cette fois, sur un ton trahissant son irritation, Michel déclare :

— Tu n'es pas ma mère ni ma femme, alors arrête de me couver et laisse mon diabète tranquille. Est-ce que c'est clair ?

— Ne le prends pas comme ça. Moi, je disais ça pour ton bien.

Michel a de plus en plus la mèche courte lorsque Paul-Eugène passe un commentaire en lien avec sa santé. Il sait parfaitement qu'il pourrait faire plus attention à lui. Le jour où il souhaitera manger à des heures plus raisonnables, il s'organisera en conséquence. Pour le moment, tout est parfait pour lui.

Conduire un camion ne lui manque pas. Michel adore son travail actuel. Pour lui, il n'y a pas de plus beau métier. Tout à coup, il se souvient que c'est aussi ce qu'il pensait quand il était camionneur. Au fond, les deux métiers ont quelques points en commun.

Il parcourt les campagnes à la recherche d'objets rares, ce qui lui permet de rencontrer une multitude de gens. De nature sociable, cette facette est loin d'être un fardeau pour lui. En plus, il traite plus souvent qu'autrement avec des femmes. La plupart du temps, elles lui font les yeux doux ; cela est très plaisant. Chaque fois qu'il repart d'une de ces rencontres, il se sent gonflé à bloc et ne porte plus à terre. Il ne rate jamais une occasion de parler de ses succès avec Paul-Eugène et Fernand dès qu'il revient au magasin. Il a reçu plus d'un coup de poing sur l'épaule de leur part.

Comme il connaît de plus en plus son affaire, il repère d'un seul coup d'œil les belles pièces. Bien souvent, il acquiert des trésors pour une bouchée de pain. L'autre jour, Fernand l'a traité de voleur quand il a su ce qu'il avait donné à une veuve pour une armoire.

— Tu devrais être gêné, Pelletier ! C'est bien beau de faire de l'argent sur le dos du pauvre monde, mais tu n'es pas obligé de les rouler.

— Mais je n'ai rien fait de mal, s'est défendu Michel, je lui ai même rendu service. Tu aurais dû la voir quand je lui ai appris que je pouvais la débarrasser de son armoire. J'ai même eu peur qu'elle me saute au cou. Crois-moi, je suis bien placé pour savoir qu'on rend service aux gens, ajoute-t-il le plus sérieusement du monde.

— Surtout aux belles femmes, a laissé tomber Fernand sur un ton attristé.

— On peut dire ça comme ça.

— Tu n'as jamais pensé qu'un mari pourrait revenir contre toi ?

— Non, ça ne m'a jamais effleuré l'esprit. On ne peut pas s'en prendre à quelqu'un qui nous débarrasse de nos vieilleries et qui nous paie en plus.

— Là-dessus, tu es vraiment différent de moi, Pelletier. J'ai le cœur trop tendre pour agir comme tu le fais.

* * *

Depuis que son père est mort, Michel se garde de trop penser à l'événement. Avant, il voyait son père deux ou trois fois par année et c'était bien correct comme ça mais, maintenant qu'il est parti, il lui manque terriblement. Plusieurs fois avant que monsieur Pelletier quitte ce monde, Michel l'a appelé par plaisir, alors qu'habituelle-ment il lui fallait presque une occasion spéciale pour le contacter. Mais il est content de lui avoir dit qu'il l'aimait quelques mois avant sa mort. Depuis, il essaie de démontrer son amour à ses enfants. Même si ce n'est pas dans sa nature, il leur témoigne son affection quand l'occasion se présente. L'autre jour, quand il a lancé aux jumeaux qu'il les aimait alors qu'ils le chatouillaient, les garçons ont arrêté net. François et Dominic l'ont regardé droit dans les yeux avant de lui demander pourquoi il leur avait dit ça.

— Parce que c'est vrai. Vous êtes mieux de vous habituer tout de suite parce que j'ai bien l'intention de vous le répéter de temps en temps.

Les jumeaux sont aussitôt allés trouver leur mère. Ils lui ont déclaré d'une voix émue :

— Maman, papa vient de nous dire qu'il nous aime. Toi, est-ce que tu nous aimes ?

Surprise, Sylvie a regardé ses petits derniers et leur a souri.

— Si je ne vous aimais pas autant, il y a des jours où je vous vendrais. Bien sûr que je vous aime. Allez jouer maintenant !

* * *

Hier soir, Sonia est allée prendre une marche avec son père et Prince 2. À un moment donné, elle a parlé de Martine. Elle a avoué qu'elle ressentait une drôle d'impression quand elle était avec la cousine de Michel. La jeune fille se sent extraordinairement bien dans ces occasions. Il y a quelque chose de spécial entre Martine et elle que Sonia n'arrive pas à expliquer.

— C'est comme si je la connaissais depuis toujours. Je te le répète, papa, ça me fait tout drôle.

— Et ses filles ? lui a demandé Michel. Je sais que tu t'entends bien avec elles, mais…

Sonia n'a même pas laissé le temps à son père de terminer sa phrase.

— Si j'avais des sœurs, je voudrais qu'elles leur ressemblent.

Michel n'aime pas avoir ce genre de conversation avec Sonia ; ça l'insécurise au plus haut point. Il craint d'être obligé un jour de lui avouer la vérité. Et si ce jour-là arrive, il a peur que Sonia lui en veuille à mort. Il sait d'avance qu'il ne pourrait pas le supporter. Avant, jamais elle ne parlait de ces choses-là alors que, maintenant, elle revient constamment là-dessus. Elle a beau répéter que ce sont Sylvie et Michel ses vrais parents, c'est loin de rassurer ces derniers.

Michel n'a pas rapporté sa conversation avec Sonia à Sylvie. Elle aurait eu trop de peine. Il s'est contenté de réfléchir à tout ça jusqu'aux petites heures du matin. Il lui arrive de penser que ce serait peut-être mieux pour tout le monde d'en finir avec cette histoire, une fois pour toutes. Martine cesserait enfin de chercher sa fille et aurait sûrement une plus belle vie. Sonia connaîtrait sa mère. Sylvie et lui seraient libérés d'un grand poids. Si on connaissait d'avance toutes les répercussions des gestes qu'on pose, il y en a certains qu'on éviterait. Il aurait été facile de demander un autre bébé à la religieuse au moment où il a su que la petite fille qu'on leur proposait avait été mise au monde par l'une de ses cousines. Michel s'est souvent questionné là-dessus. Pourquoi n'a-t-il rien dit à ce moment-là ? Peut-être est-ce pour se donner bonne conscience, mais il a toujours pensé que ce qui pouvait arriver de mieux à l'enfant de Martine, c'était d'être adopté par quelqu'un de la famille. C'est ce qu'il croit encore aujourd'hui. Mais quelque chose lui souffle qu'il n'a pas le droit de révéler la vérité, parce que celle-ci ne lui appartient pas. Seule Sonia détient le pouvoir de demander à la connaître. Michel a bien l'intention de respecter son choix aussi longtemps qu'il vivra.

* * *

Au moment où Michel va sortir de la cour de la maison de ferme où il vient de remplir sa remorque de beaucoup de choses, à tel point qu'il va devoir retourner au magasin sur-le-champ, la femme avec qui il a traité sort sur le perron et lui fait des grands signes de la main. Il éteint le moteur de son véhicule et va à la rencontre de sa cliente.

— Venez avec moi à la grange. Je ne sais pas si ça va vous intéresser, mais moi j'aimerais bien me débarrasser de ces objets. Mes frères sont allés se battre au Japon et ils ont rapporté leurs armes. Ces épées pèsent une tonne. Chaque fois que je les vois, ça me donne la chair de poule.

Michel se garde bien de montrer son enthousiasme à la femme.

— Comme mes frères vivent en logement, c'est moi qui ai hérité de leurs armes. L'année passée, je leur ai dit de venir les chercher, mais ils m'ont tous dit qu'ils n'en voulaient plus.

— Vous avez combien de frères ?

— J'en ai huit, mais cinq seulement sont allés au Japon. Croyez-moi, je serais très contente si vous me débarrassiez de toutes ces épées.

Michel et la femme se tiennent maintenant devant un grand coffre de bois dont on ne voit qu'une partie à cause des piquets de cèdre qui le recouvrent.

— Les épées sont dans ce coffre, dit la femme.

À mesure qu'il enlève les piquets de cèdre, Michel sent son cœur battre de plus en plus vite. C'est chaque fois pareil. Quand il est sur le point de découvrir un trésor, il se sent comme un enfant. Des gouttes de sueur perlent à son front. Le coffre est maintenant accessible. Il le dépose sur le sol. Le poids de celui-ci porte Michel à croire qu'il va aimer ce qu'il va découvrir dans quelques secondes.

Quand il ouvre le coffre, il voit cinq sabres. Michel jubile, mais il n'en montre rien. Il prend un sabre dans ses mains et l'examine attentivement, en feignant de lui trouver des défauts. Il se permet même de faire quelques mimiques pour traduire sa déception alors que c'est exactement ce qu'il cherche. Il est fou de joie. En silence, il répète le même scénario avec les quatre autres armes en prenant son temps. La femme l'observe. Lorsque Michel remet le dernier sabre à sa place, elle lance :

— Je ne veux pas vous les vendre.

Michel se rembrunit. S'il y a une chose qu'il déteste, c'est bien qu'on lui fasse perdre son temps. Il n'est pas question qu'il quitte les lieux sans les sabres, pas maintenant qu'il les a vus.

— Je vous les donne, poursuit la femme.

Michel se retient de lui sauter au cou. Il se ressaisit vite. L'air sévère, il déclare en se frottant le menton :

— J'ignore si je vais pouvoir en tirer grand-chose, mais je pourrais quand même vous dédommager un peu.

— Non, non, je ne veux rien. De toute façon, qu'est-ce que je pourrais faire avec ces affaires-là ? Vous pouvez même emporter le coffre, si vous voulez.

— Je vous remercie, madame. Si vous avez d'autres articles dont vous aimeriez vous débarrasser, vous n'avez qu'à me téléphoner. Je me ferai un plaisir de revenir vous voir. Bonne journée !

Michel dépose doucement le coffre sur le siège arrière de son auto. Une fois derrière son volant, il se retient de crier tellement il est content. Il ne sait pas encore combien valent les armes, mais une chose est certaine : il va faire quelques appels avant de les proposer à un client. Il a hâte d'arriver au magasin pour montrer les sabres à Paul-Eugène et à Fernand. Ce dernier va lui dire qu'il n'avait pas le droit de profiter d'une pauvre femme. Il regardera son ami dans les yeux et lui fera son plus beau sourire, sans se préoccuper davantage de son opinion.

Comme il est plus de onze heures et demie, Michel va dîner avant de retourner au magasin. Ainsi, il ne risque pas de se faire asticoter par Paul-Eugène. Il décide d'aller manger au petit casse-croûte près du magasin. Il a très envie de hot dogs et de patates frites. Il sait bien que ce menu n'est pas idéal pour lui, mais il s'en moque éperdument. Il n'a qu'une vie à vivre et il est hors de question qu'il la passe à se priver.

Ce que Michel aime particulièrement de son nouveau travail, c'est qu'il n'a pas à traîner son *lunch*. C'est certain qu'il ne fréquente pas les plus grands restaurants – il ne pourrait pas se le permettre –, mais au moins quand il mange un sandwich, c'est par choix et non par obligation comme cela a été le cas pendant trop longtemps. Il se stationne aussi près qu'il peut du casse-croûte, non seulement pour pouvoir jeter un œil sur son chargement, mais aussi pour éviter de se faire trop mouiller. Plus il approchait de Longueuil, plus il pleuvait. La pluie est si forte à présent que les essuie-glaces ne fournissent pas. Il pourrait attendre que l'averse diminue, mais la dernière fois qu'il a fait ça, il a dû patienter plus de quinze minutes avant de pouvoir sortir de l'auto. Il prend son courage à deux mains et pique une course. Malgré sa rapidité, il est trempé jusqu'aux os quand il entre dans le petit restaurant, ce qui le fait sourire. Il a toujours aimé la pluie. Quand il était jeune, la toiture de la maison familiale était en tôle. Chaque fois qu'il pleuvait, quand il n'allait pas jouer dans l'eau avec ses frères, il allait s'étendre sur un vieux matelas qui traînait au grenier et il passait des heures à écouter la musique que faisait la pluie. Il lui arrivait même de piquer un petit somme jusqu'à ce que sa mère vienne le chercher pour le repas.

Alors qu'il est en train de s'éponger avec des serviettes de table, il entend une voix derrière lui.

— C'est donc ici que tu te caches, lance Fernand de sa place au fond du restaurant.

Michel va vite rejoindre son ami.

— Même pas ! répond-il. Je suis victime de mon succès, ajoute-t-il d'un air narquois. J'ai fait une seule maison et ma remorque est remplie à ras bord. Ça a été un voyage payant. J'ai hâte de te montrer tout ce que j'ai rapporté.

— Payant pour qui ? le taquine Fernand.

— Pour nous, voyons !

Les deux hommes éclatent de rire. Quand la serveuse arrive, Michel passe sa commande sans même jeter un coup d'œil au menu.

— Heureusement que Paul-Eugène n'est pas là, déclare Fernand, parce que je pense que tes hot dogs passeraient de travers.

— J'espère bien que tu ne vas pas t'y mettre toi aussi, affirme Michel d'un ton impatient.

— Ne t'inquiète pas. Tu es assez grand pour savoir ce que tu fais. C'était juste pour t'agacer.

— J'aime mieux ça. Je peux même t'annoncer que je vais manger une grosse pointe de tarte au sucre comme dessert.

— Parle-moi de ça ! Il y a de grosses chances que je t'accompagne. Chaque fois que je viens manger ici, je me laisse tenter. Comme dit ma belle-mère, aussi bien en profiter pendant qu'on est vivant parce que quand on va être mort, il va être trop tard.

Aussitôt que la serveuse dépose un verre de Coke devant lui, Michel le lève dans les airs en direction de son ami, par qui il est vite imité. Ils frappent leurs verres l'un contre l'autre et s'esclaffent.

# Chapitre 25

Alors que Luc s'amuse tranquillement à regarder dans le microscope que son parrain lui a offert, les jumeaux entrent en coup de vent dans la maison. En voyant son frère, Dominic s'écrie :

— Lâche ton maudit microscope et viens avec nous ! C'est rendu que tu ne mets même plus le nez dehors. Je te jure que tu ne le regretteras pas.

— Tout ça pour regarder des bibittes, commente François, l'air dédaigneux. Je ne sais vraiment pas comment tu fais pour aimer ça. Allez, grouille-toi ! Tu as deux minutes pour serrer tes affaires.

Effectivement, Luc passe beaucoup de temps sur son microscope. Depuis qu'il l'a reçu, il ne s'est pas écoulé une seule journée sans qu'il s'en serve. Il regarde tantôt un insecte, tantôt un morceau de viande, tantôt un morceau de pomme, un cheveu, un bonbon… Grâce à son parrain, il s'est découvert une véritable passion. Il aime tellement cette activité qu'il commence à remettre en question son désir de devenir pompier quand il sera grand. «Je pourrais peut-être devenir chercheur», songe-t-il de plus en plus souvent.

Non seulement les jumeaux le sollicitent souvent pour aller jouer avec eux, mais Prince 2 le réclame également. Toutefois, son maître est trop occupé pour aller courir avec lui. L'autre jour, Sylvie a menacé Luc de lui confisquer son microscope s'il ne sortait pas prendre l'air au moins une heure. Comme il n'avait pas le choix, il y est allé, mais ce n'était pas de gaieté de cœur. Il était tellement contrarié qu'il s'est contenté de s'asseoir sur la galerie pour attendre que l'heure passe. Quand elle a vu ça, Sylvie lui a interdit de rentrer tant qu'il ne serait pas allé faire courir Prince 2. «On aura tout vu. Quand je vais raconter ça à ton père, je suis certaine qu'il ne me croira pas. »

Luc avait beaucoup de plaisir avec les jumeaux, mais c'était avant qu'il reçoive son nouveau jouet. Il ne comprend pas comment son parrain a pu savoir qu'il aimerait autant regarder dans un microscope alors que lui-même ne s'en doutait même pas. Il a téléphoné à son oncle le soir même pour le remercier. Mais la conversation a été si brève qu'il ne savait rien de plus à la fin de l'appel qu'avant de composer le numéro.

Quand elle a vu l'expression de son fils, Sylvie lui a demandé s'il y avait quelque chose qui n'allait pas.

— Non! a répondu Luc en haussant les épaules. C'est à peine si j'ai eu le temps de le remercier. Il m'a dit qu'il était pressé et il a raccroché.

— Ne t'en fais pas. Tu le connais, c'est toujours comme ça avec lui. Toi qui étais jaloux de Junior parce qu'il recevait des cadeaux de son parrain, es-tu content au moins?

— C'est sûr que je suis content. Je ne sais pas trop ce que je vais faire avec un microscope, mais ça me fait plaisir d'en avoir un. Et puis, pour une fois, mon parrain a pensé à moi.

— Ne sois pas trop dur avec lui. Essaie plutôt d'apprécier le cadeau qu'il t'a envoyé.

Luc sait que les jumeaux ont raison. C'est certain que ça lui ferait du bien d'aller prendre l'air. Il lève la tête et dit:

— J'y vais à une condition : que Prince 2 puisse venir avec nous.

— C'est impossible! s'écrie François.

— Mais il ne nous dérangerait pas, argumente Luc.

— On sait tout ça, déclare Dominic. Mais aujourd'hui, il ne peut pas venir avec nous. Si tu veux, on ira au parc avec lui quand on reviendra. Allez, ramasse vite tes affaires et accompagne-nous.

Je te garantis que tu ne le regretteras pas. Il faut qu'on y aille si on ne veut pas être en retard.

Tenté par l'offre de ses frères, Luc va porter ses affaires dans sa chambre. Il suit ensuite les jumeaux jusqu'au presbytère.

Quand les trois garçons reviennent à la maison, ils sont de très bonne humeur. Luc n'a pas tari d'éloges à l'égard des jumeaux à cause du tour qu'ils jouent au curé depuis plusieurs jours sans se faire démasquer. C'est que, cette fois, François et Dominic se sont efforcés de penser à tout afin de ne pas se faire prendre. D'abord, ils ne vont pas au presbytère tous les soirs, seulement deux ou trois fois par semaine et jamais les mêmes soirs. Et puis, comme le presbytère est situé loin de chez eux, quand le bedeau ou le curé découvriront le pot-aux-roses, jamais ils ne penseront que ce sont eux les coupables. C'est du moins ce qu'ils croient.

Les jumeaux ont bien averti Luc de ne rien dire à personne, surtout pas à leurs parents. Mais ils sont à peine entrés dans la maison qu'en voyant Sylvie, le garçon s'écrie :

— Maman, tu devrais voir ce que les ju…

Il n'a pas le temps de finir sa phrase. Deux petites mains viennent instantanément se poser sur sa bouche pour l'empêcher de poursuivre.

— Laissez parler votre frère, ordonne Sylvie. Allez, enlevez vos mains et vite. J'aimerais bien savoir quel mauvais coup vous tramez encore. Continue, Luc, je t'écoute.

Luc sait très bien qu'il est allé trop loin et que s'il dit un mot de plus, il n'est pas mieux que mort. Mais sa mère ne le laissera pas tranquille tant qu'il n'aura pas tout raconté. Il faut vite qu'il se sorte de ce guêpier. Il n'est pas obligé de dire la vérité, mais il faut absolument qu'il trouve quelque chose et vite.

— Alors, vas-tu enfin te décider à parler ? s'impatiente sa mère.

— Mais je ne peux rien raconter ! proteste Luc. Les jumeaux préparent une surprise pour toi. J'en ai déjà trop dit.

D'un air innocent, Luc se tourne vers les jumeaux et ajoute, le visage grimaçant :

— Je suis désolé. Je trouve votre idée tellement bonne que ça m'a échappé.

— On a bien vu ça, admet Dominic. Si ça continue, on ne pourra plus rien te confier.

— Vous ne pouvez pas faire ça ! se plaint Luc. C'était un accident. Vous savez bien que d'habitude je sais garder un secret.

— On va y réfléchir, déclare François en bougonnant. Avant que tu parles encore, on va aller au parc avec Prince 2. Viens-t'en !

— Vous disposez exactement d'une demi-heure, les prévient Sylvie.

Puis, à l'adresse des jumeaux, elle précise :

— Et vous deux, ne vous avisez surtout pas de vous en prendre à votre frère. Sinon, vous allez avoir affaire à moi. Allez, ouste !

Une fois les garçons sortis de la maison, Sylvie lève les yeux au ciel. Elle gagerait que les jumeaux trament encore quelque chose de peu catholique. Elle pourrait cuisiner Luc et elle finirait par tout savoir, mais ce n'est pas le chemin qu'elle va emprunter. Dresser un de ses fils ou sa fille contre ses autres enfants va totalement à l'encontre de ses principes. Quand Michel reviendra, elle va en discuter avec lui. D'habitude, quand il sort sa grosse voix, il a plus de chance qu'elle de se faire obéir. Elle replonge dans ses timbres-primes en se disant qu'elle ne devrait pas s'inquiéter. Certes, les jumeaux font des mauvais coups, mais ce n'est jamais rien de très méchant – en tout cas, pas à ce jour.

Pendant qu'elle feuillette le catalogue des primes, elle se parle en anglais dans sa tête. Elle a pris cette habitude depuis que Shirley et elle parlent uniquement en anglais quand elles se voient. En réalité, jusqu'à présent, Sylvie écoute plus qu'elle ne parle. La dernière fois qu'elle a vu son amie, elle lui a avoué qu'elle avait peur de ne jamais y arriver. Shirley a répondu qu'elle réussirait à l'unique condition d'y mettre du sien. «Si tu t'attends à y arriver en quelques heures seulement, tu te mets un doigt dans l'œil jusqu'au coude. Combien de temps crois-tu que j'ai mis à apprendre le français? J'ai tellement pleuré au début que ma mère est passée à deux doigts de m'envoyer à l'école anglaise, mais mon père ne l'a pas laissée faire. Il l'a assurée que je finirais par passer à travers. Il avait raison. J'ai travaillé fort, mais j'y suis parvenue. Dans les premiers temps, c'était loin d'être parfait, mais il faut un début à tout. Je commettais un paquet d'erreurs, j'en fais d'ailleurs encore aujourd'hui, mais j'arrivais à me faire comprendre. Tu vois, j'ai survécu. Ce n'est pas pour te relancer, mais contrairement à toi, je ne connaissais pas un mot de français avant de déménager à Montréal; je n'avais même jamais entendu parler français. Mais toi, tu te débrouilles déjà très bien en anglais. Tout ce qu'il te manque, c'est un peu de courage pour te lancer et parler avec d'autres comme tu le fais avec moi. Tu sais, la plupart des gens sont très gentils; ils vont comprendre ce que tu essaies d'exprimer même si tu n'utilises pas les bons mots ou les bonnes expressions. Comme disait mon grand-père, le ridicule ne tue pas. Sinon, crois-moi, je serais morte depuis longtemps.»

C'est fou quand même. Quand Sylvie se parle dans sa tête, tout est parfait. Les mots qu'elle choisit, l'intonation, la prononciation: tout est impeccable. Mais lorsqu'elle parle à quelqu'un, elle cherche ses mots, elle oublie de prononcer correctement les *th*. Elle zozote même. Et elle a chaud. Au fond, ce n'est pas sorcier: elle veut trop bien faire, alors les mots se bousculent dans sa tête. Elle voudrait savoir parler anglais avant même d'apprendre. Mais là, les choses devraient mieux se passer. Shirley lui a dit qu'elles allaient se voir chaque semaine juste pour converser en anglais et qu'elles passeraient au moins deux heures ensemble. Parfois, elles iront magasiner ou prendre un café. Et dès que Sylvie sera un peu plus avancée, elles iront voir un film en anglais au cinéma.

La dernière fois que Sylvie a vu Paul-Eugène, ce dernier s'est adressé à elle en anglais. Sur le coup, elle a figé sur place, mais une fois la surprise passée, elle lui a répondu dans la langue de Shakespeare. Elle lui a même demandé de lui parler seulement en anglais dorénavant. La dernière fois que les deux familles ont mangé ensemble chez Sylvie, les jumeaux et Luc avaient les yeux grands comme des trente sous. Pour eux, que Shirley parle en anglais est quelque chose de tout à fait normal, mais que leur oncle et leur mère fassent de même les étonnait grandement. Les yeux rivés sur les adultes, ils en oubliaient même de manger.

Voilà maintenant que Sylvie tourne les pages de son catalogue sans vraiment voir ce qu'elles contiennent. Il lui arrive encore d'avoir des absences. Celles-ci se produisent toujours au moment où elle s'y attend le moins. Le visage de Martin s'impose à elle. Chaque fois, cela la remplit de tristesse et un voile de larmes couvre ses yeux. Comment pourrait-il en être autrement ? Certes, elle a réussi à tourner la page et a repris une existence quasi normale, en tout cas davantage que pendant les mois qui ont suivi la mort de son fils. Mais il y aura toujours une partie d'elle qui restera accrochée à l'immense peine causée par la disparition de son Martin. Jamais son cœur de mère ne se cicatrisera complètement. Il lui arrive d'errer longtemps dans cette atmosphère remplie de souvenirs heureux.

Ce n'est que lorsque Sylvie entend ouvrir la porte d'entrée qu'elle revient au présent. Elle s'essuie les yeux du revers de la main et essaie de se composer un visage impassible.

En découvrant sa femme en plein décompte de ses timbres-primes, Michel ne peut s'empêcher de la taquiner.

— Crois-tu que tu en aurais assez pour m'offrir une nouvelle auto ?

Sylvie sent instantanément la moutarde lui monter au nez. Michel devrait le savoir depuis longtemps. Il n'a pas le droit de se mêler de tout ce qui touche ses timbres-primes. Voir si elle pourrait en avoir suffisamment pour une auto ! Voyons donc ! Il ne faut quand même pas exagérer. Même si l'épicerie coûte de plus en plus cher, ce qui donne évidemment plus de primes, le nombre de primes exigées augmente à la même vitesse.

— Peut-être la semaine prochaine, ironise-t-elle. Sérieusement, vas-tu finir par me laisser tranquille avec mes timbres-primes ? ajoute-t-elle d'un ton chargé d'impatience.

— Tu le sais bien, c'est plus fort que moi, répond-il avec son plus beau sourire. Quand je te vois en plein calcul, je ne peux pas résister.

— Si tu veux te rendre utile, tu pourrais peut-être m'aider à les compter. Ça fait trois fois que je le fais et je n'arrive jamais au même résultat.

— Ai-je bien entendu ? s'étonne Michel. Tu veux vraiment que je compte tes timbres-primes ? Non, il n'en est pas question ! Tu sais ce que j'en pense… Je ne veux même pas les tenir dans mes mains, ne serait-ce qu'une seule seconde. Tu pourrais demander à Junior de t'aider ; il est très bon en calcul. Mais moi, je passe mon tour !

— Pourquoi es-tu d'aussi mauvaise foi ? Je ne te demande pas d'aimer les timbres-primes, juste de les compter.

— Désolé, mais c'est trop pour moi.

Il y a des moments où Sylvie a du mal à comprendre son homme. Habituellement, il est de nature très conciliante, mais chaque fois qu'il est question de timbres-primes, il voit rouge. Il a beau être en désaccord avec son choix d'épicerie, il va pourtant falloir qu'il lâche le morceau à un moment donné parce qu'il est absolument hors de question que Sylvie change d'endroit juste pour lui faire plaisir. La cuisine, c'est son affaire et personne, pas même lui, ne viendra lui dicter où elle doit aller faire son marché.

— Parfois, j'ai de la misère à te suivre, avoue Sylvie. Aussitôt que tu entends le mot *épicerie,* tu te transformes en despote. Vas-tu finir par me ficher la paix avec mes timbres-primes ? Est-ce que je me suis bien fait comprendre ?

Michel soupire un bon coup et se frotte le menton. Il doit le reconnaître : s'il était à la place de Sylvie, il en aurait plus qu'assez de se faire agacer sans arrêt. Il a beau dire que c'est pour la taquiner, mais en réalité c'est pour essayer de lui faire entendre raison et lui faire admettre une fois pour toutes qu'elle paie le gros prix pour avoir des primes. Nul doute, elle sait ça aussi bien que lui. Seulement, ce qui le fâche, c'est qu'elle n'a pas l'intention de remédier à la situation. Comment une femme intelligente comme elle peut-elle s'entêter de la sorte ?

Au bout de quelques secondes, Michel dit :

— Tu as raison. Je te promets de ne plus t'achaler avec les timbres-primes.

— J'aime mieux ça, répond Sylvie d'un ton sec. Changement de sujet, il faudrait que tu parles aux jumeaux. J'ai bien l'impression qu'ils sont encore sur un coup.

— À ce que je sache, ils sont toujours sur un coup. Où est le problème ?

— Le problème ? Si je le savais, je ne te demanderais pas d'intervenir. Tu les connais, il y a longtemps que je ne les impressionne plus. En passant, Luc est au courant.

— Il n'est pas question que je me serve de lui. Je parlerai aux jumeaux quand ils rentreront.

— Justement, les voilà, annonce Sylvie en entendant ouvrir la porte de derrière.

# Chapitre 26

Sonia et Lise sont avachies sur le vieux divan brun du sous-sol et Isabelle est assise de travers sur le gros La-Z-Boy brun. Il vaut mieux que Sylvie ne les voie pas. Cette dernière ne raterait pas une occasion de leur servir une petite leçon sur l'importance d'un bon maintien, surtout pour les filles. Comme tous les jeunes de leur âge, elles en profitent pour faire fi des règles dès qu'elles en ont l'occasion. Mais les endroits où elles ne sont pas tenues de se tenir le corps droit et les oreilles molles ne sont pas légion. En fait, il ne leur reste plus que le sous-sol de chacune de leur maison – mais il y a un divan seulement chez les Pelletier. S'avachir sur une chaise droite, c'est beaucoup moins plaisant.

Pendant qu'une grosse boîte de chips Fiesta passe de main en main, entre deux gorgées de Coke, les jeunes filles discutent allègrement. En plus de se couper la parole, elles se permettent même de parler la bouche pleine, ce qui les fait bien rire. Sans qu'aucune règle n'ait été établie, quand elles sont ensemble, les trois filles se permettent de faire à leur guise sans se questionner très longtemps sur ce que l'étiquette exige.

— Parle-nous de tes cours de personnalité, déclare Lise d'un ton moqueur.

— Cela vous intéresse vraiment ? s'étonne Sonia. Je vous avertis, c'est à vos risques et périls.

— Allez ! s'exclame Isabelle après avoir tiré une bouffée de sa cigarette. On te trouve tellement chanceuse !

— Penses-tu que je vais te croire ? répond Sonia. Tant pis, vous l'aurez voulu. Hier, on a parlé de la grâce des mouvements.

Lise s'apprête à mettre son grain de sel, mais Sonia se dépêche d'ajouter :

— Laisse-moi parler. Comme je le disais, on a parlé de la grâce des mouvements. Tout y est passé. Notre professeur – vous devriez voir à quel point elle est élégante – a commencé par nous montrer comment acquérir de la tenue sans devoir fournir vraiment d'efforts. Écoutez bien. Selon elle, on peut réussir à gagner au moins un pouce de tour de poitrine et en perdre autant à la taille et au ventre seulement en se tenant correctement.

Lise ne peut s'empêcher d'intervenir.

— Ben voyons donc, ça n'a aucun sens ton affaire ! Regarde-moi. Penses-tu vraiment que si je me tiens mieux je vais maigrir ?

— Je n'ai pas dit que tu allais maigrir, mais que, si tu te tiens mieux, tu vas améliorer ton apparence. Je ne sais pas si c'est vrai, mais elle a raconté qu'une jeune fille de sa connaissance a réussi à passer de la taille 14 à la taille 10, tout en prenant cinq livres, simplement en ayant un meilleur maintien.

— C'est impossible ! affirme Lise d'un ton autoritaire.

— Laisse-la donc parler, déclare Isabelle. Ça m'intéresse ce que Sonia raconte.

— On sait bien, toi... émet Lise.

Isabelle et Lise sont devenues amies par l'entremise de Sonia, mais c'est loin d'être toujours l'amour fou entre les deux filles. Plus souvent qu'autrement, Sonia les voit une à la fois. Lise est plus souple depuis qu'elle a un *chum*, mais il lui arrive encore de se montrer désagréable avec Isabelle. Il y a des jours où Sonia a vraiment l'impression que Lise met tout en œuvre pour faire sortir Isabelle de ses gonds. De nature plutôt conciliante, cette dernière n'a encore jamais perdu patience, mais ça va finir par arriver. Sonia la connaît suffisamment pour savoir que ce jour-là, ça va barder.

— Continue, Sonia, se contente de dire Isabelle.

— Notre professeur nous a montré comment se tenir debout, comment on doit s'asseoir, comment marcher, comment monter et descendre un escalier, et un tas d'autres choses aussi. Je suis bien obligée d'avouer que c'était très intéressant. Ma tante Chantal avait raison : je pense bien que je vais y trouver mon compte.

— J'espère que tu ne deviendras pas précieuse et ridicule ! ajoute Lise d'un ton méprisant.

— Arrête ton petit jeu, lui ordonne Sonia. Tout le monde n'est pas obligé d'aimer les mêmes choses que toi. Pourquoi faut-il toujours que tu rabaisses les autres ? Crois-tu que, de cette manière, tu t'élèves ? C'est tout le contraire. Et puis, on a le droit de penser différemment de toi. Si ça me plaît de suivre des cours de personnalité, ce n'est certainement pas toi qui vas me faire changer d'idée, au contraire. Je ne sais pas comment ton *chum* fait pour t'endurer, tu es pire qu'une vieille fille. Tu chiales pour tout et pour rien, surtout pour rien.

— Ne le prends pas comme ça ! s'écrie Lise, offusquée.

— Comment veux-tu que je le prenne ? Il serait temps que tu réfléchisses un peu avant de parler.

De sa place, Isabelle observe les deux filles. Sonia a raison sur toute la ligne. Lise est insupportable. Dès que quelque chose ne fait pas son affaire, elle manifeste son mécontentement.

Les bras croisés, Lise regarde dans le vide. Elle sait très bien qu'elle est loin d'être reposante ces temps-ci. Tout la fait réagir. En réalité, la seule personne avec qui elle est agréable, c'est son *chum*. Sonia a raison. Il faudrait qu'elle fasse attention.

Sans crier gare, Lise se lève et annonce :

— Je m'en vais.

— Tu vois, c'est une autre affaire que je ne comprends pas, réagit promptement Sonia. Dès qu'on te dit quelque chose qui te déplaît, tu te dépêches de te sauver.

— Je ne me sauve pas, répond doucement Lise. Je sais parfaitement que je n'ai pas été correcte. Je vous appellerai demain, Isabelle et toi.

Avant que ses deux amies aient le temps d'intervenir, Lise a déjà atteint le haut de l'escalier. Isabelle et Sonia se regardent en haussant les épaules.

— Bon, on ne va quand même pas perdre notre soirée maintenant qu'elle est partie, commente Isabelle.

— Tu as bien raison !

\* \* \*

Pendant ce temps-là, au salon, Junior et Michel s'apprêtent à commencer leur cours de guitare. Ils sont toujours contents de passer un moment ensemble. On entend de plus en plus fréquemment un air de guitare dans la maison. Le père et le fils ont à cœur de devenir meilleurs. Ils se sont promis de jouer ensemble un jour et ils sont bien décidés à faire tout ce qu'il faut pour y arriver.

Quand Junior tend sa guitare à son père, celui-ci la repousse doucement du revers de la main en disant :

— Donne-moi une minute, j'ai oublié quelque chose.

Junior gratte sa guitare en attendant son père. Aussitôt qu'elle entend la musique, Sylvie s'approche. Appuyée sur le cadrage de l'entrée du salon, elle écoute. Elle fait cela chaque fois que son fils joue. Elle n'en revient pas de voir à quel point il a progressé depuis sa première leçon. Junior est humble, alors elle n'ose pas clamer haut et fort qu'il a autant de talent comme musicien que comme photographe. L'autre jour, quand Maurice et Chantal étaient à la maison,

Junior jouait de la guitare dans sa chambre. Au bout de quelques minutes seulement, Maurice a dit :

— Il ira loin, ton fils, Sylvie. Crois-moi, il a beaucoup de talent. Tu devrais demander à Xavier de venir l'entendre.

— Je suis beaucoup trop gênée pour lui demander ça ! a protesté Sylvie.

— Tu n'as aucune raison d'être gênée avec lui. Sous son air sérieux se cache quelqu'un de très gentil.

— Je sais tout ça, mais jamais je n'oserais le déranger.

— Vous me faites rire, toutes les filles de l'ensemble et toi. Je n'ai jamais compris pourquoi vous mettiez Xavier sur un piédestal. Quand on apprend à le connaître, on découvre un homme tellement simple. De tous les hommes que j'ai rencontrés dans ma vie, c'est l'un des rares que j'apprécie. En tout cas, si j'étais une femme, je ferais des pieds et des mains pour qu'il s'intéresse à moi.

En entendant cet éloge, Chantal s'est dit qu'elle avait peut-être tiré un peu vite sur la gâchette. Comme prévu, elle était allée manger avec Xavier Laberge à son retour de voyage. Elle avait d'ailleurs passé une excellente soirée. Il l'avait invitée dans un gentil petit restaurant dans le Vieux-Montréal. Il n'avait lésiné sur rien. Tout était parfait. Ils avaient parlé de tout : de voyages, de politique, de l'Expo, de musique… Être en compagnie d'un homme aussi cultivé lui avait beaucoup plu. De retour chez elle, Chantal avait songé que Xavier, malgré toutes ses belles qualités, manquait un peu de chaleur à son goût. Sans être froid, il est plutôt du genre réservé. De toute la soirée, il ne lui avait prodigué aucun petit geste d'affection. Quand il l'avait raccompagnée chez elle, il l'avait embrassée sur les deux joues et il était parti sans même suggérer un prochain rendez-vous. Après trois jours, comme elle n'avait pas eu de nouvelles de lui et que Maurice lui avait téléphoné pour l'inviter à un spectacle, Chantal avait sauté sur l'occasion. Ce n'est que deux semaines plus tard que monsieur

Laberge était revenu à la charge, mais il était déjà trop tard. Depuis le soir où ils ont assisté ensemble à un spectacle, Maurice et elle se sont vus tous les jours. Elle n'est pas en amour avec lui au point de ne plus en voir clair, mais elle est bien avec lui et il la fait rire. Pour le reste, elle verra bien ce que l'avenir leur réserve. Mais peut-être devrait-elle envisager de donner une deuxième chance à monsieur Laberge…

Quand Michel fait son entrée dans le salon, il tient un grand étui à guitare. Sylvie ne peut s'empêcher de donner son avis :

— Mais pourquoi as-tu acheté un autre étui à Junior ? Le sien est parfait, à ce que je sache. C'est même lui qui l'a choisi.

Junior cesse instantanément de jouer. Il lève la tête. Quand il voit le grand étui que porte son père, il devient tout sourire.

— Tu t'es enfin décidé à t'acheter une guitare, papa ? s'écrie-t-il joyeusement.

— Veux-tu la voir ? s'enquiert Michel, l'air fier, en tenant son étui à deux mains.

— Non seulement je veux la voir, mais j'aimerais l'essayer.

Cela faisait un petit moment que Michel songeait à s'acheter une guitare. Il savait que les cours seraient plus faciles pour lui et pour Junior si chacun possédait sa guitare, mais il ne se jugeait pas assez bon pour avoir son propre instrument. La veille, en revenant d'une de ses tournées, il s'est arrêté juste en face du magasin de musique pour attendre que le feu passe au vert. C'est alors que sans réfléchir, il a mis son clignotant pour tourner à droite au lieu de continuer en direction du magasin d'antiquités. Il a garé son auto dans la première place de stationnement libre qu'il a vue et a couru jusqu'au magasin de musique. Aussitôt à l'intérieur, il a dit au vendeur, les yeux pétillants :

— Je veux acheter une guitare, et un étui aussi.

Quelques minutes plus tard, le sourire fendu jusqu'aux oreilles, Michel ressortait avec sa guitare à la main. Il était fou comme un balai. S'il n'avait pas fallu qu'il retourne au magasin, il serait allé s'asseoir dans un parc et il aurait essayé son nouveau jouet.

Aussitôt que Michel sort la guitare de l'étui, Junior tend la main pour la prendre. Il l'examine ensuite attentivement, puis il se met en position et joue quelques notes. Finalement, il rend son verdict :

— Tu as fait un bon choix, papa. C'est une très belle guitare et elle sonne bien.

— Je suis content de te l'entendre dire parce que tu sais à quel point mes connaissances sont limitées. J'ai dû faire confiance au vendeur.

— Il t'a vendu quelque chose de bien. Je suis vraiment content que tu te sois enfin décidé.

— Moi, je ne savais même pas que ton père aimait suffisamment jouer de la guitare pour vouloir s'en acheter une, intervient Sylvie.

— J'ai dû oublier de te dire que j'y songeais, déclare gentiment Michel.

— Ne le prends pas comme un reproche, surtout, le rassure Sylvie. C'était juste une constatation. Remarque, tu m'en as peut-être déjà parlé… mais ça n'a pas d'importance. Je suis heureuse de voir que tu t'es trouvé un nouveau passe-temps.

— Moi aussi, répond Michel.

Puis, à l'adresse de Junior, il ajoute :

— Bon, est-ce qu'on joue maintenant ? Au prix que je te paie pour me montrer comment jouer de la guitare, il vaudrait mieux qu'on s'y mette !

Sa boutade fait rire Junior et Sylvie. Puis cette dernière quitte le salon.

* * *

Décidément, l'atmosphère est beaucoup plus légère depuis que Lise est partie. Sonia et Isabelle discutent ensemble, et de nombreux éclats de rire entrecoupent leur conversation.

— Comment ça se passe avec Langis depuis que vous avez repris ? s'informe Isabelle.

— Très bien ! répond Sonia en souriant. Ce n'est plus le même gars. Il aime maintenant un paquet d'affaires que j'aime aussi.

— Ça ne te fait pas peur ?

— Non. Je lui ai répété plusieurs fois de ne pas faire des choses seulement pour me plaire. Mais il m'a dit qu'il ne se forçait pas, que c'était juste parce qu'il avait décidé d'être moins « serré » et d'au moins essayer de nouvelles choses avant de déclarer qu'il n'aimait pas ça.

— Tant mieux ! Alors, tu ne regrettes pas de t'être remise avec lui ?

— Pas le moins du monde. C'est vrai que je l'avais laissé pour Normand, mais si j'avais été satisfaite de ma relation avec Langis à ce moment-là, il y a fort à parier que je n'aurais pas fait de cas de Normand. Et puis, il embrasse comme un dieu. Je ne sais pas comment j'ai pu faire pour m'en passer pendant aussi longtemps. Mais tu ne sais pas la meilleure ? Maintenant, il est le premier à chercher des occasions pour qu'on soit seuls.

— Ça veut dire que vous…

Sonia ne lui laisse pas le temps de finir sa phrase.

— Mais oui, c'est certain. Et pas juste une fois, à part ça. Mon expérience dans le domaine est quand même limitée. Mais je peux t'affirmer que c'est meilleur chaque fois.

— Wow ! clame Isabelle. Je t'envie, tu sais.

— Ne désespère pas ! Ton tour viendra.

Isabelle incline légèrement la tête, ce qui n'échappe pas à Sonia. Elle connaît suffisamment son amie pour savoir que celle-ci hésite à se confier.

— À moins que ce ne soit déjà fait ! déclare Sonia sur un ton taquin. Je veux tout savoir. Allez !

Isabelle prend son temps. Pas parce qu'elle ne veut pas en parler à Sonia – elle lui fait confiance –, mais parce qu'elle ne sait pas par quel bout commencer. Il faut dire que c'est une bien drôle d'histoire. Après quelques secondes de réflexion, elle plonge.

— Je t'avertis d'avance, c'est quasiment une histoire de roman-photo.

— Espèce de chanceuse ! s'écrie Sonia. Vas-y ! Ne me fais pas poireauter. Tu sais bien que la patience est la dernière de mes qualités.

— Eh bien, la semaine dernière, je suis allée à Montréal rejoindre une de mes amies. Comme on ne savait pas trop quoi faire, on est allées se promener dans le Vieux. Chemin faisant, on est passées devant une galerie où il y avait un paquet de monde. Ne me demande pas pourquoi, mais on est entrées. C'est là que je l'ai aperçu. Un beau grand châtain aux yeux bleus comme je les aime. Élancé, pas une once de graisse en trop, élégant et avec le plus beau sourire que j'aie jamais vu. Appareil en main, il prenait photo par-dessus photo. J'ai su après qu'il était le photographe attitré de la nouvelle exposition.

Sonia est suspendue aux lèvres de son amie. De nombreuses questions lui viennent en tête, mais elle se fait violence et attend la suite.

— J'avais toute la misère du monde à le quitter des yeux, tellement qu'à un moment donné, mon amie m'a tirée par le bras et m'a entraînée plus loin. Tu ne me croiras pas, mais quand je me suis retournée pour chercher du regard l'inconnu, je suis arrivée face à lui. J'étais tellement surprise que j'ai cru que j'allais m'évanouir. De près, il était encore plus beau. Son regard était si intense que de grosses gouttes de sueur coulaient le long de ma colonne vertébrale. Tu aurais dû me voir ; j'étais incapable de prononcer une seule parole.

Isabelle fait une pause. Le temps de quelques secondes, elle est ailleurs avec son beau prince.

— Et alors ? s'impatiente Sonia. Tu ne vas pas me laisser comme ça…

— Sans que je m'en rende compte, je me suis retrouvée avec sa carte dans la main. Et il a chuchoté quelques mots à mon oreille au passage : « Appelle-moi. »

— Wow ! Et après ?

— Eh bien, ne me demande pas où j'ai trouvé le courage, mais je l'ai appelé le lendemain. Il m'a donné rendez-vous à son studio le soir même. C'était magique. Je n'étais même pas encore entrée qu'il m'a prise dans ses bras et m'a embrassée. C'est à peine si on a échangé deux phrases. Quand je suis revenue à la maison, j'étais si fatiguée que j'avais de la misère à mettre un pied devant l'autre, mais j'étais tellement heureuse. Même Paul-Eugène m'a demandé ce qui se passait avec moi.

Sonia est très contente pour son amie. Même si ce n'est pas le premier homme de sa vie, et dans son lit non plus – Isabelle est un peu plus âgée qu'elle –, elle mérite d'être avec quelqu'un de bien.

— Je suis tellement heureuse pour toi ! se réjouit Sonia. Est-ce que tu l'as revu au moins ?

— Attends, je ne t'ai pas encore tout raconté. Je l'ai revu et j'ai bien l'intention de le voir aussi longtemps que je le pourrai, mais il y a un petit hic. Il est marié.

— Ah non ! Est-ce qu'il a des enfants en plus ?

— Pas à ce que je sache.

— Je suis désolée pour toi.

— Tu n'as pas à l'être parce que moi je vis très bien avec ça. Pour le moment, j'apprécie sa compagnie et il apprécie la mienne. Pour le reste, on verra bien.

— Est-ce que je t'ai déjà dit que je t'admirais d'être aussi libre ? On dirait que c'est toi l'artiste.

\* \* \*

De la cuisine, Sylvie n'a pas perdu une seule note du cours de Michel. Ça la rend très heureuse de voir que son mari passe enfin du temps avec Junior. Il est un bon père, c'est indéniable, mais il n'est pas très proche de ses enfants. Cependant, il s'est beaucoup amélioré ces derniers temps. Non seulement il prend désormais la défense de Sonia, mais il lui arrive de la serrer dans ses bras, ce qui fait chaud au cœur de Sylvie. Elle-même de nature plutôt réservée, elle a toujours eu une très belle relation avec son père, et elle ne souhaitait rien de moins pour sa fille. Le jour où Michel a changé d'attitude avec Sonia, Sylvie en a eu les larmes aux yeux. Il y a quelques semaines, ce dernier a pris le téléphone et il a parlé à Alain le jour même de son retour de France pour l'inviter à prendre une bière avec lui. Le jeune homme était tellement content qu'il s'est empressé de l'annoncer à sa mère quand elle a pris le combiné pour avoir de ses nouvelles. Dans de telles occasions, Sylvie songe que la mort de Martin et de monsieur Pelletier aura au moins appris à Michel l'importance de dire à nos proches qu'on les aime, qu'ils sont importants pour nous.

Sylvie vient à peine de poser son roman-photo sur la table que la sonnette de la porte d'entrée la fait sursauter. Elle se demande qui peut bien venir leur rendre visite à cette heure.

Lorsqu'elle ouvre la porte et qu'elle aperçoit le curé devant elle, elle est étonnée. Pourquoi le saint homme est-il là ?

— Bonsoir, madame Pelletier, dit-il d'une voix solennelle. Je suis désolé de vous déranger aussi tard, mais il faudrait que je vous parle.

— Entrez, l'invite Sylvie. Suivez-moi jusqu'à la cuisine.

Le curé vient à peine de s'asseoir qu'elle lui offre un café.

— Je vous remercie. Je n'irai pas par quatre chemins. Depuis un bon petit moment déjà, je suis la victime de vos jumeaux.

Sylvie porte la main à sa bouche. Elle ne peut pas croire que François et Dominic s'en soient pris au curé de la paroisse.

— Qu'est-ce qu'ils ont encore inventé ? demande-t-elle sur un ton trahissant sa colère.

Quand le curé conclut son histoire, Sylvie l'interroge :

— Ce n'est pas que je mette votre parole en doute, jamais je n'oserais, mais êtes-vous bien certain que ce sont eux les responsables ?

— Malheureusement, oui. En désespoir de cause, j'ai demandé à mes voisins de surveiller le presbytère. Tous m'ont rapporté la même chose.

Au moment où Sylvie va s'excuser, la porte de derrière s'ouvre sur les jumeaux. Quand ils mettent les pieds dans la cuisine et qu'ils aperçoivent le curé assis à la table de la cuisine, les deux chenapans blêmissent et figent sur place.

# Chapitre 27

Même si le temps est incertain en cette journée de lavage, Sylvie s'est mise à l'œuvre aussitôt après le départ des trois plus jeunes pour l'école. Elle n'a pas d'autre choix si elle veut avoir fini la corvée avant le dîner. Chaque fois qu'elle fait la lessive, Sylvie est surprise de voir la quantité de vêtements étalés sur le plancher de la cuisine. Elle ne s'en tire jamais en moins de six brassées : une de blanc, deux de serviettes et trois de couleur. C'est à croire que chacun vide le contenu de tous ses tiroirs dans la corbeille de linge sale chaque semaine. Ce qui la surprend le plus, c'est que le départ de ses deux plus vieux n'a fait aucune différence. Semaine après semaine, elle doit passer une demi-journée à laver et en consacrer une autre à étendre, ramasser, plier et ranger le linge. Et cela, c'est sans compter les choses délicates qu'elle doit laver à la main, comme ses soutiens-gorge et ceux de Sonia, par exemple. Au prix où ces articles se vendent, il est hors de question de les passer dans la laveuse à tordeur.

Sylvie s'assure que toutes les poches de pantalon sont vides avant de mettre les vêtements dans l'eau. Pendant qu'elle vérifie la dernière paire, le téléphone sonne. Il s'agit de sa sœur Ginette. Ce n'est pas que Sylvie ne veuille pas lui parler, mais elle n'a absolument pas le temps. Elle promet de la rappeler au plus tard après le dîner. Ensuite, elle retourne à sa tâche ; elle jette la dernière paire de pantalon dans la laveuse et lance la machine.

Ensuite, Sylvie se prépare une autre tasse de café instantané. Elle ajoute deux cuillères de sucre et plusieurs nuages de lait avant d'en prendre une grosse gorgée. Pour elle, il n'y a rien de meilleur qu'un bon Nescafé. Elle s'assoit à la table et profite de ce court répit. Elle pense à la chance qu'elle a de pouvoir chanter. Cette année, monsieur Laberge lui a suggéré de s'inscrire à trois solos, ce qu'elle

a fait. Elle n'y croit pas encore : elle les a obtenus. Elle était tellement contente qu'elle ne tenait plus en place. Une fois à la maison,
elle a réalisé que c'était merveilleux, mais que cela lui donnerait
encore plus de travail. En voyant son inquiétude, Michel lui a
conseillé d'arrêter de s'en faire pour rien, qu'elle y arriverait comme
d'habitude et qu'elle était capable. Elle a commencé à apprendre
les paroles de ses solos ; elle doit reconnaître que ça va plutôt bien.
Et elle aime tellement chanter que, d'une certaine façon, ce n'est
même pas du travail pour elle.

Quand la laveuse arrête, Sylvie se lève instantanément comme si
elle était assise sur un fauteuil éjectable. Elle vide la laveuse, la
remplit à nouveau d'eau et remet ensuite le brassage en route. Puis,
elle retourne s'asseoir. Il reste encore un peu de café au fond de sa
tasse. Sylvie le boit d'un trait avant d'aller se faire un autre café.
Heureusement qu'elle ne fait pas le lavage tous les jours parce que,
chaque fois, elle enfile les tasses les unes après les autres jusqu'à ce
que le dernier morceau de linge ait été plié.

Alors qu'elle s'apprête à verser l'eau bouillante dans sa tasse, on
sonne à la porte d'entrée. Sylvie dépose la bouilloire sur le poêle,
s'essuie les mains sur son tablier et va répondre. Quand elle aperçoit
son père, elle sourit.

— Papa ! Quelle belle surprise ! Venez, j'allais justement me faire
un café.

— Je ne voudrais pas te déranger. J'aurais dû t'appeler avant de
venir, mais tu sais bien que je ne le fais jamais.

— Ne vous tracassez pas avec ça. Vous n'avez pas besoin de
prendre rendez-vous pour venir me voir ! je ne suis pas la reine
d'Angleterre. Ça me fait tellement plaisir de vous voir ! Venez vous
asseoir. Je vous avertis, par exemple : vous tombez en plein jour de
lavage. Mais au moins, c'est la dernière brassée. Il me reste juste à
essorer le linge et ce sera fini. Je pourrai ranger ma laveuse à sa
place et la laisser là jusqu'à la semaine prochaine.

Sylvie prépare le café, puis elle sert son père.

— Moi qui croyais qu'on allait pouvoir aller marcher ensemble sur le bord du fleuve, émet monsieur Belley d'une voix plaintive. À ce que je vois, je n'ai pas bien choisi ma journée.

— Vous devriez le savoir pourtant, ma journée de lavage est toujours la même. Mais si vous n'êtes pas pressé, on pourrait prendre une marche après le dîner. Mais pour ça, il va d'abord falloir que vous subissiez une fois de plus ma cuisine.

— Tu es bien meilleure cuisinière que tu crois.

— Vous êtes trop gentil. Mais je sais parfaitement que je ne serai jamais un cordon-bleu comme Jehane Benoît. Même si j'ai acheté son *Encyclopédie de la cuisine canadienne* et que j'ai lu cet ouvrage presque en entier, je suis loin de lui arriver à la cheville.

— On ne t'en demande pas tant. À ce que je sache, tu n'as pas eu la chance de vivre à Westmount ni d'aller étudier dans les meilleures écoles françaises de cuisine comme elle.

— Même avec tout ça, je ne suis pas certaine que je serais meilleure. Et puis, la cuisine n'est pas ma tasse de thé, comme disait maman.

Aussitôt que la laveuse s'interrompt, Sylvie procède à l'essorage. Distraite, elle ne remarque pas que tous les vêtements sont parsemés de petits points blancs. Ce n'est que lorsqu'elle commence à les secouer pour les défroisser qu'elle s'en rend compte.

— Ce n'est pas vrai! s'écrie-t-elle. Je voudrais bien savoir qui a osé laisser un kleenex dans sa poche! Pourtant, j'ai vérifié tous les pantalons avant de les mettre dans l'eau. Je déteste tellement ça quand ça arrive. Il va falloir que j'aille secouer le linge dehors parce que, sinon, il va y avoir des particules de kleenex partout. C'est bien pratique les papiers-mouchoirs, mais quand il y en a un qui se retrouve dans la laveuse, ça m'enrage au plus haut point. En plus de devoir secouer tous les vêtements, il va falloir que je passe un linge humide sur chaque morceau quand tout va être sec pour enlever ce qui reste. Maudits kleenex !

— Ne t'emporte pas comme ça, c'est inutile. Pendant que tu vas ranger la laveuse et préparer le dîner, je vais aller secouer ton linge dehors.

— Au fait, je me souviens maintenant de ce qui s'est passé. Au moment où j'allais vérifier les poches de la dernière paire de pantalon à laver, j'ai reçu un appel de Ginette. Quand je suis revenue à la laveuse, j'ai oublié que je n'avais pas vérifié les poches. La seule qui met des kleenex dans ses poches, c'est Sonia. C'est curieux, mais il n'y avait aucune paire de pantalon à elle dans cette brassée. Ceci étant dit, j'accepte votre offre avec plaisir. Si je fais un hachis au poulet pour dîner, est-ce que ça vous convient ?

— C'est sûr ! Il n'y en a pas de meilleur que le tien. Mais au fait, pourquoi Ginette t'a appelée ?

— Je n'en ai aucune idée. Je lui ai dit que je la rappellerais.

— Ça te tenterait de le faire tout de suite ?

Camil n'est pas près d'oublier tous les remous qu'ont soulevés Ginette et ses complices jusqu'à ce que Maurice vienne leur parler. Bien qu'il n'ait rien à reprocher à Ginette depuis, pas plus qu'aux autres, il doit reconnaître que les événements antérieurs ont laissé des cicatrices. Chaque fois qu'il entend le prénom de sa fille ou qu'il a cette dernière au téléphone, une partie de lui se met à s'inquiéter. C'est plus fort que lui. Suzanne a beau lui répéter que c'est bel et bien fini, monsieur Belley préfère quand même rester sur ses gardes. Il n'en mourrait pas si Ginette reprenait du service, ce serait lui accorder beaucoup trop d'importance, mais cela l'affecterait beaucoup.

Sylvie aurait bien d'autres choses à faire que d'appeler sa sœur, mais à voir l'air de son père elle se résigne. Elle le connaît suffisamment pour savoir qu'il va se tracasser tant et aussi longtemps qu'il ne saura pas ce qu'il en est. Elle compose le numéro de sa sœur. Ce n'est qu'au bout de la troisième sonnerie que celle-ci répond d'une voix essoufflée.

— Pourquoi es-tu aussi essoufflée ? s'informe Sylvie.

— J'allais sortir. J'ai rendez-vous à la banque dans quinze minutes.

— Je ne voudrais pas te mettre en retard, mais comme j'avais promis de te rappeler…

— Je vais aller directement au but puisque je suis pressée. Je voudrais aller voir mon fils à la prison samedi après-midi et… j'aimerais que tu viennes avec moi. Mais si tu ne veux pas, je comprendrai.

Sylvie ne réfléchit pas longtemps avant de répondre.

— Tu peux compter sur moi. Si tu veux, on peut y aller en Mustang. Je serai chez toi à une heure.

— Je te remercie.

Sylvie met quelques secondes à raccrocher. Ses yeux sont tellement embués qu'elle a peine à voir. Après avoir finalement remis le combiné sur le socle, elle s'essuie les yeux avec le coin de son tablier et se racle la gorge. Elle sort ensuite le panier de patates de sous l'évier, sort son petit couteau et commence à éplucher les légumes. Jamais elle n'aura autant équarri de pauvres patates. Heureusement qu'elle a une poche de cinquante livres en réserve dans le garage parce qu'avec tout ce qu'elle enlève, il y a fort à parier qu'elle n'aura pas assez du contenu du panier. Elle pense à Ginette ; elle n'aimerait vraiment pas être à sa place. Avoir un fils en prison, c'est loin d'être drôle. C'est certain que Sylvie avait des tas d'autres choses à faire samedi, mais elle ne pouvait pas refuser de rendre service à sa sœur, pas dans ces conditions.

Lorsque son père vient la rejoindre dans la cuisine, le hachis est en train de cuire.

— Je commençais à m'inquiéter, déclare Sylvie.

— J'espère que tu ne m'en voudras pas. Je me suis permis de ramasser ce qui était sur la corde et j'ai étendu le linge qui se trouvait dans l'un des paniers sur la galerie.

— Vous pouvez venir me rendre visite quand vous voulez, répond-elle d'un ton taquin, en autant que ce soit le jour du lavage !

— Il ne faudrait surtout pas que tu en parles à Suzanne ! Et puis, finalement, as-tu réussi à parler à Ginette ?

— Elle m'a demandé de l'accompagner pour aller voir son fils à la prison.

La nouvelle frappe Camil en plein cœur. Il réalise à tout à coup qu'avec toutes les histoires que lui a fait vivre Ginette, il n'a pas supporté du tout celle-ci dans sa peine. C'est le moment de faire quelque chose pour elle.

— Si tu n'y vois pas d'inconvénient, j'aimerais y aller avec vous. Il est grand temps que je sois là pour elle.

— Pas de problème, se contente de répondre Sylvie. Asseyez-vous, vous êtes tout pâle. Je vais nous servir un petit verre de gin.

Depuis que son père a fait une attaque ici même dans sa cuisine, c'est plus fort que Sylvie : elle le surveille toujours. En lui tendant son verre, elle lui met la main sur l'épaule et lui sourit. Puis, elle lance un nouveau sujet de conversation dans l'espoir de faire diversion.

— Aimeriez-vous que je vous raconte le dernier exploit des jumeaux ? Imaginez-vous que, cette fois, ils s'en sont pris au curé de la paroisse.

En voyant la mimique que fait son père, Sylvie est contente. Elle a réussi à le sortir de sa torpeur.

— Non ! Ils ont osé s'en prendre à un homme d'Église ? Je veux tout savoir dans les moindres détails.

Quand Sylvie termine son récit, Camil se tient les côtes tellement il rit. De grosses larmes coulent maintenant sur ses joues.

— J'espère que vous ne rirez pas comme ça quand vous allez voir François et Dominic ! s'exclame Sylvie. Ils n'ont vraiment pas besoin d'être encouragés. Parfois, je me demande où on a bien pu les prendre, ces deux-là.

Une fois qu'il a repris son souffle, Camil ajoute :

— C'est vrai, je ne t'ai pas dit ça. Samedi passé, Suzanne et moi sommes allés au mariage d'une de ses vieilles cousines à L'Avenir.

— L'Avenir ? C'est où ?

— C'est un petit village près de Drummondville. Si tu voyais la magnifique église qu'ils ont là-bas ! C'est une des plus belles que j'aie vues. Imagine-toi donc qu'il y a même une cage de chaque côté de l'église qui a vue sur le parterre et sur l'autel où le curé célèbre la messe. J'imaginais les curés de passage et l'évêque et sa suite dominant l'assistance. Et ce n'est pas tout : il y a un dôme au plafond, décoré avec finesse. C'est à couper le souffle. J'ai demandé au marié s'il y avait beaucoup de monde aux messes du dimanche. « Pas plus qu'ailleurs, a-t-il répondu. Un jour, il faudra faire quelque chose avec toutes ces églises, ou même les mettre à terre. On ne pourra pas assumer les frais éternellement, en tout cas pas dans nos petits villages. »

— Il a bien raison. Moi, ce qui m'enrage le plus, c'est que pendant qu'on mettait des années à construire des châteaux soi-disant pour Dieu, les fidèles tiraient le diable par la queue. C'est trop injuste !

— Je suis d'accord avec toi, mais il est un peu trop tard pour avoir des regrets. Tu sais comme moi que rien n'est parfait. Mais je ne t'ai pas encore annoncé ma grande nouvelle. Figure-toi que Suzanne et moi pensons sérieusement à aller nous installer à la campagne.

Son père lui aurait asséné un coup de poing en pleine figure que Sylvie ne serait pas plus sonnée. Campagne signifie éloignement. Monsieur Belley savait que cela bouleverserait sa fille, mais jamais à ce point-là. Sylvie est blanche comme un linge. Il s'approche d'elle, lui passe un bras autour des épaules. Puis, il dit d'une voix douce :

— Ne te mets pas dans cet état. Je ne sais même pas encore si on va concrétiser notre projet. Pour l'instant, on y pense, c'est tout. Et puis, même si on déménage, on va pouvoir se voir malgré tout.

Sylvie respire profondément. S'il y a une chose à laquelle elle ne s'attendait pas, c'est bien celle-là. Alors que toutes les personnes âgées viennent s'installer en ville pour être à proximité de tous les services, et de l'hôpital en particulier, voilà que son père veut s'en éloigner. C'est à n'y rien comprendre. Qu'est-ce qu'il fera s'il est pris d'un malaise ? Sur qui pourra-t-il compter s'il s'en va au diable Vauvert ? Certes, mais elle n'a pas le droit de faire porter à son père le poids de ses inquiétudes. Après tout, à son âge, il est bien assez grand pour décider de sa vie. « Pourquoi faut-il toujours que les choses se compliquent ? On était bien, même que ça faisait un petit moment qu'il n'était rien arrivé de fâcheux. »

Sylvie prend une grande respiration avant de déclarer d'une voix la plus neutre possible :

— Je vous connais assez pour savoir que lorsque vous parlez de quelque chose, c'est comme si c'était fait. Mais c'est votre droit de déménager. Je serais très mal placée pour m'y opposer. Si c'est ce que vous souhaitez, allez-y et ne laissez personne vous faire changer d'idée, surtout pas moi.

— Je te remercie. Ce n'est pas que j'aie besoin de ta permission, mais je tenais à t'en parler avant d'agir. Tu comprends, je ne voudrais pas te faire de la peine.

Sylvie fait de gros efforts pour ne pas pleurer. Elle ravale un bon coup et finit par prendre sur elle. Elle demande ensuite, plus par politesse que par réel intérêt :

— Avez-vous une idée de l'endroit où vous aimeriez vous installer ?

— Oui, répond promptement monsieur Belley. On a vu une belle petite maison sur le bord de la rivière à L'Avenir. On pense re…

Sylvie s'écrie d'une voix forte :

— À L'Avenir ? Mais c'est au bout du monde !

Puis, sur un ton geignard, elle ajoute :

— Je ne savais pas que vous en aviez assez de nous au point de vouloir déménager aussi loin.

— Voyons, ma petite fille, ne le prends pas comme ça.

— Comment voulez-vous que je le prenne ?

* * *

Même s'il est à peine six heures, Michel fait de gros efforts pour rester éveillé pendant le bulletin d'information. Mais voilà qu'une nouvelle le frappe de plein fouet.

— Alors qu'il devait procéder à l'inauguration du barrage de Manic 5 aujourd'hui en compagnie de Jean Lesage, le chef de l'opposition, et de René Lévesque, le chef du Mouvement souve-rainiste-association, le premier ministre du Québec, Daniel Johnson, est mort subitement ce matin dans son sommeil. Il s'est éteint dans un bâtiment de fortune à Manicouagan.

Abasourdi, Michel part à la recherche de Sylvie pour lui apprendre la nouvelle.

# Chapitre 28

Afin de se donner meilleure conscience vu tout le sucre qu'il mange, Michel se rend au magasin à pied au moins une fois par semaine. Bien qu'il n'ait pas perdu la moindre petite once de graisse, plus les semaines passent et mieux il se sent. Il est tellement encouragé qu'il a bien l'intention de faire de même à longueur d'année. L'exercice n'a jamais été son fort, même lorsqu'il était tout jeune. Il a joué au baseball et au hockey comme tous les enfants, mais il était loin d'être le meilleur. Sans compter qu'il détestait geler des pieds dans ses patins ou courir après la balle de baseball sous un soleil de plomb. Ça lui avait même valu le surnom de gérant d'estrade, ce qui ne le dérangeait pas du tout. Il ne pouvait rien contester à ce propos : non seulement il n'avait aucun talent, mais il passait son temps à se plaindre. Dans sa famille, le sportif a toujours été André. D'ailleurs, cela n'a pas changé. Mais contrairement à Michel, André préfère pratiquer les sports plutôt que d'être spectateur. Dans leur jeunesse, c'est André qui initiait tout ce que Michel et lui faisaient en matière de sport. Il fallait absolument qu'il bouge. Michel est surpris de voir à quel point son frère aime le golf, alors que pour sa part, c'est le dernier sport qu'il pratiquerait tant il trouve que ça manque de vie. « Ce n'est pas difficile, on passe plus de temps à attendre qu'à jouer. Et ce sport est bourré de règlements, à part ça. Il ne faut pas parler pendant qu'un joueur frappe sa balle. Il ne faut pas sacrer même si on est fâché, ni lancer son bâton. Il ne faut pas chercher sa balle dans le bois trop longtemps. C'est un vrai sport d'interdits ! Vraiment, le golf, ce n'est pas pour moi. »

Michel se trouve à quelques pas du magasin où il a acheté sa guitare, quand un jeune homme sort du commerce. Celui-ci marche d'un bon pas. Michel jurerait qu'il s'agit de Martin : même longueur de cheveux, carrure et démarche identiques. Mû par une impulsion incontrôlable, voilà que Michel accélère le pas. Il sait bien que ça n'a aucun sens, mais il doit en avoir le cœur net. Une fois à la hauteur du jeune homme, il pose sa main sur l'épaule de celui-ci.

— Martin ? Où vas-tu comme ça ?

Quand le jeune homme se retourne, Michel réalise son erreur. De grosses larmes se mettent à couler sur ses joues. D'une voix remplie d'émotion, il s'excuse :

— Je suis désolé, je vous ai pris pour quelqu'un d'autre.

L'inconnu le regarde pendant quelques secondes avant de demander :

— Est-ce que ça va, monsieur ? Vous êtes tout pâle. Suivez-moi, il y a un banc tout près. Venez vous asseoir un peu.

Ébranlé par ce qui vient de se passer, Michel n'offre aucune résistance. Une fois assis, il essaie de reprendre ses esprits. Ses larmes ne se sont pas encore taries. Que lui arrive-t-il ?

— Ne bougez pas, monsieur. Je vais aller vous chercher de l'eau.

Michel voudrait lui dire que ce n'est pas nécessaire, mais pour le moment, il est incapable de prononcer un mot. Il croyait qu'il allait mieux depuis la mort de Martin ; voilà maintenant qu'il a des visions.

Quand le jeune homme revient, il tend à Michel le verre d'eau qu'on lui a donné au magasin de musique.

— Tenez, buvez un peu. Ça va vous faire du bien.

Michel s'essuie les yeux avant d'avaler une gorgée d'eau. Il voudrait disparaître tellement la situation le gêne.

— Encore une fois, je suis désolé. Je vous ai pris pour mon fils. De dos, vous lui ressemblez beaucoup.

— À voir votre état, vous êtes sûrement très attaché à lui. Il a beaucoup de chance de vous avoir pour père.

— Là où il est, je doute fort que ça lui serve beaucoup. Ça fera bientôt un an qu'il est mort.

Le jeune homme se contente de poser une main sur le bras de Michel. Assis côte à côte, ils gardent le silence jusqu'à ce que Michel tende le verre vide à son compagnon.

— Je vous remercie. Il faut que je rentre avant que ma femme s'inquiète.

— Habitez-vous loin d'ici ?

— Pas vraiment.

— Alors, je vais vous raccompagner.

— Ce ne sera pas nécessaire.

— J'y tiens.

— Mais je ne veux pas que ma femme apprenne ce qui vient de se passer.

— Aucun problème pour moi. Tout ce que je veux, c'est m'assurer que vous rentrerez en sécurité. Je vous surveillerai de loin quand on sera à quelques maisons de chez vous. Au fait, je m'appelle Daniel.

— Moi, c'est Michel. Je ne sais pas trop comment vous remercier.

— Vous n'avez pas à le faire. Tout le monde aurait agi comme moi.

À peine Michel a-t-il mis les pieds chez lui qu'un violent orage éclate subitement. Si ce n'était de l'odeur de bête puante qui l'a assailli en entrant dans la maison, il sauterait dans son auto et ramènerait Daniel chez lui. Mais là, il faut qu'il sache au plus vite où se cache la mouffette. Plus il avance, plus l'odeur est forte, au point qu'elle lui brûle les yeux. C'est alors que la porte de derrière s'ouvre sur Sylvie. En voyant son mari, elle s'écrie :

— Change-toi en vitesse et viens nous aider. Prince 2 s'est fait arroser par une mouffette. On est en train de le laver au jus de tomate, mais on ne sera pas trop de deux pour le tenir.

— Où est-il allé se fourrer le nez pour se faire arroser ?

Sans attendre la réponse de Sylvie, Michel poursuit :

— J'arrive ! lance-t-il en prenant la direction de sa chambre.

Quand Michel sort sur la galerie de derrière, ça empeste telle-ment qu'il frissonne et grimace à la fois.

— Papa, papa ! crie Luc. Tu aurais dû voir Prince 2 quand la mouffette l'a arrosé. Il se lamentait comme un bébé.

— Ça ne doit pas sentir meilleur pour lui que pour nous. Mais toi, tu n'as rien reçu ?

— Non, j'étais trop loin. Mais Prince 2 s'est dépêché de venir se coller sur moi, alors j'empeste autant que lui. C'est vraiment dégoûtant !

— On pourrait laisser courir le chien sous la pluie, suggère Michel.

— À part le mouiller, ça ne donnerait rien, répond Sylvie. Il n'y a que le jus de tomate qui puisse faire partir cette odeur-là. Une chance que j'en avais une petite réserve. Tiens-le bien. Pendant ce temps-là, je vais frotter son poil du mieux que je peux.

— Tu n'aimerais pas mieux le tenir ? demande Michel. Il me semble que ce serait moins dur pour toi. Luc pourrait t'aider.

— Tant qu'à ça, c'est bien vrai.

Pendant que le tonnerre gronde de toutes ses forces et que les éclairs déchirent le ciel à plusieurs reprises, Michel frotte la robe de Prince 2 sans relâche.

— Je ne sais pas si c'est moi qui rêve, dit-il, mais j'ai l'impression que ça sent moins mauvais.

— J'espère ! s'exclame Sylvie. Ça fait au moins une heure qu'on s'occupe de lui. Maintenant que la pluie a cessé, il faudrait aller ouvrir la porte d'en avant pour créer un courant d'air.

— C'est une excellente idée, reconnaît Michel, mais il vaudrait mieux attendre que le vent tombe un peu. C'est loin de sentir la rose dans la maison, tellement que je pensais que la mouffette avait déversé son parfum à l'intérieur.

— Je n'ai jamais rien senti d'aussi désagréable, affirme Sylvie. Frotte-lui bien les oreilles. On est mieux de faire vite parce que j'ai de plus en plus de misère à le tenir.

— C'est un peu normal, indique Michel. Aucun chien n'aime être empêché de bouger. Où sont les autres ?

— Les jumeaux mangent chez un de leurs amis. Junior est chez sa blonde et Sonia, chez Paul-Eugène.

— Une chance qu'on a fait plusieurs enfants parce qu'à mon idée, on se retrouverait souvent tout seuls.

Sylvie juge que Luc, Michel et elle ont fait tout leur possible pour le moment. Elle libère Prince 2. La pauvre bête se dépêche de descendre de la galerie et se met à courir dans tous les sens, ce qui fait bien rire Luc et ses parents. Après un moment, le chien entreprend de se rouler dans le gazon détrempé. Alors que les Pelletier l'observent du haut de la galerie, un grand arc-en-ciel apparaît dans le ciel ; un deuxième se forme à sa gauche.

— Regarde, Sylvie, comme ils sont beaux ! s'émerveille Michel.

— Wow ! s'exclame-t-elle. Il y avait un sacré bout de temps qu'il n'y en avait pas eu.

— Je ne sais pas si tu es comme moi, mais je n'ai vraiment pas envie de sentir l'odeur de la mouffette pendant le souper. On pourrait aller manger au restaurant.

— J'ai une meilleure idée. Comme le repas est au four, on pourrait l'apporter chez Chantal. Je lui ai parlé tantôt.

— J'ai bien trop peur qu'il goûte la mouffette ! plaisante Michel. Non, si ça ne te dérange pas, j'aimerais mieux qu'on se reprenne une autre fois pour aller chez ta sœur. J'ai envie d'un petit souper tranquille.

— Mais on n'est pas pour laisser Luc tout seul.

— Je n'avais pas l'intention de le laisser ici non plus. Je vais prendre ma douche.

— Je pense que tu serais mieux de te déshabiller dehors. Je ne suis pas certaine de pouvoir faire disparaître l'odeur de nos vêtements. En tout cas, en attendant, on n'a qu'à les laisser à l'extérieur. Vas-y, j'irai après.

Aussitôt qu'il se retrouve seul, Michel repense à ce qui lui est arrivé tout à l'heure. Ce n'est vraiment pas dans ses habitudes de faire dans les sentiments. Certes, il pense souvent à son fils, mais c'est la première fois qu'il agit de la sorte. Pour le moment, il n'a aucune envie d'en parler à Sylvie. Ce sera son petit secret. En pensée, il revoit le jeune homme qui l'a raccompagné. Celui-ci n'a aucune ressemblance avec Martin. Michel était tellement sonné que c'est à peine s'il a pris le temps de remercier son bon samaritain. Il voudrait bien se reprendre, mais tout ce qu'il connaît de lui c'est son prénom. « À moins que j'aille m'informer au magasin de musique. Si j'en fais la description, peut-être que quelqu'un va le reconnaître. »

Assise sur la galerie arrière, Sylvie rit toute seule. Ça valait de l'or de voir arriver Luc avec Prince 2. Le pauvre enfant tenait son chien à bout de bras, voulant éviter de toutes ses forces que celui-ci le touche, ou pire, se colle contre lui, alors que c'est tout ce que la pauvre bête souhaitait. Sylvie avait beau répéter à Luc de caresser le chien au moins du bout des doigts, le garçon ne pouvait s'y résoudre. Il regardait Prince 2 et grimaçait de dégoût. Voyant à quel point son fils était malheureux, Sylvie lui a dit d'attacher son chien au poteau de la galerie et, pendant ce temps, elle irait chercher ce qu'il fallait pour le laver.

Prince 2 empestait tellement que l'odeur s'est engouffrée dans la maison aussitôt que Sylvie a ouvert la porte. Le mal était fait. Il faudra ouvrir toutes les fenêtres et créer des courants d'air afin que l'air redevienne respirable avant d'aller dormir. Mais auparavant, il va falloir attendre que le vent se calme. Ce n'était pas la première fois que Sylvie utilisait la technique du grand lavage au jus de tomate. Un an après la mort de sa mère, le chien de la famille Belley s'était fait arroser, mais il avait eu le temps de se faufiler dans la maison et de courir d'une pièce à l'autre avant qu'un des enfants parvienne enfin à l'attraper. L'odeur était restée imprégnée dans la maison pendant plus d'une semaine. Sylvie avait eu beau faire brûler de l'encens en quantité, parfumer les lieux et laver les planchers à répétition, rien n'y faisait. L'odeur était moins forte de jour en jour, mais les Belley se pinçaient le nez aussitôt qu'ils entraient dans la maison. Il n'y avait que le chien qui n'était pas indisposé par l'odeur. Après le bain au jus de tomate donné par Sylvie, sa vie avait repris son cours comme avant, mais pas celle du reste de la maisonnée.

Perdue dans ses pensées, Sylvie sursaute quand elle entend Michel.

— À ton tour, maintenant. C'est fou ce que ça pue dans la maison.

— Oui, je sais. Le vent est moins fort, on va ouvrir les fenêtres avant d'aller manger. Mais rien ne garantit que ça ne sentira plus la mouffette quand on va revenir.

— En autant que l'odeur finisse par partir.

— Un jour ou l'autre, ça ne sentira plus, c'est certain ! le taquine Sylvie.

# Chapitre 29

Couchée à plat ventre sur son lit, Sonia fait des esquisses depuis qu'elle est levée. Cela fait déjà un petit moment qu'elle y pense. Elle a envie d'explorer un nouveau genre pour ses toiles. Elle a rapporté un petit livre de Belgique sur les plus beaux jardins du pays. Elle ne se lasse pas de le regarder. Elle fait toujours très attention à ses livres, mais les pages de celui-ci commencent à être écornées à force d'avoir été manipulées. Le coup de cœur de la jeune fille, c'est sans contredit le parc des Topiaires. C'est le plus grand jardin du monde consacré à l'art topiaire dans la plus petite ville du monde, soit Durbuy. Dans ce parc, il y a plus de 250 buissons taillés dans de multiples formes, de l'éléphant monumental au légendaire Manneken Pis. L'âge moyen des plantes de l'endroit se situe entre 40 et 70 ans, mais certaines ont jusqu'à 120 ans. On raconte que le façonnage des plantes a pris entre 15 et 20 ans. Chaque fois que Sonia regarde les deux pages qui présentent ce jardin, elle se retrouve instantanément sur les lieux et revoit une multitude de sculptures qui l'ont marquée à jamais. Ce jardin l'a tellement fascinée qu'à un certain moment, ses deux tantes l'ont suppliée de parler d'autre chose ; elles n'en pouvaient plus de l'entendre vanter les mérites de cet immense espace.

Sonia aime aussi beaucoup les jardins du château, à Freyr-sur-Meuse. Cela ressemble à une tapisserie géante ; c'est d'ailleurs le patrimoine vert le plus somptueux de toute la Belgique. Calqué sur les jardins français, il est de loin le plus français des jardins belges. Tout y est : les jardins à compartiments, des bassins, des figures de jeux de cartes, des orangers tricentenaires en caisse, une cascade et un magnifique château à l'élégance rare.

Sonia n'a pas la prétention de pouvoir reproduire toutes ces merveilles. Elle projette plutôt de s'inspirer de celles-ci pour créer une série de toiles où le vert et tous ses dégradés domineront ; il n'y aura pas d'autres couleurs, en tout cas sûrement pas des couleurs criardes, sauf peut-être en très petites doses. Elle entrevoit en esprit ses futurs tableaux ; mais tant que l'un d'entre eux ne sera pas terminé, elle n'aura qu'une idée vague du résultat final. En revanche, elle en connaît déjà le format : ils seront beaucoup plus étroits que longs. Peut-être que cette fois, la toile ne sera pas enduite de peinture au complet…

La jeune fille se retourne sur le dos et, les yeux fixés au plafond de sa chambre, elle commence à dresser la liste de tout ce qu'il lui faudra pour réaliser ce projet. Elle devra investir pas mal d'argent. Une fois sa liste complétée, elle s'étend sur le ventre et note tout dans son petit carnet. « J'espère que j'ai assez d'argent pour tout acheter », songe-t-elle.

Elle va chercher son porte-monnaie. Elle dépose les billets de banque et la monnaie sur son lit. Comme elle est loin d'être fortunée, cela lui prend moins d'une minute pour faire le décompte de ses avoirs. Déçue par son manque de moyens financiers, elle grimace un bon coup. Elle a à peine ce qu'il faut pour acheter deux toiles et quelques tubes de peinture. « Je vais demander à maman de m'avancer un peu d'argent. Je suis certaine que mes toiles vont se vendre rapidement. Mon voyage m'a vraiment coûté cher. Trois semaines au lieu de deux, ça fait toute une différence. J'adore voyager mais, si je veux me le permettre, il va falloir que je gagne beaucoup plus l'argent. Le gardiennage, ce n'est pas très payant. Et même si mes toiles se vendent bien, ce n'est pas suffisant non plus. Il faut que je trouve un moyen d'améliorer mes finances. J'ai horreur d'être pauvre. »

La première fois qu'elle entend retentir la sonnette de la porte d'entrée, Sonia ne réagit pas. Quelqu'un va sûrement aller répondre. Au deuxième coup, elle se souvient que ses parents sont allés chercher sa grand-mère à l'aéroport ; il y a donc de fortes chances qu'elle soit seule dans la maison, sinon elle entendrait babiller les plus jeunes. Sonia se dépêche d'aller ouvrir. Elle se retrouve face à un magnifique jeune homme. Celui-ci a les cheveux foncés et légèrement ondulés, des yeux bruns qui lui donnent un air sévère, une belle carrure et un sourire à faire fondre un iceberg. La jeune fille n'a pas besoin de se voir dans un miroir pour savoir qu'elle est rouge jusqu'à la racine des cheveux. Il y a longtemps qu'un garçon, un inconnu de surcroît, ne lui a pas fait autant d'effet.

— Bonjour, balbutie-t-elle. Est-ce que je peux vous aider ?

— Oui, répond-il d'une voix grave comme Sonia les aime.

Décidément, l'inconnu a tout pour lui plaire. Alors que le visage de Langis s'impose à elle, elle secoue légèrement la tête et reporte ensuite toute son attention sur le visiteur.

— C'est bien ici qu'habite Michel ?

— Oui. Vous connaissez mon père ?

— Pourriez-vous lui remettre quelque chose de ma part ?

— Bien sûr !

Il tend une enveloppe et précise :

— Dites-lui que c'est de la part de Daniel.

— Vous pouvez compter sur moi. Je vais la lui remettre dès qu'il va revenir.

Le jeune homme est tenté de prendre des nouvelles de Michel, mais il se retient à temps. Il y a fort à parier que personne dans la famille n'est au courant de ce qui s'est passé. Daniel remercie Sonia en souriant et s'en va, la laissant seule avec ses pensées.

Encore sous le choc, cette dernière attend de ne plus avoir l'inconnu dans son champ de vision pour retourner dans la maison. Daniel... Il vaudrait peut-être mieux qu'elle inscrive le nom sur l'enveloppe pour ne pas l'oublier. Elle éclate de rire. Le jeune homme l'a tellement marquée qu'il n'y a aucun risque que cela arrive. Elle a hâte que son père revienne pour en savoir plus sur lui. D'ailleurs, elle se demande comment ils se sont connus, tous les deux. Sonia a bien envie de jeter un œil sur le contenu de l'enveloppe, mais celle-ci est trop bien cachetée ; ça paraîtrait. « À moins que je la change. Elle n'a rien de particulier, c'est une enveloppe tout ce qu'il y a de plus ordinaire. » Elle réfléchit un moment. Finalement, elle décide d'attendre que son père l'ouvre. « Une chose est certaine, par exemple : je vais m'arranger pour être là quand il va le faire. »

La jeune fille dépose l'enveloppe bien en vue sur la table de la cuisine. Alors qu'elle s'apprête à retourner dans sa chambre, la porte de derrière s'ouvre sur Luc. Il chante à tue-tête : « Honneur, honnêteté, habileté, humanité. » Il répète les mêmes mots en boucle jusqu'à ce que Sonia dise :

— Arrête un peu. Mais qu'est-ce que tu chantes ? Je comprends les mots, il me semble même que je les ai déjà entendus, mais je n'arrive pas à me souvenir de ce qu'ils représentent.

Luc gonfle fièrement le torse.

— C'est la devise des 4-H.

— Mais pourquoi tu chantes ça ?

— Parce que je viens d'entrer dans les 4-H.

— Pour vrai ? Est-ce que maman est au courant ?

— Pas encore ! J'ai l'intention de le lui annoncer quand elle va revenir. Je suis certain que tu adorerais ça.

— Tu ne trouves pas que je suis un peu trop vieille ? Et puis, tu sais, le bois, c'est loin d'être mon fort.

— On n'est pas toujours dans le bois. On fait toutes sortes d'activités. En tout cas, moi, j'adore ça. Maman va être contente. Elle n'arrête pas de se plaindre parce que je suis toujours penché au-dessus de mon microscope.

La vraie raison pour laquelle Luc est entré dans les 4-H n'a rien à voir avec le fait de faire plaisir à sa mère. C'est lui qui sera le grand gagnant sur toute la ligne. Non seulement il va apprendre à reconnaître les arbres et leurs feuilles et tout ce qu'il y a dans la forêt, mais il va aussi en savoir plus sur la nature en général et l'environnement. Il commençait à se trouver à l'étroit, seul au-dessus de son microscope. Dans les 4-H, il va non seulement augmenter ses connaissances de façon significative, mais il va aussi pouvoir partager sa passion avec des jeunes de son âge. Il a bien essayé avec les jumeaux, mais ces derniers lui ont vite fait comprendre qu'ils n'avaient aucun intérêt pour la nature. Au début, cela l'a fâché que François et Dominic ne veuillent même pas prendre un peu de temps pour qu'il leur parle de tout ce qu'il voit à travers la lentille de son microscope. Mais après, il s'est rappelé ce que son grand-père paternel lui a déjà dit : « Si tout le monde aimait les mêmes choses, crois-moi, la vie serait bien plate. » C'est pour ça qu'il a décidé d'entrer dans les 4-H sans même en parler à sa mère. Il avait l'intention de le faire, mais ce matin au parc, quand il est allé faire courir Prince 2, il a rencontré un de ses amis. Celui-ci lui a raconté que son groupe de 4-H avait une réunion dans l'après-midi. Par curiosité plus que par intérêt au début, Luc lui a posé des questions. Plus il écoutait son ami, plus il avait envie d'aller voir ce qu'il en était. Comme sa mère était déjà partie pour l'aéroport, il a décidé d'assister quand même à la réunion – ce qu'il ne regrette pas du tout.

— Ça te dirait qu'on fasse du Jell-O ? demande Luc à sa sœur.

La réponse de Sonia ne se fait pas attendre.

— Je trouve que c'est une excellente idée, mais à une condition : on le met au congélateur une petite demi-heure et on le mange avant qu'il fige.

— Ouais ! Est-ce qu'on peut faire du Jell-O à la lime ?

— Ça ne me dérange pas. Moi, j'aime toutes les saveurs.

— Et si maman arrive avant ?

— Si on dépêche, ça devrait être correct. Si je ne me trompe pas, l'avion de grand-maman vient à peine d'atterrir.

Sonia vient de déposer le bol de Jell-O dans le congélateur quand elle entend une auto. Voyant son petit plaisir s'envoler, Luc demande, l'air frustré :

— Qu'est-ce qu'on fait maintenant ?

— Rien pour le moment ! Ne fais pas cette tête d'enterrement, je vais sûrement trouver une solution.

Quand ils entendent sonner à la porte, Sonia et Luc se regardent en souriant. Il n'en fallait pas plus pour leur redonner espoir.

— J'y vais ! crie Luc.

Lorsqu'il voit tante Irma, Luc se retient de lui sauter au cou, ce qui n'échappe pas à la visiteuse.

— C'est tout un accueil que tu me fais là ! s'exclame-t-elle en pinçant une joue du garçon.

— J'ai eu peur que ce soit déjà maman qui arrivait.

Luc réfléchit à peine quelques secondes avant de poursuivre :

— Sonia et moi avons fait du Jell-O et on espère avoir le temps de le manger avant qu'il fige.

— Et avant que ta mère revienne, si j'ai bien compris.

Puis, sur un ton taquin, tante Irma ajoute :

— Je t'avertis : il n'est pas question que vous le mangiez sans moi.

— Mais on n'en aura pas assez ! geint Luc.

— Cesse donc de te plaindre ! s'exclame Sonia qui vient de rejoindre sa tante et son frère. On va préparer un autre paquet de Jell-O, c'est tout. L'eau est encore bouillante.

Puis, elle s'adresse à sa tante :

— Je suis très contente de vous voir. Venez avec nous dans la cuisine. Voulez-vous un café ?

— Non. Je vais attendre le Jell-O, ma belle fille.

Sonia vient à peine de déposer le deuxième bol de Jell-O au congélateur que ses parents et sa grand-mère paternelle arrivent. Instantanément, Luc prend une face d'enterrement.

— Tante Irma ? s'écrie Sylvie en entrant. Quelle belle surprise ! Je voulais justement vous appeler.

— Eh bien, comme tu vois, je suis là.

— Êtes-vous seule ? s'informe Sylvie en déposant son sac à main sur la table.

— Lionel m'a abandonnée pour trois jours, répond Irma sur un ton faussement dramatique en posant le dos de sa main sur son front. Il est allé donner un coup de main à l'un de ses amis. Ils vont construire un garage.

Michel et sa mère font leur entrée sur ces entrefaites, ce qui permet à Michel de demander sur un ton moqueur :

— Depuis quand votre Lionel s'adonne-t-il à la construction ?

— Tu sais bien qu'il ne refuse aucune occasion d'apprendre. Tu aurais dû le voir, il était comme un enfant avant de partir. Qu'est-ce que tu attends pour me présenter la belle femme qui est avec toi ?

— Je vous présente ma mère, Marie-Paule Pelletier.

— Je trouvais aussi que vous aviez des airs de famille, déclare Irma. Depuis le temps que j'entends parler de vous, madame, je suis très contente de faire enfin votre connaissance. Moi, je suis Irma, la tante préférée de Sylvie.

— Ne vous gênez pas pour dire que vous êtes la mienne aussi ! plaisante Michel.

— Vous pouvez être fière de votre garçon, madame Pelletier. Il est un peu entêté, mais il finit toujours par comprendre le bon sens.

Les deux femmes se serrent la main en se regardant droit dans les yeux.

— Michel m'a beaucoup parlé de vous, confie Marie-Paule.

— En bien, j'espère ! s'exclame tante Irma.

— Comment pourrais-je parler en mal de vous ? intervient Michel. Vous avez tellement d'indulgences en banque que vous êtes presque un ange. Mais j'ai une question à vous poser : si j'ai besoin d'indulgences, allez-vous accepter de m'en donner quelques-unes ?

Tout le monde éclate de rire, sauf Luc. Renfrogné dans son coin, il boude. Plus les minutes passent, plus il voit son bol de Jell-O s'éloigner de lui et il ne trouve pas ça drôle. Pour une fois qu'il pouvait en manger tout son soûl et de la manière qu'il l'aime… Sonia et tante Irma le surveillent du coin de l'œil. Soudain, la jeune fille a une idée. Dès que ça fait une demi-heure que le Jell-O est au congélateur, elle déclare :

— Grand-maman, Luc et moi avons une surprise pour vous.

Marie-Paule n'est plus en âge de s'exciter pour un rien, mais elle ne peut quand même s'empêcher de s'écrier :

— Dites-moi vite où elle est !

— Elle est dans le congélateur. Luc et moi, on va vous l'apporter. Tout ce que vous avez à faire, c'est prendre quatre petites cuillères et nous suivre. Je suggère qu'on aille s'asseoir sur les marches de la galerie d'en arrière.

— Et moi ? s'enquiert Irma.

— Vous venez avec nous, répond promptement Sonia.

— Et Michel et moi ? interroge Sylvie. On sèche ici comme deux vieux cotons ?

Le plus simple pour Sonia serait de répondre par l'affirmative. Mais elle décide de jouer le tout pour le tout.

— Vous pouvez venir si vous voulez, mais je ne suis pas certaine que ça va vous intéresser. Luc et moi avons fait deux bols de Jell-O. On voulait manger le Jell-O à la cuillère avant qu'il ne fige…

— C'est parfait pour moi ! annonce Sylvie. Et toi ? demande-t-elle à son mari.

— Pour moi aussi ! répond Michel sur-le-champ. Je vais enfin avoir la chance de goûter au Jell-O mou.

— En tout cas, vous ne pouviez pas me faire plus plaisir ! se réjouit Marie-Paule. Je me garde toujours un petit bol de Jell-O de côté quand j'en fais et je me régale.

— Finalement, ce serait plus simple si on s'asseyait tous autour de la table, suggère Sonia.

En prenant place, elle aperçoit l'enveloppe que Daniel a laissée pour son père. Elle la tend à Michel.

— Tiens, papa, c'est pour toi. Un certain Daniel l'a apportée. Il a dit que tu saurais de qui ça venait.

Michel fronce les sourcils. Il ignore totalement de qui il peut s'agir. Il faut dire qu'il a tout fait pour oublier cette fâcheuse histoire, et surtout le prénom du jeune homme qu'il a pris pour Martin.

Voyant l'air de son père, Sonia vient à son secours. Elle lui décrit minutieusement le porteur de la missive. Dès les premières paroles de sa fille, la mémoire de Michel se réveille. C'est comme s'il venait de prendre un coup de poing dans la figure.

— À t'écouter, ma belle Sonia, on pourrait presque croire que ce jeune homme est à ton goût, la taquine tante Irma.

— Si vous l'aviez vu, il y a fort à parier que vous seriez de mon avis, réplique la jeune fille. Voyons, papa, c'est impossible que tu l'aies oublié si tu l'as déjà rencontré !

Si Michel pouvait disparaître à ce moment précis, il le ferait. Mais comme ça n'arrivera pas même s'il le souhaite de toutes ses forces, il a intérêt à trouver une réponse et vite. Le magasin de musique ! Mais oui, il pourrait dire que c'est là qu'il a rencontré Daniel, d'autant plus que c'est presque vrai.

— Ça me revient maintenant. J'ai parlé avec lui la dernière fois que je suis allé au magasin de musique.

S'il pouvait voir la tête qu'il a, Michel aurait peur. Il est blême et des gouttes de sueur perlent à son front. Heureusement, personne ne passe de commentaire. Tout le monde a hâte de voir ce que l'enveloppe contient.

— Qu'est-ce que tu attends pour l'ouvrir ? le presse Sonia.

Michel glisse l'enveloppe dans la poche de sa chemise et lance d'un ton faussement enjoué :

— Ce n'est pas urgent.

Évidemment, sa réponse ne satisfait pas sa fille. Sonia s'empare de l'enveloppe dans la poche de son père.

— Veux-tu que je l'ouvre pour toi ?

Il n'est pas question que Michel coure le moindre risque. Il veut être le premier à prendre connaissance du contenu de l'enveloppe. Il aura au moins quelques secondes pour se donner une contenance. Il retire l'enveloppe des mains de sa fille.

— Si vous y tenez tant, je vais l'ouvrir.

Michel déchire nerveusement l'enveloppe, à la manière de Junior et de Sonia. Cette fois, Sylvie ne commente pas ; elle se contente de sourire. Quelle n'est pas la surprise de Michel de découvrir deux billets VIP pour le spectacle *L'Osstidcho* avec Robert Charlebois, Louise Forestier, Yvon Deschamps et Mouffe.

Alors que les billets se promènent de main en main, Michel lit le petit mot griffonné en vitesse qui les accompagnait.

*Venez me voir après le spectacle.*

*Daniel*

Pendant que personne ne lui prête attention, Michel glisse le message dans la poche de sa chemise.

— Tu aurais dû m'en parler avant ! s'écrie Sylvie d'un air déçu. Tu sais bien que ce n'est pas mon genre de spectacle. À part Yvon Deschamps, je n'ai aucun intérêt pour les autres artistes.

— Mais je ne les ai pas achetés ! se défend Michel. C'est un cadeau.

— Papa, est-ce que je pourrais y aller avec toi? intervient Sonia. Je t'en prie! Moi, j'adore Robert Charlebois et je connais ses chansons par cœur. Écoute…

Elle se met à chanter *Lindberg*:

*Des hélices*
*Astrojet, Whisperjet, Clipperjet, Turbo*
*À propos chu pas rendu chez Sophie*
*Qui a pris l'avion St-Esprit de Duplessis*
*Sans m'avertir…*

La jeune fille n'a pas une mauvaise voix, mais cela détonne un peu, ce qui provoque le fou rire des autres. Loin d'être froissée, Sonia continue à chanter de plus belle.

*Alors chu r'parti*
*Sur Québec Air…*

— C'est bon, Sonia, nous irons ensemble. Tu peux arrêter de chanter.

— Merci papa!

— Moi, j'y serais bien allée, confie tante Irma.

— Achetez-vous un billet et venez avec nous, propose Michel.

— Même si je fais ça, on ne sera pas assis ensemble…

— Je pourrais y aller avec vous, suggère Marie-Paule. Ça me changerait un peu.

— Quelle bonne idée! s'exclame Irma. Je m'occupe d'acheter les billets.

Puis, à l'intention de Michel, elle ajoute:

— Il faut juste que tu me dises quel soir vous y allez.

— Samedi.

Les bras croisés sur la poitrine, Luc a suivi la discussion à distance. Plus les minutes passent, plus il désespère de manger son Jell-O mou. Alors que sa mère va ajouter son grain de sel, le garçon crie :

— Écoutez-moi ! Si on ne le mange pas bientôt, le Jell-O aura figé.

Tout le monde éclate de rire.

— Donne un petit bol à chacun et une cuillère, dit Sonia. Je me charge du Jell-O.

Pendant qu'il déguste son Jell-O à la lime, Luc est rayonnant. Quand il a vu arriver ses parents et sa grand-mère, il a bien cru qu'il n'en verrait pas la couleur – du moins, pas avant qu'il ait bien pris.

Alors que la tablée vient à peine de vider les deux bols, les jumeaux font leur entrée. Quand François et Dominic se rendent compte de ce qu'ils ont manqué, ils filent dans leur chambre sans adresser la parole à personne, pas même à leur grand-mère. Surpris de leur attitude pour le moins cavalière, tous s'interrogent. Qu'est-ce qui se passe ? Inutile de se tracasser pour le moment ; le pot-aux-roses sera découvert bien assez vite…

# Chapitre 30

Michel prend une marche avec sa mère. Ils devraient avoir suffisamment de temps pour aller faire quelques pas sur le bord du fleuve ; le cours d'eau est si beau à cette période de l'année. Quand les arbres sont dénudés de toutes leurs feuilles, il n'y a plus aucun obstacle pour voir Montréal. À certains endroits, on a l'impression qu'on pourrait toucher les édifices du bout des doigts. La température est fraîche pour cette fin d'octobre. La nuit dernière, quelques brins de neige sont tombés ; au matin, les pelouses étaient tachetées de blanc. Lorsque l'hiver commence à se manifester de la sorte, c'est qu'il n'est plus bien loin. Selon certains, il arrive toujours trop tôt alors qu'aux dires des autres, il tarde trop à s'installer. Michel ne fait partie d'aucune catégorie. Il prend la température comme elle vient et, la plupart du temps, le climat lui convient. Il ne lui est jamais venu à l'idée de fuir l'hiver, pas plus que les chaleurs humides de juillet. Il aime les quatre saisons pour la variété qu'elles apportent. Au Québec, il y en a pour tous les goûts. Chez nous, on a de quoi satisfaire même les plus capricieux : temps froid, humide, sec, chaleur intense, pluie, orage, tempête de neige, verglas…

Michel ne l'a pas encore dit à sa mère, mais il est très content qu'elle ait accepté son invitation. Depuis la mort de son père, c'est la troisième semaine qu'elle passe à Longueuil, chez lui. La retrouver quand il rentre du travail lui fait du bien. L'entendre rire lui fait plaisir. Il a toujours eu un faible pour sa mère. S'il avait fallu que son père se montre dur avec elle, il l'aurait trouvé sur son chemin.

— Je peux mourir en paix maintenant que j'ai vu où vivait André, dit Marie-Paule d'un ton neutre.

— Ne parlez pas comme ça! proteste vivement Michel. Vous me donnez la chair de poule.

— Ne te mets pas dans cet état, déclare-t-elle en posant la main sur son bras. Rassure-toi, je n'ai pas l'intention de mourir tout de suite, loin de là. Ce n'était pas que j'étais mal avec ton père, ne va surtout pas croire ça, mais je ne me suis jamais sentie aussi bien de toute ma vie.

— J'aime mieux ça. Vous me faites peur quand vous parlez de votre mort.

— À ton âge, tu sais bien que même si je souhaitais mourir, ça ne me ferait pas disparaître plus vite. On peut contrôler beaucoup de choses, mais pas cela. On vient tous au monde avec une date de fin prédéterminée. La seule différence avec les aliments, c'est que personne ne la connaît. Et c'est très bien comme ça.

La mère et le fils font quelques pas en silence. Marie-Paule a adoré son séjour chez André. Elle avait même pensé, avant d'aller là-bas, qu'elle pourrait s'y installer pour reprendre le temps perdu avec son fils. Mais elle ne le fera pas. On ne peut rattraper le temps passé. Et puis, outre le fait qu'elle ne parle pas anglais, une fois sur place, elle a réalisé qu'elle se sentirait trop loin de ses autres enfants. Elle a bien l'intention d'aller à Edmonton au moins une fois par année, tant et aussi longtemps que sa santé le lui permettra. Elle a d'ailleurs promis à André d'aller passer le temps des Fêtes chez lui cette année. Il était très heureux quand elle lui a annoncé la nouvelle. Quand il l'a conduite à l'aéroport, il l'a serrée très fort dans ses bras et lui a confié qu'il ne s'était pas passé une seule journée sans qu'il pense à elle. Alors qu'elle allait s'éloigner de lui pour aller prendre l'avion, il l'a retenue par le bras et lui a murmuré à l'oreille: «Je t'aime, maman.» Jamais André ne saura à quel point elle a souffert de son départ précipité, et d'être restée sans nouvelle de lui des années durant. Jamais il ne pourra imaginer la quantité de larmes qu'elle a versées pour lui. Marie-Paule a envisagé les pires scénarios. Mais elle a toujours refusé de croire qu'André était mort. Tant qu'elle le gardait vivant, elle pouvait tenir le coup, et continuer elle-même à vivre. Ce n'est pas dans la normalité des choses qu'une mère enterre son enfant. Elle trouve Sylvie très courageuse ; elle lui lève son chapeau. Marie-Paule sait qu'elle ne pourrait pas survivre à la mort d'un de ses enfants.

Son séjour chez Michel est très agréable. Elle adore ses petits-enfants et ils le lui rendent bien. Et depuis qu'elle est allée voir *L'Osstidcho,* une idée s'est mise à germer dans sa tête. Une idée folle, mais qui lui plaît beaucoup. Elle pense sérieusement à venir s'installer à Longueuil. Elle adore aller voir des spectacles, des pièces de théâtre, des expositions ; ici, elle serait servie à souhait. Quelques minutes en métro, et elle aurait accès à tout. Elle s'entend très bien avec Irma et Lionel. Hier soir, le couple l'a reçue à souper. Il y avait longtemps qu'elle ne s'était pas autant amusée. Tous les trois, ils ont même convenu de faire un voyage ensemble. Marie-Paule a toujours rêvé de voyager.

Elle a décidé de parler de son projet de déménagement à Michel avant d'aller plus loin dans sa réflexion. Mais ça l'inquiète un peu. Et s'il n'avait pas envie qu'elle vienne s'installer à proximité ? Et s'il trouvait que ça n'a aucun sens qu'elle vende la maison familiale ? Et s'il croyait qu'il vaut mieux qu'elle reste à Jonquière ? Il lui faut en avoir le cœur net au plus vite.

Marie-Paule s'arrête subitement de marcher. Elle serre le bras de Michel, puis elle se lance :

— J'ai quelque chose à te dire.

— Vous n'êtes pas malade, au moins ? s'inquiète aussitôt Michel.

— Cesse de t'en faire pour rien ! Je n'ai jamais été en aussi bonne forme. Je veux te poser une question. Mais avant, je veux que tu me promettes de me dire le fond de ta pensée.

— Vous avez ma parole.

Marie-Paule prend une grande respiration avant de déclarer d'une traite :

— Je voudrais venir m'installer à Longueuil. Qu'est-ce que tu en penses ?

Surpris, Michel n'est pas certain d'avoir bien compris. Pour s'en assurer, il demande :

— Vous voulez venir vivre à Longueuil ? Vous êtes vraiment sérieuse ?

— Laisse faire ! s'écrie-t-elle en se remettant à marcher. Je savais que ce n'était pas une bonne idée.

Michel se dépêche de la rattraper. Une fois à sa hauteur, il l'agrippe par le bras pour l'empêcher d'avancer et lui dit :

— Au contraire, c'est une excellente idée ! Vous ne pouvez pas savoir à quel point ça me ferait plaisir. Seulement, je ne pensais jamais que ça arriverait un jour.

Michel prend sa mère dans ses bras et la serre de toutes ses forces avant de l'embrasser sur les joues.

— Je suis l'homme le plus heureux de la terre ! Il faut qu'on aille fêter ça. Venez, on va aller au petit restaurant au coin de la rue. C'est Sylvie qui va être surprise quand elle va apprendre la nouvelle.

Une fois attablés, Michel regarde fièrement sa mère. Puis, il déclare :

— Je veux tout savoir maintenant.

Marie-Paule lui raconte comment elle en est arrivée à prendre cette décision.

— J'ai envie de profiter des années qu'il me reste et c'est ici que je veux le faire, conclut-elle.

— Vous pourriez venir habiter chez nous.

— Je te remercie, mais je ne crois pas que ce soit une bonne idée. J'ai l'intention de me louer un logement suffisamment grand pour pouvoir recevoir ma visite. Toutefois, si c'est possible, j'aimerais bien m'installer pas trop loin de chez vous.

— Qu'est-ce que vous allez faire avec votre maison ?

— Je vais la vendre. Ça ne devrait pas être trop long. Avant que je parte, j'ai reçu deux offres.

— C'est vrai qu'elle est belle, votre maison ! Vous devriez pouvoir en tirer un bon prix.

— Je l'espère bien ! s'exclame Marie-Paule.

— Vous n'êtes pas à court d'argent, toujours ?

— Non ! Ne t'inquiète pas, j'en ai plus que je serai capable d'en dépenser. Mais ce n'est pas une raison suffisante pour laisser aller ma maison pour une bouchée de pain.

— À votre santé ! s'exclame Michel en levant son verre de bière.

\* \* \*

Il y avait un petit moment que les deux amies ne s'étaient pas rencontrées en tête-à-tête. Ces dernières semaines, elles se sont contentées de se parler au téléphone. Assises à la table de cuisine chez Éliane, avec un grand café et un millefeuille devant elles, Sylvie et Éliane discutent allègrement.

— En tout cas, déclare cette dernière, il y avait très longtemps que je n'avais pas passé un aussi bel été. Entre la maison et le travail, je n'ai pas eu une seule minute à moi. Je ne savais pas qu'on pouvait être aussi heureuse. Je ne remercierai jamais assez Chantal de m'avoir donné ma chance.

— Ma sœur ne tarit pas d'éloges à ton égard. À mon avis, ce ne sera pas la dernière fois qu'elle va t'embaucher.

— Je l'espère de tout cœur. Une chose est sûre : je ne pourrai plus jamais rester à ne rien faire comme avant.

Sylvie a bien envie de signaler à son amie qu'elle est trop sévère face aux femmes qui, comme elle, restent à la maison. Éliane devrait pourtant savoir qu'elles ne chôment pas, bien au contraire. Lavage, repassage, nettoyage, frottage, cuisine : une corvée après l'autre les attend.

— Moi, je n'arrête jamais, risque Sylvie.

— Ne le prends pas mal, répond promptement Éliane. Je me suis mal exprimée. Crois-moi, je suis bien placée pour savoir tout ce qu'il y a à faire dans une maison, parce que je m'occupe de tout en plus de mon travail. Aucun membre de ma famille ne se précipite pour prendre ma place. C'est tout juste s'ils sont capables de réchauffer le souper. Sérieusement, il n'est pas question que je redevienne uniquement la reine du foyer. Je déteste trop ça.

— Moi, ça me plaît bien. Contrairement à toi, je n'ai pas besoin d'aller travailler à l'extérieur pour être heureuse. Mon ensemble lyrique et mes solos me suffisent amplement. Mais arrives-tu à tout faire ?

— Il n'y a pas de recette miracle. Je m'organise du mieux que je peux et je travaille jusqu'à ce que je sois passée à travers mes corvées, c'est tout.

— Et tu n'es jamais fatiguée ? Ou écœurée ?

— Fatiguée, oui ; écœurée, non. Si c'est le prix à payer pour travailler à l'extérieur, eh bien je suis prête à le payer. Ma santé mentale en dépend. Tu aurais dû voir les gens à qui j'ai fait visiter l'oratoire Saint-Joseph ; ils étaient en extase devant la beauté des lieux. Ils venaient de partout. Non seulement j'ai beaucoup amélioré mon anglais, mais j'ai aussi appris quelques mots d'italien et d'espagnol. D'ailleurs, je me suis inscrite à des cours d'espagnol et j'adore ça.

— Je t'admire, tu sais.

— Tu n'as pas à m'admirer. Je fais seulement mon possible en tant que mère et épouse, et aussi pour être une bonne guide. C'est bien beau, l'Oratoire, mais je n'ai pas l'intention d'y passer ma vie. Un jour, je voudrais accompagner des groupes de touristes ailleurs qu'au Québec. Et pour ça, je dois parler au moins trois langues, et aussi bien connaître les pays que je ferai visiter. Enfin, ce n'est pas demain la veille, car Chantal ne m'a encore rien proposé en ce sens. Mais j'y pense, comment va ton anglais ?

Sylvie répond :

— *Good ! It is not perfect, but it is good.*

Depuis que Shirley et elle se rencontrent avec assiduité, Sylvie s'améliore constamment ; désormais, elle est capable de lire des romans-photos en anglais. Comme le lui a suggéré Shirley, elle les lit à haute voix, ce qui lui permet d'améliorer sa prononciation par la même occasion.

— Sérieusement, je progresse bien. J'essaie de convaincre Michel d'améliorer aussi son anglais, mais à ce jour je n'y suis pas encore parvenue.

— Il me semblait qu'il se débrouillait bien en anglais ?

— C'est vrai, mais il y a une grande différence entre se débrouiller et bien parler une langue. En tout cas, pour ma part, je vais faire tous les efforts nécessaires pour parler anglais aisément.

— À ce qu'il paraît, les affaires vont bien pour Michel ?

— Très bien même. J'avais des craintes quand il a quitté son emploi ; cependant, je me suis bien gardée de lui en parler. Mais un mois plus tard à peine, tout ça n'était plus qu'un lointain souvenir. Parfois, je me demande pourquoi on s'inquiète autant.

— Je pense que c'est dans la nature humaine de s'inquiéter.

# Chapitre 31

Entre un éternuement et une quinte de toux, Sylvie laisse tomber des beignes dans la graisse chaude. Il lui en reste tout au plus une douzaine à faire cuire. Pour sa part, elle n'aurait pas fait grand-chose cette année pour les Fêtes. Elle est terrassée par une grippe depuis plus d'une semaine ; elle a dû garder le lit pendant deux jours. Il y a fort longtemps qu'une telle chose ne lui était pas arrivée. Elle n'est pas du genre à s'écouter, pas plus qu'à se plaindre. Tout ce qu'elle souhaite, c'est être rétablie pour Noël, c'est-à-dire dans cinq jours. Cette année, ce sera spécial. Ce sera le deuxième Noël sans Martin. Et puis, Suzanne et son père les recevront le jour de l'An dans leur nouvelle maison de campagne à L'Avenir. Sa belle-mère s'est envolée pour Edmonton hier.

Sylvie se sent un peu perdue à cause de tous ces changements. Cette année, rien ne ressemblera à ce qu'elle connaît et ça l'insé-curise. C'est pourquoi elle tient mordicus à préparer ce que les siens ont coutume de manger à Noël, même si elle est malade comme un chien.

Alors qu'elle va retirer le dernier beigne de la graisse bouillante, elle est prise d'une quinte de toux qui lui brûle la gorge. Des gouttes de sueur perlent à son front. Elle fait sûrement encore de la fièvre. Aussitôt qu'elle reprend son souffle, elle éteint la cuisinière et pousse délicatement la casserole avant d'en sortir le beigne. Comme il est trop cuit, il n'y a pas d'urgence. Sylvie respire difficilement. Chaque fois que de l'air entre dans ses poumons, un sifflement se fait enten-dre. Elle regarde la montagne de beignes alignés sur la table de cuisine et se sent déjà fatiguée à la seule idée de devoir les passer dans le sucre en poudre. S'il n'en tenait qu'à elle, elle irait se coucher sur-le-champ. On dirait qu'un train de marchandises lui est passé sur le corps. Une seconde elle a chaud ; la suivante, les frissons la secouent. En réalité, elle ne se reconnaît plus. Elle se sent aussi molle qu'une poupée de chiffon. Elle se sent si mal en point qu'elle mourrait sur-le-champ sans aucun regret. Tous ceux qui la connaissent trouvent qu'elle a la mèche courte quand elle est malade et qu'elle tolère très difficilement de ne pas être à son meilleur.

Secouée par une quinte de toux – et ce n'est pas parce qu'elle a fumé, car elle n'a pas allumé une seule cigarette depuis deux jours –, Sylvie va chercher la bouteille de Painkiller dans l'armoire de la salle de bain. Elle revient dans la cuisine, verse dans une tasse une cuillère à table de ce liquide brun qui sent vraiment fort – elle en perçoit l'odeur même si elle a le nez bouché – et qui a un goût particulièrement mauvais. Elle ajoute un peu d'eau chaude et de la mélasse, brasse le tout et avale d'un seul trait la mixture. Jusqu'à présent, c'est ce qui la soulage le plus. Sylvie dépose la tasse dans l'évier et retourne s'occuper des beignes. Elle prend le sac brun qui contient le sucre en poudre, place quelques beignes dedans, le secoue. Elle répète le scénario comme un automate jusqu'au dernier beigne.

Sylvie essaie de réfléchir à tout ce qu'il lui reste à faire pour recevoir à Noël : tourtières, bonbons aux patates, galettes à la mélasse, galettes à l'avoine et aux raisins secs, carrés au Rice Krispies, sucre à la crème, fudge… Et c'est sans compter la dinde, le gâteau au pouding et aux biscuits Graham qu'il faut préparer seulement la veille de Noël. Elle se sent à bout de forces à la seule pensée de la lourdeur de la tâche. Sylvie s'essuie le front avec son avant-bras et les mains sur son tablier avant de déposer les beignes un à un dans une grande boîte de métal. Il faut qu'elle cache celle-ci avant que les plus jeunes arrivent de l'école. François, Dominic et Luc aiment tellement les beignes qu'ils les dévoreraient tous dans un temps record.

Épuisée, Sylvie regarde la boîte de métal en se disant qu'il faut qu'elle aille la ranger dans sa garde-robe. Mais même si sa tête lui ordonne de bouger, son corps refuse tout mouvement.

Alors qu'elle essaie désespérément de se lever, la porte d'entrée s'ouvre sur Sonia. Surprise que sa fille arrive avant les plus jeunes, Sylvie lui demande d'une voix sourde pourquoi elle rentre si tôt.

— On nous a donné une période de lecture pour finir la journée. J'ai pensé que je serais plus utile ici. Tu devrais aller te coucher, maman, tu es toute pâle.

— Je ne peux pas, j'ai trop de choses à faire. Je te rappelle que Noël est dans cinq jours.

— Il faut vraiment que tu te reposes. J'ai une idée. Je vais approcher le fauteuil de papa de la cuisine. Tu seras plus à l'aise que sur une chaise droite. Tu n'auras qu'à me dire ce que tu veux que je fasse.

Sonia prend sa mère par le bras.

— Viens.

— Il faut d'abord aller cacher les beignes dans ma garde-robe, indique Sylvie. Ensuite, il faudrait nettoyer la cuisine avant de faire autre chose.

— Et après?

— Après? Tu pourrais faire des bonbons aux patates, et des galettes à la mélasse aussi.

— Pas de problème pour les bonbons aux patates, je sais comment procéder. Et j'imagine que la recette de galettes est dans ton livre. Tu peux même fermer les yeux, si tu veux, pendant que je m'occupe de tout.

Sonia n'a pas encore fini de nettoyer la cuisine que Sylvie dort à poings fermés. « Maman aurait été mieux dans son lit, mais au moins elle dort. » S'il y a une chose que Sonia déteste, c'est bien que sa mère soit malade. « Des parents, ça ne devrait jamais être malade.» Dans de tels moments, elle réalise à quel point la vie ne doit pas être facile pour Lucie, une des filles de sa classe, dont la mère est toujours malade. On dirait que tous les microbes sautent sur la pauvre femme. L'autre jour, la jeune fille a dit à Sonia qu'elle en avait plus qu'assez, qu'elle était impatiente de finir l'école pour s'en aller. Quand Sonia lui a demandé où elle irait, Lucie a répondu :

— Je n'en sais rien pour l'instant, mais ma vie sera plus facile ailleurs. Je suis obligée d'aider ma mère avant de partir pour l'école et quand je reviens aussi. Et je passe toutes mes fins de semaine à faire le ménage et à préparer des repas. Je n'en peux plus ! Je n'ai jamais le temps de sortir avec mes amis.

— Mais comment feras-tu pour vivre ?

— Je vais travailler. Je pourrais me faire engager comme serveuse. Je suis même prête à laver la vaisselle, s'il le faut.

— As-tu au moins une idée de l'endroit où tu veux aller ?

— J'ai pensé aller du côté de Québec. Je n'ai pas envie que mes parents viennent me chercher après deux jours.

Sonia a griffonné son numéro de téléphone sur un bout de papier.

— Si tu as des ennuis, tu n'auras qu'à m'appeler.

— Mais il n'y a pas de presse. Je ne partirai pas avant la fin de l'année.

— Eh bien, tu n'as qu'à garder mon numéro en attendant !

Même si la cuisine n'est pas son endroit préféré, Sonia est heureuse de donner un coup de main à sa mère. Cependant, elle n'entretient aucune illusion : ce qu'elle préparera ne sera pas aussi bon que si sa mère l'avait fait, et ce, malgré la médiocre réputation de cuisinière de celle-ci. Mais au moins, à Noël, il y aura sur la table les mets que la famille a l'habitude de manger à cette occasion.

Après avoir pelé les pommes de terre, Sonia les coupe en petits morceaux et les met à cuire. Si elle se dépêche un peu, elle devrait avoir le temps de faire le mélange pour les galettes à la mélasse. Elle prend le livre de recettes de sa mère dans l'armoire au-dessus du réfrigérateur et en tourne nerveusement les pages jusqu'à ce qu'elle trouve la recette voulue. Elle sort les ingrédients nécessaires. Une fois que ceux-ci sont tous alignés devant elle, la jeune fille sort un grand bol, la mixette et une tasse à mesurer. Dommage que sa mère ne la voie pas à l'œuvre, car elle serait fière. Sonia ne pose aucun geste inutile. Elle suit la recette à la lettre et ne se laisse pas distraire par la moindre petite pensée. Elle avait vu juste : quand la pâte est prête, les patates sont cuites. Sonia éteint la cuisinière et sort ensuite une grande plaque pour y disposer les galettes. Ce n'est qu'à ce moment qu'elle réalise qu'elle a oublié de préchauffer le four. « Ce n'est pas grave. Je vais piler les patates pendant ce temps-là. »

Sans s'en rendre compte, Sonia entonne un chant de Noël. « Les anges dans nos campagnes ont entonné l'hymne des cieux. Et l'écho de nos montagnes redit ce chant mélodieux. *Glooooooooooooooria ! In excelcis Deo !* » Elle s'époumone jusqu'à ce que Sylvie ouvre les yeux. Quand elle s'en aperçoit, Sonia met une main sur sa bouche et dit :

— Je m'excuse, maman. Je ne voulais pas te réveiller.

— C'était tellement beau que j'avais l'impression d'être au paradis.

— Comment peux-tu savoir qu'on y chante ? En plus, il n'existe peut-être même pas, le paradis.

— Il faut croire à quelque chose. Moi, j'ai envie de croire qu'on chante au paradis. En tout cas, c'était plaisant de t'écouter.

— Merci, mais j'ai de qui tenir! répond Sonia d'un ton assuré. Après tout, tu chantes des solos devant des salles pleines à craquer. Mais ne me demande jamais de chanter dans une chorale, par exemple.

— Promets-moi de chanter encore pour moi.

En regardant sa fille, Sylvie songe que Michel et elle n'auraient pu mieux tomber. Bien sûr, Sonia a quelques petits défauts, mais ce n'est rien comparativement à plusieurs filles de son âge. Plus elle vieillit, plus elle est agréable à vivre. Il y a à peine quelques mois, jamais Sonia ne serait revenue plus tôt de l'école pour aider sa mère. Ce simple petit geste de sa part remplit Sylvie de bonheur. Et puis, celle-ci s'inquiète de moins en moins pour Sonia. Peu importe ce que cette dernière choisira de faire dans la vie, elle réussira. Sylvie en est certaine. La semaine dernière, Sonia lui a montré sa première toile sur les jardins belges. Sylvie a été envahie d'une grande vague d'émotion. Sa fille possède la faculté de toucher les gens avec ses toiles. Sylvie est novice dans le domaine, mais elle sait reconnaître la différence entre une belle toile et une toile qui fascine. Celles de sa fille, surtout ses nouvelles, font partie de la dernière catégorie.

— Maman, quelle quantité de pâte dois-je mettre sur la plaque?

Sylvie s'éclaircit la voix avant de répondre.

— L'équivalent d'une cuillère à table rase. Mais je peux m'en occuper.

— Reste dans ton fauteuil. Je me débrouille très bien toute seule.

Sonia n'aurait pu donner une meilleure réponse à Sylvie. En fait, celle-ci se sent si mal qu'elle n'aurait peut-être même pas trouver la force de se lever. La seconde d'après, Sylvie se rendort.

Quand les trois plus jeunes rentrent de l'école, l'odeur des galettes à la mélasse a envahi la maison. Tels des vautours, François, Dominic et Luc jettent leurs sacs d'école dans l'entrée et ils enlèvent rapidement bottes et manteaux. Puis, ils filent à la cuisine pour s'emparer de quelques galettes chaudes. Quelle n'est pas leur surprise de voir Sonia aux fourneaux plutôt que leur mère.

— Pourquoi cuisines-tu ? demande François.

— Parce que maman est trop malade. Ne faites pas de bruit, elle dort.

— Ça sent presque aussi bon que lorsque c'est maman qui fait les galettes, affirme François.

— Il ne faut pas toujours se fier à l'odeur, réplique Dominic.

— Vous n'avez pas besoin d'avoir peur, je ne vous empoisonnerai pas.

— Est-ce qu'on peut en avoir ? s'enquiert Luc.

— Bien sûr ! répond fièrement Sonia. Je peux donner à chacun trois galettes. Mais c'est tout.

— Pourquoi ?

— Parce que je vais garder le reste pour Noël.

— Et nous, qu'est-ce qu'on va manger pour dessert ? s'inquiète Dominic.

— Vous n'aurez qu'à manger des biscuits.

Luc est le premier à mordre dans une galette. Il la trouve tellement bonne que, à peine après avoir avalé sa bouchée, il en prend une deuxième, une troisième… La bouche pleine, il déclare :

— Je ne sais pas ce que tu as mis dedans, mais je n'ai jamais mangé une aussi bonne galette ! Elle est mille fois meilleure que celles de maman.

Une voix parvient alors de l'entrée du salon :

— Fais attention à ce que tu dis. J'ai tout entendu.

Surpris, Luc regarde sa mère. Il lui sourit avant d'entamer sa deuxième galette. Après avoir engouffré toutes ses galettes, le garçon cherche désespérément une façon d'en obtenir une quatrième.

Sonia vient tout juste de finir de préparer les bonbons aux patates quand elle sort les dernières galettes du four. Les dernières minutes n'ont pas été de tout repos pour elle. Avec trois mouettes à ses côtés, elle a dû redoubler de vigilance pour que ses frères ne mangent pas tout ce qu'elle avait cuisiné. Ce n'est que lorsqu'ils ont été certains qu'ils n'obtiendraient rien de plus que leurs trois galettes que les garçons ont enfin quitté la cuisine.

Quand Sylvie se réveille, Sonia lui demande ce qu'elle a prévu pour le souper.

— Des spaghettis. La sauce est dans le réfrigérateur.

— Parfait ! J'ai juste le temps de ramasser et de faire la vaisselle.

Quand Junior rentre de l'école, il est de très belle humeur. Sonia s'approche de lui et le regarde dans les yeux.

— Depuis quand prends-tu de la mari ? l'interroge-t-elle en chuchotant.

— Tu rêves ! Je n'ai rien pris du tout, j'étais à l'école.

— Ne me prends pas pour une valise. Tu as les yeux de quelqu'un qui vient de fumer et, en plus, tu ris pour rien. Et je sais que, dans une minute, tu vas commencer à manger tout ce qui va te tomber sous la main.

— Tu connais ça, on dirait ! se moque Junior.

— Ce n'est pas la première fois que je vois quelqu'un dans ton état. Mais tu aurais pu mieux choisir ta journée. Maman n'avait…

Au moment où Sonia commence une nouvelle phrase, la sonnerie du téléphone se fait entendre. Comme sa mère s'est rendormie, la jeune fille s'empresse d'aller répondre.

— Bonjour ! J'aimerais parler à Sylvie ou à Michel Pelletier, s'il vous plaît.

— Mon père n'est pas encore rentré du travail et ma mère est malade. Voulez-vous laisser un message ?

— Dites-leur que c'est au sujet de leur fille Sonia. Mon nom est Maude Jean.

Sans même s'informer de l'identité de son interlocutrice, la femme poursuit :

— Ils peuvent me joindre au 343-6112.

En quelques secondes seulement, Sonia perd tout son entrain. Étant donné que le nom de la femme lui est inconnu, elle songe que sa mère biologique a sûrement demandé à la retrouver. Il ne manquait plus que ça ! Elle ne sait absolument pas comment réagir. Parfois, elle a envie de faire la connaissance de celle qui l'a mise au monde. Parfois, elle se trouve très bien comme elle est. Et puis, si sa mère biologique tenait tant à elle, elle n'avait qu'à ne pas l'abandonner le jour de sa naissance sans même se soucier de ce qui allait lui arriver.

Sonia tient encore le combiné quand Sylvie se réveille. Celle-ci s'informe :

— Il me semble que j'ai entendu sonner le téléphone…

— C'était un faux numéro.

Il aurait sûrement été préférable que Sonia transmette le message à sa mère, mais pour le moment elle n'en a aucune envie. De toute façon, elle n'a même pas noté le numéro de téléphone. Elle se souvient seulement du nom de la femme.

Sonia remet le combiné en place et retourne à ses chaudrons. Même si elle fait des efforts pour ne plus y penser, elle se repasse en boucle la brève conversation qu'elle a eue avec Maude Jean. La jeune fille a l'impression qu'on vient de déposer une lourde charge sur ses épaules. Comment faire pour s'en débarrasser ?

Ce soir-là, Sonia picore ses spaghettis plus qu'elle ne mange. En voyant cela, Junior lui demande s'il peut manger le reste de son assiette. Sa sœur lui passe celle-ci sans émettre le moindre commentaire.

Aussitôt qu'elle finit de ranger la cuisine, Sonia attrape le téléphone au passage et file dans sa chambre. Il faut absolument qu'elle parle à quelqu'un. Assise par terre au pied de son lit, elle compose le numéro de sa tante Chantal. Après six sonneries, elle raccroche à contrecœur ; elle aurait tellement aimé lui confier ses tourments. La jeune fille réfléchit quelques secondes, puis elle compose le numéro de tante Irma. Après deux sonneries, celle-ci répond.

— Tante Irma, il faut absolument que je vous parle de quelque chose.

# Chapitre 32

En cette veille de Noël, Michel n'est vraiment pas fâché de mettre la clé dans la porte du magasin pour deux jours. Toute la semaine, le commerce a été tellement achalandé que même Fernand a dû servir les clients. Ils avaient beau être quatre sur le plancher, personne ne savait où donner de la tête. Et le soir, ils allaient livrer les gros meubles qu'ils avaient vendus dans la journée. Ils ont bien tenté de repousser les livraisons jusqu'après les Fêtes, mais sauf exception, tous voulaient recevoir leurs acquisitions avant Noël. Michel rentre donc chez lui, les traits tirés. Tout compte fait, passer douze heures dans son camion était beaucoup moins exigeant que de servir des clients à longueur de journée et de soulever des armoires et des tables qui pèsent une tonne. À croire que la qualité d'un meuble se mesure à son poids… Son père disait : « Quand on aime ce qu'on fait, on éprouve une bonne fatigue et on reprend vite du poil de la bête. » Michel espère que c'est vrai.

Pour une fois, il a accepté d'aller patiner avec ses fils. Ces derniers n'ont pas ménagé leurs efforts pour le convaincre de prendre l'air avec eux. Quand il a su que Michel serait des leurs, Junior s'est empressé d'appeler Alain pour qu'il se joigne au groupe. Il y avait une éternité que Michel n'avait pas chaussé de patins. C'est donc armé de tout son courage qu'il a posé un premier pied sur la glace sous l'œil averti de ses cinq fils. Leur père ne leur fait pas l'honneur de les accompagner très souvent. Chaque fois qu'ils lui demandent de venir patiner avec eux, c'est immanquable, Michel se trouve toujours quelque chose d'important à faire, en tout cas plus important que de passer un peu de temps avec eux.

Dominic encourage son père :

— Allez, papa ! Viens me trouver.

Non seulement Michel n'a jamais aimé patiner, mais en plus il n'est pas très doué. À peine a-t-il posé son deuxième patin sur la glace qu'il se retrouve les quatre fers en l'air. Il n'a même pas encore glissé sur ses lames qu'il sait à quel point l'activité va être difficile pour lui. Alors qu'il essaie de trouver la force de se remettre debout, ses cinq rejetons se postent au-dessus de lui et lui sourient bêtement. Il sait parfaitement que ceux-ci se retiennent de toutes leurs forces d'éclater de rire. Mais Michel ne leur donnera pas l'occasion de se moquer de lui. Il se met vite à genoux et, en s'appuyant sur la bande, il parvient à se relever. Bien agrippé à celle-ci, il se tient fièrement sur ses patins.

— Si tu veux, papa, je peux te donner la main, propose Luc.

— Moi aussi, suggère François. Comme ça, tu ne risqueras pas de tomber.

— Laissez-moi un peu de temps, voulez-vous ? Si c'est comme la bicyclette, ça ne se perd pas. Amusez-vous pendant que j'essaie de me rappeler comment on patine.

— C'est facile, papa ! s'exclame Dominic. Regarde !

La seconde d'après, Dominic s'élance sur la glace. Il revient rapidement près de son père et freine en faisant gicler des particules de glace sur ce dernier. Il se met ensuite à tourner sur lui-même. À le regarder, cela semble si simple.

— Un jeu d'enfant pour toi, oui, mais pas pour moi, répond Michel. Je n'ai jamais bien patiné, en tout cas pas comme Maurice Richard.

Cette confidence de Michel déclenche des éclats de rire.

— Pas besoin de nous le dire ! s'écrie Luc entre eux hoquets. Maurice Richard, c'est une vedette, mais pas toi.

— Venez, les gars ! clame Alain d'un ton moqueur. Pendant que papa s'exerce à se tenir debout, on va aller se lancer la rondelle à l'autre bout de la patinoire.

À mesure que ses fils s'éloignent, Michel sent une vague de jalousie l'envahir. Ça a l'air tellement facile à les voir. Il aurait vraiment aimé être doué autant qu'eux pour les sports. À l'âge des jumeaux, il rêvait d'être un champion dans tous les sports, encore meilleur que son frère André même. Évidemment, son rêve ne s'est jamais réalisé. Aujourd'hui, à cinquante-quatre ans, il doit reconnaître qu'il est encore plus mauvais qu'avant. Mais au nombre de fois qu'il a chaussé les patins depuis l'enfance, comment pourrait-il en être autrement ?

Il soupire un bon coup et se laisse ensuite glisser doucement sur la glace. Cette fois, il parvient à rester debout. Il tente ensuite d'appliquer ce qu'il a appris dans le temps. Il avance son pied droit, pousse avec son pied gauche et répète lentement ce scénario. En quelques enjambées, il se retrouve à l'autre bout de la patinoire. Fier comme un paon, car il y a un peu plus d'une minute qu'il tient sur ses patins, Michel continue son tour de piste. Il serait prêt à parier que ses fils épient le moindre de ses mouvements depuis qu'il est passé à leur hauteur, mais il fait comme si de rien n'était. Il prend de plus en plus plaisir à patiner. Il est tellement concentré qu'il ne sent pas le froid lui mordre les joues. Après chaque tour de patinoire, il accélère. « Il serait peut-être temps que je m'entraîne à freiner. » Il passe aussitôt à l'action. Tout va bien, il a réussi à rester debout. Il ne peut s'empêcher de crier :

— Ça me revient maintenant !

Sans plus attendre, Michel saisit son bâton de hockey et une rondelle et se met au travail. Il commence à avoir du plaisir et ça le rend heureux. Quelques tours de patinoires plus tard, il se sent d'attaque pour jouer au hockey avec ses fils.

— Est-ce qu'on va finir par la jouer, cette partie de hockey ? demande-t-il suffisamment fort pour qu'ils l'entendent.

À sa grande surprise, c'est Paul-Eugène qui lui répond.

— Je suis prêt ! J'ai même amené des renforts.

— Salut ! s'écrie Michel. Venez, il vaut mieux qu'on s'active si on ne veut pas se transformer en glaçon.

— Le temps d'aller mettre nos patins dans la cabane et on arrive.

Lorsque ses fils le rejoignent, Michel leur dit qu'il faut diviser les équipes, ce qu'ils font aussitôt.

En attendant que Paul-Eugène, son beau-fils et les amis de celui-ci viennent les rejoindre, les Pelletier se mettent à l'œuvre.

Michel tombe plusieurs fois pendant la partie de hockey impro-visée. Le lendemain, il aura probablement mal partout et portera des bleus ici et là. Mais il est content. « Ça valait vraiment la peine. »

Le groupe se donne rendez-vous chez Paul-Eugène. Dans l'heure qui suit, le Nestlé Quick chaud coule à flots et le sac de guimauves fond à vue d'œil, de même que la boîte de biscuits Village. Tous vantent leurs propres exploits à plus d'une reprise. À les entendre, on croirait qu'ils sont sur le point d'être repêchés par les Canadiens. L'un prétend qu'il a fait la meilleure passe ; l'autre, qu'il a compté le plus beau but. Une chose est certaine, ils se sont beaucoup amusés, à tel point qu'ils décident de jouer une autre partie dès le lendemain. Alors que la douleur commence déjà à se manifester drôlement dans tout son corps, Michel accepte quand même le défi. Il suggère d'inviter Fernand à se joindre à eux, et Daniel aussi.

* * *

Sylvie a fini par reprendre du poil de la bête. Elle n'a pas encore retrouvé sa forme habituelle, mais au moins, elle est capable de faire son ordinaire et de mettre la main aux derniers préparatifs de Noël. Heureusement qu'elle avait pris de l'avance pour l'achat des cadeaux parce qu'elle aurait été dans le pétrin. Heureusement, elle commence toujours à acheter les cadeaux de Noël dès que les plus jeunes reprennent l'école. Elle dresse sa liste à mesure que les enfants font leurs demandes. Alors, contrairement à plusieurs mères de famille, sa plus grande difficulté n'est pas de savoir quoi acheter à chacun, mais bien plutôt de choisir parmi tous les éléments inscrits sous le prénom de chaque enfant. Le cadeau pour lequel elle se casse le plus la tête année après année est sans contredit celui de Michel. C'est toujours la même chose. Michel n'a besoin de rien : son rasoir, une lotion après-rasage, une montre, un porte-monnaie, quelques vêtements, il ne lui en faut pas davantage. Alors, à moins de deux jours du réveillon, Sylvie se questionne toujours sur ce qu'elle pourrait lui acheter. Elle cherche quelque chose qui lui ferait plaisir. C'est tout un défi ! Depuis ce matin, elle tourne inlassablement les pages du catalogue Eaton dans l'espoir qu'un article lui saute aux yeux. D'emblée, elle a éliminé la section des vêtements. Michel lui répète souvent : « Tant qu'on aura une laveuse, je n'ai pas besoin de plus de vêtements. »

Sylvie réfléchit. Elle qui est habituellement si créative, voilà qu'elle se retrouve dans une impasse une fois de plus. Elle tourne machinalement les pages du catalogue jusqu'à ce qu'elle décide d'ouvrir celui-ci au hasard. C'est alors qu'une idée surgit. « J'aurais dû y penser avant. Je n'ai qu'à lui acheter une tuque et des mitaines. Les siennes sont tellement vieilles qu'elles sont pleines de moutons. Je pense même qu'une de ses mitaines est percée sur le pouce. » Évidemment, il ne lui reste pas suffisamment de temps pour les commander. Elle jette un œil sur l'horloge. « Non, je n'ai pas le temps d'aller chez Eaton aujourd'hui, mais je pourrais aller voir au magasin de sport, par exemple. Ça ne serait pas long. »

Sylvie se dépêche de ranger son catalogue. Elle file chercher son sac à main dans sa chambre, puis elle met son manteau en mouton de Perse. Chaque fois qu'elle porte celui-ci, elle se demande comment elle a pu survivre à l'hiver avant. Aussitôt que le vêtement se retrouve sur ses épaules, elle sent une chaleur l'envahir tout entière. Certes, il est plus lourd que son manteau de drap, mais tellement plus chaud. Sylvie se regarde toujours dans le miroir avant de sortir de la maison. Elle remonte le col et bouge la tête de chaque côté pour sentir la douceur de la fourrure sur ses joues. Le vêtement ne fait évidemment pas d'elle une nouvelle femme, mais il lui donne sans contredit une plus grande confiance en elle. En toute modestie, Sylvie se trouve belle avec son manteau. Et le regard que les femmes posent sur elle lui donne raison – et celui des hommes aussi !

La semaine dernière, Michel lui a annoncé qu'il voulait lui offrir pour Noël un chapeau agencé à son manteau. « Mais tu vas devoir aller le choisir toi-même. À ce qu'il paraît, c'est plus compliqué que pour un manteau. C'est du moins ce que m'a dit la vendeuse. » Même si elle n'aime pas savoir d'avance ce qu'elle va recevoir comme cadeau, elle a accepté la proposition de son mari. Sylvie est très contente de son choix. Non seulement son nouveau chapeau la tiendra au chaud, mais il lui donnera du style aussi. La femme lui a promis qu'il serait prêt la veille de Noël. Toutefois, Sylvie a averti Michel qu'il devra aller chercher le chapeau à la boutique et l'emballer lui-même. Ce qu'elle ignore, c'est qu'il lui a également acheté un autre présent. Il sait que sa femme retombe en enfance quand il s'agit de cadeaux. Même s'il lui faut très peu de temps pour en développer un, elle adore se faire toutes sortes de scénarios d'après le format de la boîte et le poids de celle-ci. Michel se plaît à dire que Sylvie est pire qu'un enfant.

Avant de sortir de la maison, Sylvie prévient Sonia qu'elle sort quelques minutes.

* * *

Étendue sur son lit, Sonia songe à l'appel qu'elle a reçu la semaine dernière pour ses parents. Depuis ce jour, elle ne cesse de retourner la question dans sa tête. A-t-elle envie de connaître sa mère biologique ? Quand elle a parlé à tante Irma, la première chose que celle-ci lui a dite, c'est qu'elle trouvait très bizarre que quelqu'un ait appelé ses parents à ce sujet. « D'habitude, les sœurs font tout en leur pouvoir pour décourager les mères de retrouver leur enfant. Il y a quelque chose que je ne saisis pas dans cette affaire. » Mais Sonia était tellement convaincante qu'Irma a fini par abonder dans le même sens qu'elle et croire que sa mère biologique veut la retrouver. Selon la vieille femme, il n'y a pas de bonne ou de mauvaise réponse à la question de Sonia ; il faut qu'elle écoute son cœur et qu'elle pense à elle avant tout. « C'est bien beau que ta mère biologique veuille te retrouver, et c'est tout en son honneur, mais rien ne t'oblige à la rencontrer. Il ne faut surtout pas que tu te sentes responsable de sa peine si tu décides de ne pas accéder à sa demande. Elle avait sûrement une excellente raison de te donner en adoption, mais tu demeures libre d'accepter ou de refuser sa requête. » Tante Irma lui a conseillé de parler à ses parents. « Ne te fais pas d'illusion, Maude Jean va finir par rappeler. Et il y a de grandes chances pour que, la prochaine fois, ce soit ta mère qui prenne l'appel. »

Sonia est de plus en plus confuse. Il y a des moments où elle a envie de rencontrer sa mère biologique, mais il y en a d'autres où elle se dit que ça ne lui apportera pas grand-chose. Ses vrais parents, ce sont Sylvie et Michel ; ce sont eux qui s'occupent d'elle depuis toujours. Ils l'ont soignée et consolée chaque fois qu'elle en a eu besoin. Elle comprend que sa mère biologique n'a peut-être pas eu le choix de la confier à l'adoption. Mais une chose est certaine : elle n'abandonnera pas ses parents après tout ce qu'ils ont fait pour elle. « Ah ! Je n'arrête pas de penser à tout ça ! J'en ai plus qu'assez ! » Sonia secoue la tête dans l'espoir que cela l'aidera à se changer les idées. Puis, elle pose les yeux sur le cadeau qu'elle a acheté pour Langis. « Zut ! Ça me rappelle une autre affaire qui me tourmente... »

Les choses ne vont pas mal entre eux, et Sonia se sent même plutôt bien avec Langis. Cependant, depuis qu'elle a fait la connaissance de Daniel, son esprit est ailleurs. À tel point qu'elle a convaincu Langis que ce serait préférable qu'ils passent chacun le réveillon dans leurs familles respectives. Au début, le jeune homme a été surpris, mais finalement, il lui a dit que c'était une bonne idée étant donné la distance qui sépare leurs maisons. Langis et Sonia ont convenu de se donner leurs cadeaux le soir de Noël, alors que la jeune fille ira souper chez son *chum*.

Parfois, Sonia a des remords, mais la plupart du temps elle vit très bien avec cette situation. Elle ignore si Daniel a des vues sur elle et, pour le moment, ce n'est pas tellement important. Elle a grandement apprécié le spectacle *L'Osstidcho*. Elle a adoré entendre Daniel jouer – enfin, il serait plus juste de dire qu'elle a beaucoup aimé la musique parce qu'au nombre de musiciens qu'il y avait sur la scène, il aurait été impossible de savoir qui jouait de quel instrument. Après le spectacle, elle allée voir Daniel avec son père. Le jeune homme les a reçus comme des rois. Il leur a fait visiter tout ce qui n'est normalement pas accessible aux spectateurs. Ils sont ensuite allés prendre un verre. Elle ignore de quoi il s'agit, mais elle mettrait sa main au feu qu'il y a quelque chose de spécial entre son père et Daniel. Elle a posé la question à Michel sur le chemin du retour, mais elle n'a rien pu tirer de son père. Il a été tellement évasif que cela a convaincu Sonia qu'il cache quelque chose à ce sujet.

Lors de cette soirée, Daniel leur a raconté un peu sa vie.

— Mes parents sont morts il y a un an dans un accident d'auto alors qu'ils revenaient de Québec, ils étaient allés voir un spectacle. Comme je suis fils unique, je me suis retrouvé tout fin seul. Mes parents venaient tous les deux de la Gaspésie. J'ai encore de la famille là-bas, mais je ne la vois pas souvent.

— Qu'est-ce que tes parents faisaient dans la vie ? s'est enquis Michel.

— Mon père enseignait la guitare dans un collège privé de Montréal, et ma mère donnait des cours de piano chez nous à de jeunes enfants.

— Alors, ça signifie que tu seras seul à Noël ? s'est aussitôt inquiétée Sonia.

— Certains de mes amis m'ont invité à aller chez eux. Mais pour le moment, je ne sais pas encore ce que je vais faire.

— J'ai une idée ! s'est écriée Sonia. Tu pourrais venir fêter le réveillon chez nous. Qu'en penses-tu, papa ?

Sur le coup, Michel est resté surpris de l'offre de sa fille. S'il acceptait que Daniel entre dans sa vie, il risquerait tôt ou tard d'être démasqué et il n'en avait pas envie du tout. En revanche, s'il refusait, il irait à l'encontre des beaux principes qu'il tente d'inculquer à ses enfants. Il devait bien avouer qu'il éprouvait beaucoup de plaisir en compagnie du jeune homme. C'est pourquoi il a dit :

— C'est une excellente idée. Alors, qu'en penses-tu, Daniel ?

Le jeune homme a réfléchi à peine quelques secondes avant de répondre, un large sourire sur les lèvres :

— J'en serais honoré.

— Je vais te donner notre numéro de téléphone, s'est dépêchée de proposer Sonia.

Sonia se promet de s'arranger pour passer un peu de temps en tête-à-tête avec Daniel lors du réveillon. Elle a des tas de questions à lui poser. « Décidément, il m'intéresse de plus en plus, le beau Daniel ! » songe-t-elle en souriant.

# Chapitre 33

— Ce n'est pas juste ! s'écrie Dominic pour la énième fois en entrant dans la maison. Je voulais être enfant de chœur et il le savait très bien.

— Tu aurais dû y penser avant, mon garçon, répond son père. Après tout ce que vous avez fait subir au curé, François et toi, j'aurais agi comme lui.

— Pourtant, on ne lui a rien fait de mal ! objecte François. On lui a juste joué un tour. Si seulement il avait un peu le sens de l'humour, il aurait ri. Mais non. Je commence à croire qu'il va nous en vouloir jusqu'à nos noces. En tout cas, moi, ça ne me dérange pas.

— On sait bien ! déclare Dominic, l'air indigné. Toi, tu ne souhaites pas être enfant de chœur, mais moi, oui.

Dominic s'approche de sa mère et lui demande :

— Est-ce que tu pourrais téléphoner au curé ?

— Ne compte pas sur moi. À dix ans, tu es assez vieux pour assumer les conséquences de tes actes.

— Ta mère a raison, renchérit Michel. Bon, assez parlé du curé. Son sermon me résonne encore dans les oreilles. Enlevez vos manteaux et venez m'aider à dresser la table. Moi, j'ai très hâte d'ouvrir les cadeaux.

Les jumeaux regardent leur père d'un drôle d'air.

— Qu'est-ce qu'il y a ? s'étonne Michel. J'ai bien le droit d'avoir hâte, moi aussi. Allez, dépêchez-vous un peu !

— Ce n'est pas que tu aies hâte d'ouvrir les cadeaux qui les surprend, mais plutôt que tu veuilles dresser la table… explique Sylvie.

— Mieux vaut tard que jamais! s'exclame Michel d'un ton taquin.

Contrairement à son mari, ce n'est pas le sermon du curé que Sylvie entend en boucle dans sa tête. C'est plutôt *Les anges dans nos campagnes, Il est né le divin enfant, Adeste fideles*… La performance des chanteurs n'a pas été parfaite, mais la magie opère tellement en cette veille de Noël que même si le *Minuit, chrétiens* avait sonné faux d'un bout à l'autre, les fidèles auraient prétendu que l'interprétation était magnifique. Ils auraient même félicité le soliste à la sortie de l'église.

Des soirs comme celui-là, les gens en ont besoin pour se rapprocher, pour affirmer leur foi en Dieu. C'est dans ces moments qu'on sent le moins les inégalités sociales. La veille de Noël, riches ou pauvres, tous ont un bon mot pour les autres. Ce n'est qu'une fois de retour dans sa chaumière que chacun doit faire face à sa réalité. Certains souffriront d'avoir trop mangé au réveillon, tandis que d'autres iront se coucher le ventre presque vide – se contentant de mâcher lentement un morceau de pain pour se donner l'illusion de réveillonner eux aussi. C'est dans ces occasions que Sylvie apprécie encore davantage sa chance. Les Pelletier ne sont pas riches, loin de là, mais ils mènent une existence très confortable comparativement à beaucoup de gens. Les affaires de Michel roulent si bien que ce dernier n'a pas connu de réelle baisse de salaire. Depuis qu'elle est payée pour chanter, Sylvie gagne suffisamment pour payer l'épicerie trois semaines sur quatre. Et ce qui fait une grande différence dans leur budget, c'est qu'ils n'ont pas d'hypothèque à payer. C'est avec leurs épargnes qu'ils ont payé leur voyage dans l'Ouest canadien; c'est aussi grâce à elles qu'ils iront en Égypte. Sylvie sait que sans leurs économies, jamais son mari et elle n'auraient pu rendre visite à André, à moins bien sûr d'emprunter.

Là-dessus, Michel et Sylvie sont plutôt conservateurs. La maison est le seul achat pour lequel ils trouvent normal de contracter un emprunt. Michel a toujours payé comptant ses autos. Vivre à crédit n'est pas un mode de vie pour les Pelletier. De cette façon, quand ils se couchent le soir, ils dorment sur leurs deux oreilles. Aucun cauchemar ne vient hanter leurs rêves, ce qui n'est pas le cas de tous les couples en cette fin des années 1960. On dirait que plusieurs ne sont pas heureux s'ils ne surconsomment pas. Leurs maisons sont remplies de choses inutiles, mais à la mode. Michel et elle n'adhèrent pas à cette société de consommation. Tant qu'ils ont l'essentiel, ça leur suffit. Ils ne ressentent pas le besoin de changer leur ameublement chaque fois que la mode change. Ils aiment encore ce qu'ils ont acheté il y a plusieurs années. C'est peut-être parce qu'ils ont désiré longtemps leurs meubles avant de pouvoir se les offrir.

Étant donné que tout le monde a mis la main à la pâte, la table est bien garnie. Comme le veut la tradition, un grand pain sandwich recouvert de Cheez Whiz trône en plein centre ; il donne un air de fête à tout ce qui l'entoure. Cette année, Sylvie a choisi un pain de couleur vert menthe, ce que les convives découvriront seulement lorsqu'elle coupera la première tranche. Plusieurs mets, qui ont été retenus pour leur goût plus que pour leur côté santé, occupent la table des Pelletier : un grand bol de chips ; un plat de fudge et un autre de sucre à la crème ; un plateau rempli de cornichons, de petits oignons et de betteraves ; une grosse bouteille de Coke et une de boisson gazeuse aux fraises ; un plat débordant de bonbons de Noël… Il ne manque plus que les pâtés à la viande qu'on sortira du four à la dernière minute, et la bouteille de ketchup Heinz.

Les années précédentes, Sylvie confectionnait toujours une grosse tourtière en plus, mais plus souvent qu'autrement, Michel et elle étaient les seuls à s'en servir une part, les enfants préférant de loin le pain sandwich. C'est pourquoi ce Noël-ci, Sylvie a décidé de se passer de la tourtière.

— Il ne reste plus qu'à attendre que Daniel arrive, déclare Michel.

— Est-ce que ça va être long ? demande François d'un ton impatient.

— Il devrait être ici d'une minute à l'autre, répond Michel. Mais tu ne dois quand même pas être si affamé. Tu as mangé comme un ogre au souper.

— Tu te trompes, je meurs de faim ! réplique François. Tu sais que je ne peux pas résister à un pain sandwich. Regarde, il me fait des clins d'œil.

— Voyons donc ! ricane Junior. Tu es drôle, toi !

Aussitôt la table mise, Sonia file dans sa chambre. Il faut qu'elle se change. La veille, elle est allée faire les magasins avec Isabelle à Montréal. Elle s'est acheté une belle robe à motifs psychédéliques blanc et lilas : manches longues, taille basse, large ceinture pour souligner les hanches. Le seul hic, c'est qu'elle est tellement courte que même Isabelle lui a dit que ça n'avait pas de bon sens.

— Comment vas-tu faire pour t'asseoir ?

— Mes cours de personnalité vont enfin me servir. Regarde-moi bien.

En moins d'une minute, Sonia a fait la démonstration à son amie que non seulement elle pouvait s'asseoir, mais qu'elle pouvait même être élégante.

— Mais tu ne pourras pas te plier, par exemple !

— Mais oui ! Il faut juste que je le fasse différemment.

Malgré le savoir-faire de Sonia, Isabelle croyait toujours que la longueur de la robe posait problème. Mais elle s'était retenue de revenir à la charge, car cela n'aurait servi qu'à irriter son amie.

— C'est vrai qu'elle te va bien, a admis Isabelle. Mais tu n'as pas de mérite, tu es taillée au couteau.

— Je suis certaine qu'elle t'irait bien aussi. Essaie-la.

— Même si elle m'allait, je n'ai pas d'argent pour me l'offrir. Je te remercie, je préfère la regarder sur toi.

— Je te la prêterai quand tu voudras impressionner ton photographe, a proposé gentiment Sonia. On la même taille. Bon, maintenant, il faut que je me trouve des bottes à gogo.

— Mais où prends-tu ton argent ? lui a demandé son amie d'un ton inquiet.

— C'est simple. J'ai vendu deux toiles et j'ai décidé de me gâter. Je veux être belle à Noël.

Sonia commence par retoucher son maquillage. Elle ajoute un peu de noir sur ses yeux et remet du rouge à lèvres. Pour une fois, ses cheveux sont parfaits. Elle enfile ensuite sa robe, ses bas et ses bottes noires. Elle a longtemps hésité entre les bottes orange, les jaune citron et les noires. Les trois paires s'agençaient bien avec sa robe, mais elle s'est dit que les noires seraient plus pratiques. Elle ajuste ensuite sa ceinture. Quand elle se regarde dans le miroir, elle sourit. Ce qu'elle voit ne pourrait la rendre plus heureuse.

La jeune fille sait d'avance que sa tenue va susciter toutes sortes de réactions. Sa mère va sûrement dire que ça n'a pas de sens de porter une robe aussi courte. Son père va la regarder d'un air sévère, mais il y a fort à parier qu'il ne réagira pas sur le coup. Alain et Junior vont sûrement la siffler. Quant aux jumeaux et à Luc, ils vont probablement venir tirer sur sa robe pour la taquiner. Et Lucie l'enviera de pouvoir porter une robe comme celle-là ; Sonia en est certaine. Ce n'est pas qu'elle soit mal faite, mais sa belle-sœur est plutôt du genre sportive, alors ce genre de tenue ne ressortirait pas bien sur elle. Au fond, il n'y a que l'avis du beau Daniel qui importe vraiment à Sonia. Après tout, c'est pour l'impressionner qu'elle a fait ces folles dépenses. Comme elle le connaît très peu, elle n'a aucune idée de la réaction qu'il va avoir en la voyant. Elle aime porter ce genre de vêtements, mais les occasions se font plutôt rares. Sonia n'a pas encore décidé si elle va mettre sa nouvelle robe pour aller souper chez Langis ce soir. Il y a de fortes chances qu'elle choisisse de porter quelque chose de plus simple.

La vie est bien faite parfois. Sonia fait son entrée dans la cuisine en même temps que Daniel. L'effet est instantané sur le jeune homme. La mâchoire à terre, il n'a d'yeux que pour elle – et il n'est pas le seul à avoir cette réaction. En voyant Sonia, tout le monde a arrêté de parler. La bouche ouverte, tous les hommes de la famille sont sous le choc. Quelques secondes plus tard, tous y vont de leurs commentaires.

— Wow, Sonia ! s'écrie Luc. Tu ressembles à une actrice.

— Est-ce que c'est vraiment ma petite fille ? s'enquiert Michel, les yeux rieurs. On dirait Brigitte Bardot.

— Si tu n'étais pas ma sœur, je te demanderais en mariage, déclare Junior.

— Et moi, si je n'étais pas marié, je ferais tout pour que tu me choisisses, renchérit Alain.

C'est à ce moment que Sylvie met fin au petit manège des hommes de la maison. Si elle avait des fusils à la place des yeux, Sonia mourrait sur-le-champ.

— Tu as une minute pour aller te changer, Sonia. Il n'est pas question que ma fille porte ça. Ça n'a aucun bon sens !

— Mais maman… objecte Sonia.

— Il n'y a pas de mais qui tienne. Va te changer et vite.

Surprise par la réaction excessive de sa mère, Sonia se sent rougir jusqu'à la racine des cheveux. Figée sur place, elle est incapable de faire le moindre mouvement.

Michel est en complet désaccord avec Sylvie. Oui, la robe de Sonia est trop courte, mais il n'y a pas de quoi en faire un plat – surtout pas pendant le réveillon. De plus, Sonia est loin d'être la seule à porter de tels vêtements : c'est la mode. Et elle a la taille pour les mettre en valeur, ce qui n'est pas le cas de toutes les filles qui osent les porter.

Avant que les choses dégénèrent, Michel dit d'une voix forte pour que Sylvie le comprenne bien :

— Tu es vraiment très belle, ma fille. Viens t'asseoir. Maintenant que Daniel est arrivé, on va pouvoir passer à table.

Les yeux rivés sur Sonia, Daniel est encore sous le choc. C'est la première fois qu'une fille lui fait autant d'effet, à tel point qu'il aurait presque envie de remercier Sylvie d'avoir sermonné Sonia. Cette petite diversion lui a permis d'observer celle-ci à son goût, sans se sentir gêné de soutenir son regard. Aussitôt que Sonia fait un pas en avant, il secoue légèrement la tête pour s'obliger à regarder ailleurs.

Muets jusqu'ici, les jumeaux n'ont rien perdu de la scène. C'est ce moment que Dominic choisit pour demander à Daniel :

— Est-ce que tu la trouves belle, ma sœur ?

Avant même que le jeune homme ait le temps de réfléchir à ce qu'il va répondre, François renchérit :

— C'est certain qu'il la trouve de son goût ! Il n'a pas cessé de la regarder.

Voyant l'embarras de l'invité, Michel s'interpose.

— Voulez-vous bien lui donner une chance ? C'est enfin le temps de manger. Qui veut une tranche de pain sandwich ?

Daniel apprécie l'intervention de Michel. Mais l'occasion de faire savoir à Sonia qu'il la trouve de son goût est trop belle pour qu'il la rate. Alors que Dominic va répondre à la question de son père, Daniel déclare, en plongeant son regard dans celui de Sonia :

— Je n'ai jamais vu une fille aussi magnifique.

Puis, sur un ton plus léger, il ajoute :

— Est-ce que je pourrais avoir le bout du pain sandwich ?

Sa question soulève plusieurs réactions. Il y a une tradition chez les Pelletier : chaque année, on tire au sort le nom des deux chanceux qui auront droit aux bouts du pain sandwich. Pendant que Michel explique les règles du jeu à Daniel, Sylvie fait de gros efforts pour revenir à de meilleures intentions. Elle aurait dû s'abstenir de parler quand elle a vu Sonia, au moins devant la visite, mais cela a été plus fort qu'elle. Chaque fois que sa fille fait les choses autrement qu'à sa manière, elle s'emporte et réagit trop fortement. Sylvie a beau se répéter que ce n'est pas parce qu'elle-même n'a pas pu vivre sa jeunesse que sa fille est obligée de subir le même sort. Mais à la première occasion, elle agit comme si Sonia avait encore quatre ans. Chaque fois qu'elle en parle avec Chantal, sa sœur lui dit qu'elle a beaucoup de chance d'avoir une aussi bonne fille. « Regarde un peu autour de toi et tu vas voir que c'est loin d'être la même chose partout. Sonia ne se drogue pas. Elle ne fume pas et elle ne boit pratiquement pas non plus. Je ne sais pas ce qu'il te faudrait de plus pour être contente. Je ne te comprends pas. Tu devrais faire attention ; ta fille a beau avoir bon caractère, elle va finir par t'envoyer promener. En tout cas, à sa place, il y a longtemps que je l'aurais fait. » Sylvie comprend tout ça. Mais quand vient le temps de mettre en application ses belles résolutions, les choses se gâtent.

Alors qu'elle taille les pâtés de viande en pointes, Sylvie prend une grande respiration. Elle n'a pas le droit de gâcher la fête de Noël, et elle n'a pas le droit de traiter Sonia comme elle vient de le faire. Tout de suite après avoir placé les pâtés sur la table, elle pose sa main sur l'épaule de sa fille. Puis, elle indique suffisamment fort pour que tout le monde l'entende :

— Dommage que nous ne soyons pas de la même taille parce que j'aimerais bien voir l'air que j'aurais dans ta robe.

Tout le monde éclate de rire. Sonia met sa main sur celle de Sylvie. Puis, elle lève la tête et sourit à sa mère.

# Chapitre 34

*Fin janvier 1969*

Les enfants ont tellement aimé passer le jour de l'An chez leurs grands-parents Belley que, depuis, ils en parlent chaque jour. Il faut reconnaître que c'était loin d'être ordinaire. D'abord, les grands-parents habitent une charmante petite maison à l'orée du village, à environ 400 pieds de la 139, la route qui traverse le village d'un bout à l'autre. Leur résidence étant juchée sur une petite colline, Suzanne et Camil ont une vue imprenable sur la vallée en contrebas et le début de la région montagneuse de l'Estrie. Leurs voisins de gauche et de droite sont des parents de Suzanne, des gens vraiment sympathiques et accueillants. L'une des familles exploite une imposante ferme de vaches laitières, alors que l'autre possède une vingtaine de chevaux pour son plaisir et pour celui de ses clients qui viennent monter les bêtes.

Comme les Pelletier avaient prévu faire l'aller-retour dans la même journée, ils s'étaient tous endimanchés pour l'occasion. Pourtant, Camil les avait prévenus. Il avait même appelé sa fille la veille pour lui rappeler d'apporter des vêtements chauds pour tout le monde. Sylvie ne s'était pas encore remise du choc causé par le déménagement de son père et de Suzanne. Elle n'en voulait pas à son père, il était grand temps qu'il pense à lui, mais elle trouvait qu'il était allé s'établir trop loin. « Il aurait pu choisir un endroit où j'aurais été capable d'aller lui rendre visite dans un laps de temps raisonnable. L'Avenir, c'est pratiquement à une heure et demie de route de Longueuil. » C'est pourquoi elle avait insisté auprès de Michel pour qu'ils aillent seulement manger là-bas. « Allons d'abord voir où mon père et Suzanne vivent. » À court d'arguments, il avait fini par céder en songeant que son beau-père serait sûrement mécontent. Mais depuis le temps que Michel vivait avec

Sylvie, il avait appris qu'il valait mieux lâcher prise si on voulait éviter que les choses tournent mal.

Quand Camil a vu les Pelletier sortir de l'auto tout endimanchés, il s'est retenu de passer des remarques. Suzanne et lui ont fait faire le tour du propriétaire à leurs visiteurs, tant à l'extérieur qu'à l'intérieur. Ils les ont ensuite conviés à prendre place à table. Ce n'est qu'à ce moment que Camil a déclaré d'un air innocent :

— Dommage que vous soyez aussi chics, on aurait pu aller faire du cheval… ou même de la motoneige, a-t-il ajouté à l'intention de Junior.

— On se reprendra la prochaine fois qu'on viendra vous voir, s'est dépêchée de répondre Sylvie dans le but de mettre fin à la discussion. C'est vraiment beau chez…

Mais elle n'a pas eu le temps de finir sa phrase.

— Il n'est pas question qu'on attende la prochaine fois ! a protesté Junior. Moi, j'ai tout ce qu'il faut dans la valise de l'auto.

— Moi aussi ! s'est écriée Sonia.

Surprise, Sylvie s'est demandé comment il se faisait que Junior et Sonia aient prévu le coup.

— Et nous, qu'est-ce qu'on va faire pendant ce temps-là ? s'est plaint Dominic. On va sécher comme des vieux cotons, je suppose ?

— Si on l'avait su, on aurait pris ce qu'il faut, a maugréé François. Pourquoi personne ne nous dit jamais rien ?

— Tu as raison, a lancé Luc d'un ton mécontent.

— Voulez-vous bien arrêter de râler ! a ordonné Michel à ses fils. Après le dîner, vous irez avec Junior. Dans ma valise d'auto, vous devriez trouver tout ce qu'il vous faut.

Sylvie a senti la pression monter. Alors qu'elle croyait que Michel était de son bord, voilà qu'elle vient d'apprendre qu'il a travaillé dans son dos. La moutarde lui est montée au nez. Aussitôt qu'il a remarqué son air, son père s'est approché d'elle. Après avoir passé son bras autour des épaules de Sylvie, il a déclaré :

— Je sais que ça ne fait pas ton affaire que j'aie déménagé, surtout qu'on ne t'a pas laissé le temps de t'habituer tellement ça s'est fait vite. Mais tu n'es pas obligée d'agir comme tu le fais. Si tu dois en vouloir à quelqu'un, c'est uniquement à moi.

— Mais je ne vous en veux pas ! s'est récriée Sylvie, la voix remplie d'émotion.

Savoir qu'elle ne recevra plus de visites surprises de son père la peinait beaucoup. Et le fait qu'elle ne pourra plus faire un saut chez lui chaque fois qu'elle ira sur l'île la désespérait. Elle savait que c'était purement égoïste de sa part. Elle devrait être contente pour son père et pour Suzanne puisque c'était leur décision de vivre à L'Avenir. Mais c'était loin d'être facile pour elle.

— C'est juste que je vous trouve bien loin de Longueuil tous les deux, a-t-elle ajouté.

— Tu sais, ma fille, la distance c'est toujours relatif. On peut rester dans la même maison et être très loin, mais on peut aussi habiter loin et être très proche.

— Vous avez raison. Vous savez à quel point j'ai de la misère avec les changements.

— J'en ai une petite idée, oui ! l'a taquinée Camil.

— Si ça peut te consoler, est intervenue Suzanne, tu n'es pas la seule à réagir de la sorte. Mes deux plus vieilles sont loin de trouver ça drôle qu'on se soit installés aussi loin de Montréal. Elles ne m'ont pas adressé la parole depuis qu'on a déménagé.

— Ce n'est pas la porte d'à côté, mais ce n'est quand même pas le bout du monde, a commenté Michel. Les gens de Montréal, dès qu'ils sont obligés de traverser le pont, c'est toujours trop loin. Ça me fait bien rire. En tout cas, le beau-père, moi j'adore ça. Vous avez vraiment choisi un bel endroit. C'est plus plat qu'au Saguenay, a-t-il poursuivi d'un air coquin, mais c'est une très belle campagne. Je vous promets de venir vous voir souvent.

— Je te remercie, mon gendre ! s'est exclamé Camil. Bon, êtes-vous prêt à manger maintenant ? J'espère que vous avez faim parce que Suzanne a préparé de la nourriture pour une armée.

Finalement, les Pelletier ont fait du cheval et de la motoneige, et certains se sont même promenés en raquette. Pendant ce temps, les adultes ont fait un tour de calèche sur les petites routes environnantes. Chemin faisant, ils se sont arrêtés acheter du sirop d'érable chez un producteur et du miel chez un autre. Sylvie a vite compris pourquoi ce petit village plaisait tant à son père et à Suzanne. Ils ont été accueillis comme s'ils faisaient partie de la famille partout où ils sont allés ; en ville, la vie est bien différente. Une fois la vaisselle terminée, alors qu'ils s'apprêtaient à partir, Sylvie a demandé à son père s'ils pouvaient rester à dormir.

— Là, tu me fais plaisir ! s'est réjoui Camil.

— Viens avec moi, l'a invitée joyeusement Suzanne. On va s'assurer que tous soient bien installés.

Soudain prise de remords en pensant au travail que cela exigerait, Sylvie a déclaré :

— Ce n'est peut-être pas une si bonne idée. On pourrait se reprendre une autre fois. Ça va vous donner beaucoup trop d'ouvrage.

— Laisse faire ça, a répondu Suzanne. À deux, ça va prendre quelques minutes seulement.

— Je peux vous aider, a proposé Sonia.

— Viens-t'en! Ça va aller encore plus vite à trois.

\* \* \*

Concentré sur une émission de télévision, Luc n'entend rien de ce qui se passe autour de lui. Aujourd'hui, au *Magazine des jeunes*, il est question de l'Expo 67. On y donne tous les détails sur celle-ci, de sa construction jusqu'à sa tenue. Luc est fasciné par ce qu'il voit. S'il avait su tout ça avant, il serait allé là-bas bien plus souvent. Il s'en veut presque de ne pas en avoir profité autant qu'il l'aurait pu. On y parle aussi de la construction de l'île Notre-Dame, à laquelle son père a participé en transportant de nombreux voyages de terre et de roches. On y présente même quelques images sur la construction du tunnel Louis-Hippolyte-La Fontaine.

En cours d'émission, un architecte explique ce qui a motivé le choix des matériaux pour certains pavillons. Plus il écoute, plus Luc sait qu'il ne sera pas un pompier, et probablement pas un biologiste non plus. «Je pourrais devenir architecte. Au lieu d'étudier les insectes, j'étudierais les matériaux et je dessinerais des plans. Je pourrais construire des grands immeubles, et des grosses maisons pour les riches. »

Quand l'animateur annonce la fin de l'émission, Luc crie:

— Moi, je veux devenir architecte.

Occupée à repasser dans la cuisine, Sylvie dépose le fer sur son support. Puis, elle dit:

— Il me semblait que tu voulais être biologiste.

— Eh bien, j'ai changé d'idée. C'est à cause de l'émission que je viens d'écouter. On y a montré comment a été construit le site de l'Expo. Je n'ai jamais rien vu d'aussi intéressant.

Sylvie sourit en écoutant son fils. Ce n'est sûrement pas la dernière fois qu'il va changer d'idée sur son avenir. D'une certaine manière, elle l'envie. Aujourd'hui, les jeunes peuvent faire tout ce qu'ils veulent à la condition de fournir les efforts nécessaires, alors que dans son temps, on avait vite fait le tour de la question. Pour la majorité des femmes, le chemin était tracé d'avance. Elles se marieraient et resteraient à la maison, et élèveraient une famille, ou bien deviendraient religieuses ou institutrices. Quant aux hommes, plusieurs d'entre eux prenaient la relève de leur père; ceux qui en avaient les moyens et les capacités embrassaient une profession libérale. Dans le temps, peu de gens se demandaient s'ils aimaient leur métier. Il fallait travailler, un point c'est tout. Aujourd'hui, non seulement les jeunes veulent exercer un métier qu'ils aiment, mais ils désirent aussi faire de l'argent. « Il y a même fort à parier qu'ils changeront de métier au cours de leur vie. Il y a des jours où je me dis qu'ils ont trop de choix et que ce n'est pas bon pour eux. »

— Est-ce que tu sais où sont les jumeaux? lui demande Luc.

— Ils ne doivent pas être bien loin, il y a à peine quelques minutes qu'ils sont sortis. Si j'étais toi, j'irais voir derrière la maison.

Sylvie mettrait sa main au feu que François et Dominic préparent encore un mauvais coup. Tout à l'heure, quand ils étaient dans leur chambre, elle n'entendait aucun bruit – ce qui commençait à l'inquiéter sérieusement. Elle est même allée coller son oreille sur la porte de leur chambre pour les épier. Tout ce qu'elle a réussi à entendre, ce sont des chuchotements. Elle est vite revenue à sa corvée de repassage. Elle saura bien assez vite ce que les deux chenapans manigancent.

— J'y vais! annonce Luc.

— Tu devrais emmener Prince 2 avec toi! Le pauvre, il n'est pas sorti de la maison depuis ce matin.

Luc soupire un bon coup avant d'appeler son chien. Il ne l'affectionne pas moins qu'avant, c'est seulement qu'il aime être seul parfois. C'est son chien et il ne l'abandonnera jamais, mais il souhaiterait avoir un peu d'aide pour s'en occuper. « À ce que je sache, je ne suis pas le seul à en profiter. Il n'y a que papa et Junior qui l'emmènent marcher de temps en temps, et encore. »

Quand elle entend la porte de derrière se refermer, Sylvie est soulagée. Elle trouve bien regrettable d'être souvent obligée de rappeler à Luc de sortir son chien. Elle voudrait bien aller prendre une marche avec Prince 2 chaque jour, c'était d'ailleurs sa résolution du jour de l'An, mais elle a abandonné après deux jours seulement. « Je ne peux pas tout faire », se dit-elle pour se déculpabiliser, alors que marcher quelques minutes chaque jour lui serait grandement bénéfique. Elle ne fait jamais d'exercice au sens propre du mot. Comme bien des femmes de sa génération, elle voudrait perdre quelques livres, mais sans fournir d'efforts. Selon Chantal, Sylvie devrait arrêter d'en parler et passer à l'action. « Je voudrais bien la voir à ma place. Si elle avait eu six enfants comme moi, elle n'aurait sûrement pas gardé sa taille de guêpe. » Ce genre de réflexions ne sert qu'à lui donner bonne conscience. Même après plusieurs grossesses, Shirley et Éliane ont conservé leur taille de jeune fille. Est-ce parce qu'elles prennent davantage soin d'elles ? Ou est-ce plutôt parce que, peu importe ce qu'elles mangent, elles ne prennent pas une seule once ? De prime abord, Sylvie a tendance à croire que ses deux amies n'ont aucun mérite. Elles n'engraissent pas parce qu'elles sont faites pour être minces, un point c'est tout.

Sylvie repense au réveillon. Une fois de plus, les jumeaux lui ont fait le coup. Aussitôt qu'ils ont vu leur cadeau, ils s'en sont pris à elle. « C'est nul ce cadeau, on n'en veut pas. Tu ne nous écoutes pas quand on parle. Du linge, ce n'est même pas un vrai cadeau. Pourquoi faut-il que ça tombe toujours sur nous ? » Comme d'habitude, Sylvie n'a fait aucun cas de leurs commentaires, sauf qu'elle a décidé de mettre définitivement un terme à leurs jérémiades.

— Donnez-les-moi, a-t-elle ordonné d'une voix autoritaire. Je vais les rapporter au magasin et je vous donnerai l'argent. Vous vous achèterez ce que vous voulez avec. Écoutez-moi bien : c'était la dernière fois que je prenais la peine de vous acheter un cadeau. À partir de maintenant, tout ce que vous allez avoir de moi, et de votre père aussi, c'est de l'argent. J'en ai plus qu'assez de vous entendre râler à chaque réveillon. Allez, et plus vite que ça !

Surpris par la réaction de leur mère, les jumeaux ont réfléchi quelques secondes en regardant leurs chandails de laine. Ceux-ci étaient beaux et sûrement très chauds. Ils pourraient les porter pour jouer au hockey, surtout que leurs vieux chandails commençaient à être usés aux coudes.

Sylvie est revenue à la charge :

— Qu'est-ce que vous attendez pour me les donner ?

François et Dominic se sont jeté un coup d'œil rapide, ce qui n'a pas échappé à Sylvie. Quand elle a tendu la main pour prendre les chandails, François a dit :

— J'ai changé d'idée. Je vais le garder.

— Es-tu bien certain ? a demandé Sylvie.

— Oui, a-t-il répondu du bout des lèvres.

Elle s'est tournée vers Dominic. Celui-ci a hésité quelques instants avant de finalement tendre son chandail à sa mère.

— Moi, je veux avoir l'argent.

Le chandail en main, Sylvie a précisé :

— Comme tu voudras. Mais j'espère que tu ne t'attends pas à avoir une fortune parce que tu risques d'être déçu.

Évidemment, elle s'est bien gardée de dire qu'elle avait acheté les chandails en solde en juin et qu'elle ne pouvait pas les rapporter au magasin. Elle donnera celui de Dominic au fils de Shirley. Étant donné qu'elle conserve toutes les étiquettes de ses cadeaux de Noël, il est facile pour elle de savoir combien elle a payé les deux vêtements. En voyant le prix marqué sur l'étiquette, elle a éclaté de rire. Ce jour-là, elle avait frappé une vente du tonnerre chez Eaton. Elle aurait bien envie de donner à Dominic uniquement ce qu'elle a déboursé, mais elle a décidé de se montrer bon joueur. Si elle veut que François ait du plaisir à porter son chandail, il vaut mieux qu'elle donne à Dominic plus d'argent, sinon celui-ci se fera un immense plaisir de taquiner son frère. Heureusement, à part les jumeaux, tous les autres ont été contents de leurs cadeaux.

Sylvie dépose le fer sur son socle et le débranche. Elle a juste le temps de préparer le souper avant que Michel revienne du magasin. La porte s'ouvre subitement sur Sonia. Le sourire aux lèvres, la jeune fille demande à sa mère si elle peut l'aider.

— Tu pourrais peler les patates pour faire des frites.

— Avec plaisir, maman! accepte Sonia. Est-ce que je pourrais faire un gâteau aux cerises pour dessert?

— Si tu veux. Il reste un mélange Duncan Hines.

Parfois, il y a des choses qui échappent à Sylvie. Mais lorsque ça la sert comme en ce moment, elle n'a aucune envie de se poser des questions.

# Chapitre 35

Les jumeaux et Luc font leur entrée dans la maison en appelant leur mère. Mais personne ne répond. Surpris, ils laissent tomber leurs sacs d'école par terre. Puis, sans prendre la peine d'enlever leurs manteaux et leurs bottes, ils avancent jusqu'à la cuisine. C'est là qu'ils découvrent leur mère en larmes. Ils accourent aussitôt et l'entourent de leurs bras.

— Maman, dit Dominic en lui tapotant doucement le dos, pourquoi tu pleures ?

Il y a déjà plus d'une heure que Sylvie a reçu un appel du fils d'Alice. Son amie est morte ce matin alors qu'elle sortait de l'autobus qui la ramenait chez elle. Comme elle avait des petits problèmes de santé depuis quelques mois, elle était allée faire une prise de sang à la demande de son médecin. Son fils lui avait proposé de l'accompagner, mais elle avait tellement insisté pour y aller toute seule qu'il avait fini par céder. Alors qu'Alice traversait la rue, une auto, surgie de nulle part, l'a heurtée. Elle est morte sur le coup.

Sylvie a compris tout ça, mais une partie d'elle refuse de l'accepter. Elle est tellement atterrée par la nouvelle qu'elle n'a même pas répondu au téléphone les deux fois où il a sonné par la suite. Elle doit se reprendre en main, et vite. Tous les membres de la famille adoraient Alice. Aussitôt que les jumeaux vont savoir ce qui est arrivé à la vieille dame, ils seront inconsolables. Et Luc aussi. Elle prend son courage à deux mains et annonce, la voix remplie d'émotion :

— Alice est morte.

Les garçons mettent quelques secondes à réaliser la nouvelle. À la seconde où le message arrive à leur cerveau, ils éclatent en larmes. Serrés contre leur mère, ils pleurent en silence pendant de longues minutes ; de gros sanglots les secouent. Si Sylvie pouvait se charger de leur peine, elle le ferait même si la sienne est déjà très grande. Mais tout ce qu'elle peut faire pour le moment, c'est pleurer avec ses fils. Même si elle savait qu'un jour Alice mourrait, au fond d'elle-même elle espérait que cela arriverait le plus tard possible. Alice était bien plus qu'une ancienne voisine pour elle. Non seulement elle était son amie, mais Sylvie l'aimait comme la mère qu'elle a perdue depuis si longtemps. Et Alice lui rendait bien son affection. Sylvie pouvait parler de tout avec son amie, même aborder des sujets dont elle ne discute pas avec sa sœur Chantal de qui elle est pourtant très proche. Alice ne lui dictait jamais quoi faire, pas plus qu'elle ne la jugeait – peu importe ce qu'elle lui racontait. Elle l'écoutait religieusement. Quand Sylvie arrivait au bout de ses confidences, elle lui faisait considérer les choses sous différents angles, en lui rappelant que personne ne détient la vérité, que chacun d'entre nous voit avec son propre regard, avec ses connaissances et ses perceptions. « Ce n'est pas parce que les autres ne pensent pas comme nous qu'ils ont tort… La vérité n'appartient pas à une seule personne. Chacun possède sa propre vérité. » Chaque fois que Sylvie revenait chez elle après avoir échangé avec Alice, elle se sentait plus forte. Alors que pendant la majorité de sa vie, elle avait tenu mordicus à ses idées – même quand elle était consciente de faire fausse route –, Sylvie est à présent capable de revenir sur ses positions et de changer d'avis si cela s'impose. Alice lui a tellement appris !

Quand elle va se coucher, Sylvie remercie Dieu du fond du cœur. Pendant un moment, elle a bien cru que Luc allait faire une crise d'asthme. Il a commencé par respirer fortement, puis plus difficilement. Pendant qu'elle courait chercher le sirop rouge, elle lui a crié : « Alice ne voudrait pas que tu te rendes malade pour elle. » Curieusement, quand elle est revenue avec une cuillère et le médicament, la respiration de son fils s'était grandement améliorée. Au moment où elle s'apprêtait à verser le sirop dans la cuillère, Luc lui a dit qu'il n'en avait pas besoin. Sylvie ignore si c'est à cause de ce qu'elle lui a dit, mais l'important c'est que Luc ait pu éviter d'aller à l'hôpital.

Nul doute que cette journée restera gravée longtemps dans la mémoire des Pelletier. Petits et grands garderont un bon souvenir d'Alice, cette femme si spéciale dont ils ont eu l'honneur de croiser la route. Comme la vie ne laisse jamais de vide, c'est le jour de l'enterrement que Marie-Paule est arrivée avec armes et bagages à Longueuil. Aussitôt revenue d'Ottawa, Sylvie est passée à la maison se changer. Puis, elle a filé à l'appartement de sa belle-mère après avoir laissé une note sur la table pour les enfants.

*Venez me retrouver chez grand-maman :*
*575, rue Saint-Alexandre.*

*Maman*

En apercevant sa belle-mère, Sylvie réalise à quel point la vie est bonne pour elle. Alors qu'elle vient de perdre une des personnes à qui elle tenait le plus en dehors de sa famille, voilà que Marie-Paule emménage à quelques minutes à peine de chez elle.

— Alors, vous ne regrettez pas trop votre Saguenay ? s'informe Sylvie.

— Je serais bien bête d'avoir des regrets alors que c'est moi qui ai décidé de partir. Sincèrement, je n'ai pas l'habitude de regarder en arrière. Et je suis très contente de m'installer près de vous.

Puis, sur un ton plus doux, Marie-Paule ajoute :

— Est-ce que je me trompe ou tu reviens du service de ton amie ?

— Vous ne vous trompez pas. J'ai juste pris le temps de me changer avant de venir vous rejoindre.

— Ça n'a pas dû être facile à Ottawa.

— Non. Et c'est difficile de croire que quelqu'un est vraiment mort quand la tombe est fermée. Son fils m'a dit qu'Alice était tellement mal en point que la dépouille ne pouvait pas être exposée. Sur le cercueil, il y avait une grande photo de mon amie prise au dernier réveillon. J'ai du mal à comprendre pourquoi certaines personnes meurent de manière si tragique, alors que d'autres arrêtent simplement de respirer pendant leur sommeil.

Le fait de ne pas pouvoir faire ses adieux à Alice en la regardant dans sa tombe a bouleversé Sylvie. Elle a eu le cœur gros pendant tout le trajet de retour. Plus souvent qu'autrement, elle était perdue dans ses pensées. Chaque fois qu'elle revenait à elle et qu'elle constatait la grande distance qu'elle avait parcourue, elle songeait que son ange gardien devait sûrement veiller sur elle.

— Je sais que ça fait cliché, mais on dit que les voies du Seigneur sont impénétrables, déclare Marie-Paule.

— Vous avez raison. Il faut se raccrocher à quelque chose puisqu'on est incapable de comprendre les mystères de la vie.

Sylvie respire à fond avant d'ajouter :

— Bon, comme on ne peut rien changer à la réalité, aussi bien essayer de tirer le maximum du moment présent, d'autant qu'Alice ne voudrait pas que je la pleure indéfiniment. Elle me dirait qu'il vaut mieux laisser les morts là où ils sont et profiter des vivants. Alors, que puis-je faire pour vous aider ?

— Comme tu peux voir, tout est à faire. Et pour être franche avec toi, je ne sais pas trop par où commencer. C'est toi l'experte. N'oublie pas que c'est la première fois que je déménage.

— Première question : est-ce que toutes les boîtes sont placées dans les pièces où elles doivent aller ?

— Oui, mon commandant ! répond Marie-Paule d'un ton taquin. J'ai suivi à la lettre tes recommandations. Non seulement j'ai écrit sur les boîtes la pièce où elles vont, mais j'ai aussi noté ce qu'elles contiennent.

— Excellent! On va gagner un temps fou grâce à ça. Alors, je suggère qu'on commence par votre chambre à coucher.

— Je te suis!

Quand les jumeaux et Luc frappent à la porte de la nouvelle maison de leur grand-mère, celle-ci se dépêche d'aller ouvrir.

— Tiens, tiens! s'écrie-t-elle. De la belle visite! C'est très gentil de venir m'aider. Je suis contente de vous voir. Approchez, que je vous embrasse.

— Elle est belle ta nouvelle maison, grand-maman, s'enthousiasme François. Est-ce qu'on va pouvoir venir te voir quand on va vouloir?

— Pour ma part, il n'y a pas de problème.

— Il n'est pas question que vous débarquiez ici quand bon vous semble, prévient Sylvie, qui termine de lisser le couvre-lit.

Puis, à l'intention de Marie-Paule, elle ajoute:

— Vous feriez mieux de prendre vos précautions. Vous savez comme moi qu'il n'y a rien à leur épreuve.

— Je ne suis pas comme les jumeaux! s'indigne Luc. Moi, je vais téléphoner avant de venir.

— C'est très bien, mon garçon, le félicite Sylvie. François et Dominic, vous devriez prendre exemple sur votre frère.

Frustré par les paroles de sa mère, Dominic s'écrie:

— Pourquoi tu ne nous fais jamais confiance? À t'entendre, on dirait que François et moi sommes de vrais monstres, alors que c'est faux.

Ces paroles frappent Sylvie de plein fouet. Dominic a raison : quand il s'agit des jumeaux, elle est toujours sur ses gardes. Même s'ils font des mauvais coups de temps en temps, ce sont des petits garçons de dix ans que tout le monde trouve mignons et que plusieurs mères voudraient adopter.

— Tu as raison, admet Sylvie. Je ne devrais pas vous réprimander avant même que vous fassiez quelque chose de mal.

Marie-Paule sourit. Comme bien des gens, elle a un faible pour les jumeaux. Elle ne les aime pas plus que ses autres petits-enfants, mais ils sont si adorables qu'ils ne la laissent jamais insensible.

— Je voudrais bien vous offrir une collation, dit Marie-Paule à ses petits-enfants, mais pour le moment, j'ignore totalement où sont mes affaires.

— Dans les boîtes ! s'exclame Dominic sur un ton moqueur.

— Tu as raison, répond sa grand-mère. Mais encore faut-il trouver la bonne boîte !

— Ne t'en fais pas, on a prévu le coup, annonce François. On a pris chacun une bonne pile de biscuits Village.

— Et un sachet de Kool-Aid à l'orange ! indique Luc.

— Puisque c'est comme ça, lance joyeusement Marie-Paule, il ne vous reste plus qu'à trouver le pot à jus !

— Il va falloir qu'on fasse vite, dit Dominic, parce que François et moi on ne pourra pas rester bien longtemps.

— Moi qui croyais que vous étiez venus m'aider, réagit leur grand-mère sur un ton faussement triste.

— Ne t'inquiète pas, grand-maman, se dépêche de la rassurer Luc. Moi je vais t'aider.

— Qu'avez-vous de si urgent à faire ? demande Sylvie aux jumeaux.

— Rien de très important, répond promptement Dominic.

— J'ai trouvé le pot à jus ! crie François. Il ne manque plus que le sucre.

— Je l'ai mis dans le garde-manger, lui dit Marie-Paule.

Aussitôt qu'ils ont bu leurs verres de Kool-Aid, les jumeaux prennent la poudre d'escampette malgré les tentatives de leur mère pour les convaincre de rester.

— On n'est pas au bout de nos peines avec eux ! se désole Sylvie.

— Arrête de t'en faire. Ils ne sont pas méchants, juste un peu taquins. Ils ressemblent tellement à leur oncle André au même âge. Moi, ils me font bien rire.

— Et moi ? demande Luc.

— Toi aussi, répond aussitôt sa grand-mère en lui souriant. Toi, tu es mon petit ange.

Fier comme un paon, Luc sourit à sa grand-mère. Il prend une dernière gorgée de Kool-Aid et se met à l'ouvrage.

\* \* \*

Si Sylvie voyait ce que les jumeaux manigancent, elle serait furieuse. Ils ont vidé leur tirelire et ont acheté autant de pétards à mèche qu'ils le pouvaient. Pour éviter de se faire dénoncer par l'épicier du coin, ils ont pris soin d'aller s'approvisionner chez celui près du fleuve. Ils ont assez de pétards pour s'amuser chaque soir de la semaine après l'école. Hier, ils ont dressé rigoureusement la liste de leurs victimes. Cette fois, ils ont décidé de s'en prendre entre autres à monsieur Raynald, le nouveau voisin de leur ancienne maison. Quand ils allaient jouer avec les enfants de Shirley avant qu'ils déménagent dans la maison de leur oncle Paul-Eugène, il ne manquait jamais de leur crier après aussitôt qu'ils faisaient mine de mettre le bout du pied sur son terrain. Si, par malheur, un papier de bonbon ou un sac de chips vide atterrissaient chez lui à cause du vent, ils avaient droit à tout un sermon – encore plus long que ceux de monsieur le curé, ce qui n'est pas rien. Monsieur Raynald, c'est de loin le pire homme qu'il leur ait été donné de connaître. Personne ne l'a jamais vu sourire. Un jour, François et Dominic ont parié avec les enfants de Shirley qu'ils arriveraient à le faire sourire. Mais malgré tous leurs efforts, ça n'est pas encore arrivé et, fort probablement, ils ne réussiront pas. D'après les jumeaux, monsieur Masson, c'est de la petite bière à côté de monsieur Raynald.

Pour les jumeaux, le plus difficile a été de trouver un endroit sécuritaire d'où ils pourraient lancer leurs pétards sans être vus. Comme le voisin d'en face est en Floride pour encore un mois, ils s'installeront derrière le petit muret qui tient lieu de clôture. Ils ont pris garde de ne pas piétiner la neige inutilement pour ne pas être repérés.

Accroupis, les jumeaux surveillent l'arrivée de monsieur Raynald. Alors qu'ils commencent à avoir des fourmis dans les jambes, ils voient celui-ci tourner au coin de la rue. Ils se regardent en souriant. Il va enfin savoir de quel bois ils se chauffent.

Le plan de François et Dominic est simple. Aussitôt que leur victime va sortir de son auto, ils vont lui lancer chacun un pétard à mèche qu'ils auront pris soin d'allumer au préalable. Non seulement ils devront faire vite, mais ils devront également être très précis dans leurs lancers. S'il fallait qu'ils touchent à l'auto de monsieur Raynald, même un simple effleurement, ils ne seraient pas mieux que morts.

Au moment où monsieur Raunald sort de son auto, deux pétards atterrissent derrière lui. L'homme sursaute ; il n'a rien vu venir. Il est tellement furieux qu'il jure comme un charretier. Il regarde autour de lui pour voir d'où le coup est venu, mais sans succès. Il essaie de reprendre son souffle. C'est fou ce que deux pauvres petits pétards à mèche peuvent faire peur. Les jumeaux n'ont pas besoin de voir leur victime pour imaginer sa tête. Pour le moment, tout ce qu'ils peuvent faire, c'est se retenir de rire, ce qui est passablement difficile compte tenu de ce qui vient de se produire. Il s'en faut de peu pour qu'ils sortent de leur cachette et qu'ils s'écrient : « C'est bien bon pour toi, espèce de grand flanc mou ! » Mais ils font les morts jusqu'à ce qu'ils entendent la porte de la maison claquer. Ce n'est qu'à ce moment qu'ils sortent de leur cachette. Connaissant monsieur Raynald, ils mettraient leurs mains au feu qu'il s'est installé à la fenêtre. C'est pourquoi ils longent le muret sur le côté de la cour – il y a plusieurs gros arbres entre eux et le muret – et filent par l'arrière de la maison. À moins d'avoir des yeux de lynx, monsieur Raynald n'a sûrement rien vu – c'est du moins ce qu'ils espèrent. Une fois dans la rue suivante, les jumeaux secouent leurs vêtements de toute la neige qui s'y est accumulée et éclatent de rire. Ils ont des fourmis dans les jambes d'avoir été accroupis trop longtemps. Mais cela valait largement la peine pour entendre jurer monsieur Raynald.

Dominic regarde sa montre et déclare :

— Si on se dépêche, on a le temps d'en faire un autre.

— Bonne idée ! On pourrait s'attaquer au voisin de tante Chantal.

# Chapitre 36

Assis sur le gros fauteuil, Junior regarde sa sœur et sourit. Elle qui aimait tant s'avachir sur le divan il n'y a pas si longtemps, voilà qu'elle a choisi de s'asseoir sur une chaise droite. Mais cela s'explique très facilement. Sa robe est tellement courte que non seulement elle aurait eu toute la misère du monde à se relever du divan, mais elle aurait aussi été incapable de ne pas montrer son fond de culotte à son frère.

— Pourquoi me regardes-tu comme ça ? lui demande-t-elle d'un air surpris.

— Tu devrais te voir ! s'exclame Junior. Je ne te reconnais pas. Tu as l'air d'un vrai mannequin : tu es droite comme un piquet. On dirait même que tu es plus grande qu'avant, et plus mince aussi.

Puis, sur un ton doux, il ajoute :

— Et tu es tellement belle…

— Mais n'oublie jamais que je suis ta sœur, par exemple, déclare-t-elle d'un ton sévère.

— Pas de danger ! Mais à ce que je sache, il n'y a aucune loi qui interdise à un frère de dire à sa sœur qu'il la trouve belle. Tu as changé depuis que tu suis tes cours de mannequin.

— Ce sont des cours de personnalité, rectifie Sonia.

— Peu importe. Avant, tu ne t'habillais pas comme ça.

— Je n'ai pas appris ça à mes cours. Si mon professeur me voyait, elle me réprimanderait sûrement. Mais j'aime bien être à la mode.

Il ne reste que deux mois avant que les cours de personnalité se terminent. Alors que Sonia s'y rendait avec réticence au début, voilà que c'est à regret qu'elle en voit venir la fin. Il y a des choses contre lesquelles on se bat bec et ongles afin de les éviter et, une fois qu'on se retrouve en plein dedans, on se demande pourquoi on a fait tout ce boucan. Le plus difficile est d'admettre que, parfois, les autres nous connaissent mieux que nous-mêmes – du moins, c'est l'impression que l'on a. Dans le cas des cours de personnalité, Sonia doit reconnaître que sa mère a vu juste en l'obligeant à les suivre. Contrairement à ce que pense Junior, Sonia est toujours la même, sauf qu'elle sait désormais comment tirer le maximum de sa silhouette, de sa beauté, de sa personnalité. C'est incroyable tout ce qu'elle a appris depuis son premier cours : les couleurs, les lignes, les proportions… Et tout ça lui sert aussi quand elle peint. Depuis un bon moment déjà, Sonia est très reconnaissante envers sa mère de lui avoir offert ce cadeau. Il faudrait d'ailleurs qu'elle la remercie, car ces cours sont loin d'être donnés. On va même lui montrer comment choisir un appartement et établir un budget. Certes, il y a des choses qu'elle va rejeter du revers de la main aussitôt qu'elle aura son diplôme parce qu'elles sont vieux jeu, à tout le moins pour elle. Mais dans l'ensemble, elle en aura eu bien plus que pour son argent – enfin, bien plus que pour l'argent de sa mère.

— Tant qu'à moi, tes nouveaux vêtements sont bien plus beaux que les grandes jupes que tu portais. Avant, les gars en bavaient pour toi ; maintenant, je suis prêt à parier qu'ils donneraient n'importe quoi pour sortir avec toi.

— Tu ne trouves pas que tu exagères un peu ? lui demande Sonia d'un air faussement gêné.

— À peine ! J'ai quelque chose à te demander. Est-ce que tu accepterais d'être mon modèle pour un concours de photo ? Il faut qu'on montre ce qui représente la beauté pour nous.

— Tu pourrais photographier Christine. Elle est vraiment très belle.

— Oui, mais c'est toi que je veux prendre en photo. Je ne sais pas si c'est par superstition, mais je me dis que si j'ai gagné une fois avec ta photo, mes chances devraient être encore meilleures aujourd'hui. Tu es encore plus belle et je suis un bien meilleur photographe que dans ce temps-là.

— Mais la beauté peut être dans un tas de choses : une fleur, un papillon, un enfant qui rit, une personne âgée qui sourit…

— Je le sais, et c'est justement pour cette raison que je veux te prendre en photo. Laisse-moi t'expliquer. Je veux démontrer qu'une personne peut être non seulement belle de l'extérieur, mais aussi de l'intérieur. Ce n'est pas ta belle robe ni ton beau maquillage que je veux montrer, mais ton âme, ton sourire, ta joie de vivre parce que c'est ce que je vois quand je te regarde.

Émue, Sonia doit se retenir pour ne pas pleurer. Il n'y a que Junior pour dire des choses comme celles-là. Il n'y a que lui pour voir ce que peu de gens arrivent à voir. Ce n'est pas par hasard s'il est un bon photographe ; c'est à cause de sa sensibilité. Il a toujours su lire dans les gens, à tout le moins en elle. D'une voix remplie d'émotion, elle déclare :

— Tu sais bien que je ne peux rien te refuser. Quand veux-tu qu'on les prenne, ces photos ?

— Si tu m'accordes un peu de temps, je les prendrais tout de suite.

— Ici ? demande Sonia d'un air surpris. Mais il fait sombre. En plus, le divan et les murs de contreplaqué sont laids.

— Je sais tout ça. Mais ça ne me cause aucun problème, même que c'est parfait pour ce que je veux démontrer : un décor tout ce qu'il y a de plus ordinaire en arrière-plan, un emballage soigné posé dessus et, pour finir, la beauté ultime d'un regard.

— Wow! s'exclame Sonia. Regarde-moi dans les yeux. Tu es certain que tu n'es pas gelé?

— Absolument! Ça fait deux jours que je n'ai pas fumé. Tu ne le sais peut-être pas, mais je ne fume jamais quand j'ai l'intention de prendre des photos. Ça me ralentit tellement qu'on dirait que je n'arrive plus à saisir l'essentiel.

— Il faudrait bien que j'essaie ça un jour.

Sonia a eu des occasions, mais elle n'a jamais été attirée par la marijuana – pas plus que par la bière ou par la cigarette, d'ailleurs. Elle a bien des défauts, mais pas ceux-là. En fait, elle aime rester en contrôle. Quand elle entend de la musique, elle se laisse facilement envahir par celle-ci. Quand elle danse, elle se laisse porter par la musique sans aucun artifice. Pour elle, le naturel est tout ce qui compte. Jamais elle ne se permettra de faire la leçon aux gens qui boivent ou qui fument un joint quotidiennement, sauf à Junior parce qu'elle ne voudrait pas qu'il lui arrive quelque chose de fâcheux. Langis, Normand et Antoine fumaient régulièrement des joints et jamais elle ne s'est permis de leur faire la morale. Elle leur a seulement demandé de respecter sa décision de ne pas fumer, ce qui a été fait dans les trois cas.

— Ce n'est vraiment pas nécessaire, tu sais.

— C'est ce que m'a dit Daniel. Mais au moins, lui, il ne fume ni cigarettes ni drogue, alors qu'avec toi c'est : « Faites ce que je dis, pas ce que je fais. » Je t'avoue que j'ai un peu de misère avec ça.

— Crois-moi, tu peux t'en passer. En tout cas, si c'était à refaire, jamais je ne toucherais à la drogue.

— Mais tu n'as qu'à arrêter.

— Ce n'est pas si simple. C'est un peu comme si tu demandais à papa ou à maman de cesser de fumer du jour au lendemain. Je te le dis : tu serais bien bête de commencer, surtout que Daniel ne touche même pas à ça.

— Tu as sûrement raison. Mais toi, pourquoi as-tu commencé au juste ?

— Honnêtement, je ne le sais pas vraiment. C'était peut-être pour faire comme les autres. Un soir, je me suis retrouvé chez des amis de Christine dans un petit appartement, à Montréal. Il y avait tellement de fumée là-dedans qu'on avait peine à voir son voisin. Comme j'étais le seul à ne pas fumer, j'ai voulu imiter les autres. J'ai bien l'intention d'arrêter, encore plus depuis que je connais Daniel. C'est un maudit bon gars que tu as là. Il m'a même offert de me donner des cours de guitare.

Le soir de Noël, Sonia est allée souper chez Langis comme prévu. Mais aussitôt qu'elle l'a vu, elle a tout de suite su que c'était fini – enfin, pour elle –, même s'il ne s'était encore rien passé avec Daniel. Ce soir-là, elle a compris la réaction de sa tante Chantal quand elle lui avait annoncé qu'elle avait repris avec Langis. « Je te souhaite de tout cœur que ça marche. Mais en ce qui me concerne, il y a longtemps que j'ai cessé de croire qu'on peut faire du neuf avec du vieux. Quand j'étais jeune, ma mère disait qu'on a beau recoller les morceaux d'une potiche cassée aussi parfaitement que possible, celle-ci prendra toujours l'eau. Moi, j'ai essayé par deux fois de revenir avec un ancien *chum*. Tout ce que j'y ai gagné, c'est de la déception. » Cependant, Sonia ne regrette pas d'avoir tenté l'expérience.

— C'est vrai que c'est un bon gars. J'ai beaucoup de chance de l'avoir comme *chum*.

— Surtout qu'il est fou de toi.

— Et moi de lui ! répond promptement Sonia. Il y a une chose qui me chicote, par exemple. Chaque fois que je lui demande comment il a connu papa, il me répète que c'est au magasin de musique. Mais ça ne marche pas car papa ne va jamais là. De toute façon, quand pourrait-il y aller ? Son magasin est ouvert aux mêmes heures, sans compter qu'il est souvent à l'extérieur. Je ne sais pas pourquoi, mais j'ai l'impression que ces deux-là nous cachent quelque chose.

— Je suis certain que si tu insistais un peu, Daniel te raconterait tout.

— Tu te trompes. C'est la personne la plus digne de confiance que je connaisse. Je mettrais ma main au feu que si papa refuse de nous révéler la vérité, on ne saura jamais rien.

Non seulement Michel s'organise toujours pour éviter la question, mais plus les jours passent, moins il se souvient des circonstances où il a fait la connaissance de Daniel. Probablement qu'un jour, il n'en aura même plus aucun souvenir. Il faudrait être aveugle pour ne pas voir qu'il y a quelque chose de spécial entre le jeune homme et lui. Chaque fois que Daniel rend visite aux Pelletier, les deux hommes s'arrangent toujours pour passer un petit moment ensemble. Soit ils vont prendre une marche avec Prince 2 et insistent pour y aller juste tous les deux, soit Michel feint d'être en manque de cigarettes et demande à Daniel de l'accompagner au dépanneur du coin. Tout le monde, sans exception, a remarqué qu'il y a quelque chose de spécial entre eux, mais personne n'a encore rien découvert.

— Il faut que je te parle de quelque chose, reprend Sonia. Mais il faut que tu me jures que ça va rester entre toi et moi.

Sans même attendre que son frère réponde, Sonia poursuit sur un ton plus bas :

— Une semaine avant Noël, les services sociaux ont téléphoné à maman. J'ai pris l'appel. Ma mère biologique me cherche. Tu es le premier de la famille à qui j'en parle. Je n'ai même pas transmis le message à maman.

— Ayoye! s'écrie Junior. Es-tu bien certaine de ce que tu avances?

— Absolument certaine. La travailleuse sociale a dit qu'elle désirait s'entretenir avec papa et maman au sujet de leur fille Sonia. De quoi pourrait-elle vouloir leur parler si ce n'est que ma mère biologique veut me connaître? En tout cas! Toujours est-il que je ne sais pas quoi faire. Je n'ai pas tellement envie de la connaître; je suis bien actuellement. Mes vrais parents, ce sont ceux qui m'ont élevée, pas ceux qui m'ont abandonnée.

— Tu as bien raison. Si j'étais à ta place, par exemple, j'en parlerais à maman. J'imagine que tu as noté le nom et le numéro de téléphone de la travailleuse sociale?

— Tout ce dont je me souviens, c'est de son nom.

— De toute façon, elle va sûrement rappeler.

— Tant qu'à ça, tu as bien raison. Mais en attendant, qu'est-ce que je devrais faire?

— C'est simple! indique Junior. Fais ce que tu as envie de faire et ne te préoccupe pas du reste.

Si c'était aussi simple, Sonia ne se torturerait pas les méninges avec toute cette histoire depuis le jour où elle a pris l'appel de cette Maude Jean. Il y a une partie d'elle qui voudrait au moins savoir à quoi ressemble la femme qui a osé l'abandonner alors qu'elle venait à peine de naître. Il y a une autre partie d'elle qui croit que ce serait tout à fait inutile puisqu'elle a tout ce qu'il lui faut pour être heureuse.

— C'est facile à dire pour toi, dit-elle. Mais je t'assure que pour moi, c'est pas mal plus compliqué.

Junior voudrait bien rassurer sa sœur, mais il ne sait vraiment pas comment. Effectivement, il ne peut pas comprendre l'état d'âme de Sonia. « Savoir qu'on a été abandonné doit être la pire chose qui puisse arriver à quelqu'un. Pauvre Sonia ! Je ne voudrais pas être à sa place, et avoir à décider si je veux connaître ou non ma mère biologique. » Dans les circonstances, tout ce qu'il trouve à faire, c'est de changer de sujet.

— Bon, est-ce que tu es prête pour les photos ?

Perdue dans ses pensées, Sonia met quelques secondes avant de comprendre la question. Alors qu'elle va répondre, du haut de l'escalier, Sylvie crie :

— Sonia, il y a un appel pour toi. C'est le père d'Antoine.

Surprise, Sonia se demande bien pourquoi il lui téléphone. « J'espère qu'il n'est rien arrivé de fâcheux à Antoine. »

Debout devant l'évier, Sylvie épie la conversation. Jusqu'à présent, Sonia a écouté bien plus qu'elle n'a parlé. Sylvie s'est retournée à quelques reprises pour vérifier que sa fille était toujours au téléphone.

— Je vous remercie beaucoup. J'irai vous les porter au plus tard samedi prochain.

Aussitôt qu'elle raccroche, Sonia se tourne vers sa mère. Elle s'écrie :

— J'ai de la misère à croire ce qui m'arrive. Devine quoi, maman… Le père d'Antoine est allé manger au restaurant de monsieur Desbiens et il a vu mes nouvelles toiles. Il m'a dit que c'était du travail de professionnel et qu'il voulait absolument exposer toute la série à sa galerie d'art. Est-ce que tu vas venir avec moi chercher les tableaux au restaurant et aller les lui porter ensuite ?

Sylvie est si contente qu'elle ne peut s'empêcher de serrer Sonia très fort contre elle.

— Bravo, ma fille ! Tu es une championne ! Tu n'as qu'à me dire quand tu veux qu'on procède.

— Le plus tôt sera le mieux. On pourrait y aller lundi soir, après l'école, si tu es disponible.

— Pas de problème pour moi.

Sylvie est vraiment fière de sa fille. À part le fait qu'elle porte des robes vraiment trop courtes à son goût, elle aime voir ce que Sonia est en train de devenir. Et elle se félicite de l'avoir obligée à suivre des cours de personnalité. Elle n'est plus la même depuis. Avant, elle était une chenille alors que maintenant, elle se transforme peu à peu en un magnifique papillon. Et depuis qu'elle sort avec Daniel, elle s'est encore adoucie. Le jeune homme lui fait beaucoup de bien.

Plus les jours passent, moins Sylvie s'inquiète pour l'avenir de Sonia. « Chantal et tante Irma ont raison. Il faut que je lui fasse confiance. »

Sonia, qui s'apprêtait à retourner au sous-sol, revient sur ses pas. Elle demande à sa mère :

— Maman, est-ce que je pourrais avoir des draps noir et blanc ? Je ne suis plus capable de voir mes draps saumon.

Surprise par la requête de sa fille, Sylvie se contente de soupirer. Nul besoin d'être devin pour savoir qu'il ne s'agissait pas d'une question, mais bien d'une demande formelle. Reste seulement à savoir quand Sylvie va exaucer le souhait de sa fille. « C'est quand même consolant de voir qu'elle n'a pas encore fini de grandir. »

Pendant l'absence de sa sœur, Junior en a profité pour aller chercher son appareil photo. Aussitôt que Sonia vient le rejoindre, elle lui fait part de l'offre qu'elle vient de recevoir.

— C'est une très bonne nouvelle! se réjouit Junior. Bon, si on veut finir avant le souper, il vaudrait mieux qu'on commence.

— Je suis prête. Est-ce que je t'ai dit que j'ai demandé à Daniel de me montrer comment conduire?

— Je ne savais même pas qu'il avait une auto.

— Il ne la prend pas souvent parce qu'il adore marcher. S'il n'avait pas voulu me montrer, j'aurais demandé à Alain.

— Je mettrais ma main au feu que Daniel conduit mieux qu'Alain. La dernière fois que j'ai embarqué avec lui, j'ai eu peur de mourir au moins trois fois. Quand il n'oublie pas de faire un arrêt, il passe sur un feu rouge. C'est un vrai cowboy sur quatre roues. En tout cas, une chose est certaine : jamais je ne monterais en moto avec lui. Viens te placer ici, près de moi.

Pendant qu'il se prépare, Junior interroge Sonia.

— As-tu enfin décidé dans quoi tu voulais aller au cégep?

— Oui et non, répond la jeune fille. J'ai fini par m'inscrire en théâtre, mais je t'avoue que les beaux-arts m'intéressent beaucoup aussi. Enfin, il fallait bien que je finisse par envoyer ma demande d'admission. Pour le reste, on verra.

— Et maman n'a pas rouspété?

— Non, elle n'a rien dit à ce sujet. Elle a pris l'enveloppe et m'a proposé de la poster.

— Bizarre!

# Chapitre 37

Pour une fois, Michel n'est pas obligé de travailler ce soir. Il aurait des tas de petites corvées à faire dans la maison, mais il a décidé de rendre visite à sa mère. C'est fou! Alors qu'il se faisait une joie qu'elle vienne s'installer à Longueuil, c'est à peine s'il arrive à la voir une fois par semaine. Et encore, comme elle vient souper à la maison le dimanche soir, il ne peut pas lui parler vraiment beaucoup à cette occasion. La nombreuse tablée ne crée pas un climat propice aux discussions privées. Et puis, quand il va la reconduire chez elle, le trajet dure moins de cinq minutes, ce qui ne laisse pas grand temps pour approfondir des sujets de conversation. En plus, à neuf heures, Michel a bien plus hâte d'aller dormir que de s'inquiéter des humeurs de qui que ce soit, même sa mère. Les semaines sont longues pour lui ces temps-ci; il a l'impression de travailler tout le temps.

Michel se stationne en souriant devant la porte de l'appartement de Marie-Paule. Jamais il n'aurait pu imaginer que sa mère viendrait vivre près de lui un jour, pas même dans ses rêves les plus fous. Si quelqu'un le lui avait prédit, il lui aurait ri au nez. « Voyons donc, voir si ma mère va quitter le Saguenay pour venir s'installer à Longueuil! » Pourtant, c'est chose faite. Il aimerait tellement se rapprocher d'elle un peu, mais c'est beaucoup plus facile à dire qu'à faire pour lui. « Je commence à peine à me rapprocher de mes propres enfants. »

Il a pris la peine d'appeler sa mère pour lui annoncer sa visite, ce qui a étonné cette dernière. « Je te le répète, tu peux passer quand tu veux. » Mais pour Michel, la situation est différente du temps où sa mère habitait à Jonquière. Ici, ce n'est pas la maison familiale, mais l'appartement de sa mère. Cela change tout pour lui. D'ailleurs, ses frères et ses sœurs partagent son avis à ce sujet.

Michel frappe au lieu de sonner. Curieux comme une belette, il colle son nez sur la fenêtre pour voir à l'intérieur, comme il le faisait lorsqu'il était enfant. Quelle n'est pas sa surprise de voir un homme marcher en direction de la porte avec sa mère. « Qui ça peut bien être ? » Sa mère ouvre la porte pendant que l'homme enfile son manteau.

— Entre, mon garçon ! s'écrie Marie-Paule d'une voix joyeuse en apercevant Michel. Viens que je te présente René. C'est un ami d'Irma et de Lionel. Il est passé me faire une petite visite.

Michel tend la main.

— J'espère que ce n'est pas moi qui vous chasse.

— Non, non, ne t'en fais pas. Je m'étais juste arrêté quelques minutes. Je suis content d'avoir fait ta connaissance. Ta mère ne tarit pas d'éloges à ton égard. Bon, je vous laisse.

Michel connaît suffisamment sa mère pour savoir que même s'il essaie de lui tirer les vers du nez, elle ne lui dira rien tant qu'elle n'en aura pas décidé autrement. Alors, même s'il brûle d'envie d'en apprendre davantage au sujet de René, il s'abstient de tout commentaire. « Je m'en fais sûrement pour rien. Je suis certain que la mère ne se remariera jamais. »

Marie-Paule ne veut pas aborder le sujet non plus. Sans la visite surprise de René, jamais elle n'aurait présenté celui-ci à Michel ou à qui que ce soit de la famille. « Chaque chose en son temps. »

— Prendrais-tu une bière ?

— Est-ce que par, hasard, il vous en resterait une grosse ?

Quand elle est venue s'installer à Longueuil, Marie-Paule a apporté quelques bouteilles de grosses bières pour faire plaisir à Michel. La seule condition est qu'il vienne les boire chez elle. De cette façon, elle s'est au moins assurée de quelques visites de son fils. Mais elle n'est pas surprise qu'il ne vienne pas la voir aussi souvent qu'elle le souhaiterait; avant même de quitter Jonquière, elle se doutait que les choses se passeraient ainsi. Malgré tout, elle se plaît beaucoup à Longueuil. Elle vit près de ses petits-enfants, et Luc et les jumeaux n'ont pas manqué à leur parole de venir la voir souvent. Comme ils doivent passer devant chez elle pour rentrer à la maison, ils s'arrêtent presque tous les jours en revenant de l'école. La plupart du temps, ils ne restent que quelques minutes, mais leurs petites visites éclair font très plaisir à Marie-Paule. Sonia et Junior se présentent chez elle au moins une fois par semaine. Même Alain vient faire son tour à l'occasion. Et Sylvie lui donne des nouvelles chaque jour; soit elle l'appelle, soit elle vient prendre un café l'après-midi. Mais tout ça, c'est possible seulement quand Marie-Paule ne s'absente pas. Elle fait de plus en plus d'activités avec Irma et Lionel. D'ailleurs, grâce à eux, elle commence à connaître pas mal de gens. Et elle adore ça. Comme ils sont tous très instruits, elle tire beaucoup de plaisir à discuter avec eux. Contrairement à ces derniers, elle n'est pas allée à l'école très longtemps – elle a tout juste fini sa sixième année. Mais comme elle est une lectrice assidue et s'est toujours intéressée à ce qui se passe autour d'elle et partout dans le monde, elle peut suivre assez aisément les conversations. D'ailleurs, ses nouveaux amis ne cessent de lui dire à quel point elle est une femme intéressante, ce qui la flatte énormément.

Marie-Paule a eu une belle vie aux côtés d'Adrien. Si c'était à refaire, elle choisirait la même voie, même si son mari n'était pas toujours facile, qu'il aimait un peu trop lever le coude et qu'il ne parlait pas beaucoup. C'était son amour de jeunesse et elle a été heureuse à ses côtés. Mais maintenant qu'il est parti, elle a bien l'intention de profiter pleinement des quelques années qui lui restent. Il y a des jours où elle aurait envie de changer tous ses meubles. Il y en a d'autres où elle jetterait tous ses vêtements et irait s'acheter une nouvelle garde-robe. L'autre jour, quand elle en a parlé à Irma, celle-ci lui a dit que rien ne l'empêchait de le faire. Marie-Paule a répondu qu'elle allait y réfléchir encore un peu.

Pendant que Marie-Paule va chercher la bière dans le réfrigérateur, Michel avance jusqu'à la caverne d'Ali Baba – depuis toujours, c'est le nom du tiroir de la cuisine rempli de bonbons de toutes sortes. Il ouvre le tiroir à pleine grandeur pour voir les friandises qu'il cache : des boules noires, des bananes, des toffees, de la tire éponge, des pipes en réglisse noire, des caramels Kraft et des «paparmanes» roses. C'est plus fort que lui : quand Michel vient voir sa mère, il se poste devant la caverne d'Ali Baba et se gratte le front jusqu'à ce qu'il fasse son choix. À part les pipes en réglisse noire – sa mère les achète expressément pour Sylvie –, le tiroir contient toujours à peu près les mêmes sucreries. Cette fois, Michel prend deux «paparmanes» et deux caramels Kraft. Il les fourre dans sa poche ; il les mangera à la maison.

— Savoure-la parce que c'est la dernière, annonce Marie-Paule en déposant l'ouvre-bouteille et la grosse bière sur la table devant Michel.

— Dommage !

Michel ne peut expliquer pourquoi il aime tant les grosses bières. Est-ce parce que ça lui donne bonne conscience parce qu'il en boit moins ? En nombre seulement, évidemment ! Associe-t-il le format des bouteilles aux hommes, aux vrais ? Ou est-ce un pur caprice ? Il ne saurait le dire. Mais il a toujours eu un faible pour les grosses bières. C'est l'un des bons souvenirs qu'il a gardés du Saguenay et il y tient.

— Si tu n'as pas mangé de dessert aujourd'hui, je pourrais t'offrir deux brioches à la crème. Je les ai achetées du boulanger hier.

— Je les aime tellement ces brioches-là ! s'écrie Michel. Même si j'ai pris un dessert ce midi, juste une petite pointe de tarte au sucre, je vais les manger avec plaisir.

Marie-Paule pourrait lui chauffer les oreilles à cause du diabète, mais elle n'en fera rien. Elle a suffisamment entendu Sylvie mettre

Michel en garde contre chaque bouchée de sucré qu'il porte à sa bouche pour s'abstenir. Marie-Paule croit qu'il vaut mieux mourir heureux et s'être accordé des petits plaisirs, que malheureux d'avoir passé sa vie à se priver de tout. Elle dispose les deux petites brioches sur une assiette et remet le tout à Michel.

Quelques instants plus tard, elle remarque que son fils tousse entre chaque bouchée qu'il prend.

— As-tu attrapé la grippe ? lui demande-t-elle.

— Non. Je suis en pleine forme sauf que je tousse, surtout en fin de journée.

— Fumes-tu encore autant ?

Michel aimerait bien lui dire qu'il fume seulement quelques cigarettes par jour, mais ce serait loin de la vérité. Depuis qu'il a ouvert le magasin, il fume encore plus qu'avant.

— Ça dépend des jours. Mais je fume en moyenne deux paquets de 25 cigarettes par jour.

— Tu fumes autant que ton père. Tu as vu où ça l'a mené ? Directement à la tombe. Ce n'est pas une bonne toux que tu as là. Je ne suis pas médecin, mais je pense que tu devrais arrêter de fumer.

— Vous n'y pensez pas ! objecte Michel. Je fume depuis que j'ai quatorze ans.

— Ce n'est pas une raison suffisante pour continuer. La cigarette est en train de te tuer. Je te propose un marché : je suis prête à arrêter de fumer moi aussi. Peut-être que de cette manière, ce sera plus facile de tenir le coup pour moi. Qu'est-ce que tu en penses ?

Michel prend quelques secondes pour réfléchir à la proposition de sa mère. Depuis la mort de son père, il ne s'est pas passé une seule journée sans qu'il pense à arrêter de fumer, mais il n'a jamais trouvé le courage de le faire. Depuis que la toux sèche s'est mise de la partie, cela le hante : il ne veut pas finir comme son père. « Mais il est peut-être déjà trop tard. »

— Je ne sais vraiment pas si je pourrai y arriver, répond-il. Je ne fume pas dans le magasin, ce ne sera donc pas un problème. Mais à la maison, ça risque d'être difficile parce que Sylvie me fumera dans la face.

— J'ai une idée : on n'a qu'à la convaincre d'arrêter elle aussi.

— N'y pensez même pas. Elle aime bien trop ses timbres-primes pour arrêter de fumer.

— Laisse-moi m'arranger avec ça. Alors, est-ce que tu es partant ?

— Oui… acquiesce Michel du bout des lèvres.

— Parfait ! On commence maintenant. Donne-moi ton paquet de cigarettes.

Marie-Paule se dépêche d'aller jeter son paquet et celui de son fils dans la poubelle. Ensuite, elle va vider le cendrier dans les toilettes. Alors qu'elle s'apprête à se rasseoir, elle se souvient que plus tôt dans l'après-midi, elle s'est acheté deux cartons de cigarettes. Elle les sort de l'armoire et les dépose sur la table.

— Je vais les rapporter à l'épicerie demain matin. Fais-moi confiance, on va y arriver. Demain, je me charge de Sylvie.

Michel sait que la partie n'est pas gagnée d'avance avec sa femme. Non seulement elle aime ses timbres-primes par-dessus tout, mais elle adore fumer. Contrairement à Michel, elle n'a jamais la moindre petite quinte de toux. Sylvie a une santé de fer, comme le dit Camil. « À part une grosse grippe tous les cinq ans et quelques petits brûlements d'estomac quand elle est trop nerveuse, Sylvie n'est jamais malade. Aucun microbe ne s'en prend à elle. »

Marie-Paule est contente que Michel ait accepté de tenter le coup. Elle sait aussi bien que lui que ce ne sera pas facile. Tous les deux fument depuis si longtemps que cette habitude est solidement ancrée chez eux. À la mort d'Adrien, Marie-Paule s'est juré d'arrêter de fumer. Elle a déjà essayé une fois, mais elle a fait l'erreur de fumer une cigarette un soir où la mort d'Adrien la hantait. Rien ne lui garantit qu'elle ne subira pas le même sort que son mari, mais au moins elle aura la fierté d'avoir tenté d'améliorer sa santé. En plus, dans son nouveau cercle d'amis, au moins la moitié d'entre eux – dont René –, ne fument pas. Il y a tellement longtemps qu'elle fume qu'elle oublie parfois que certaines personnes détestent la fumée. Elle a beau ouvrir les fenêtres, suspendre ses vêtements dehors, rien n'y fait. Dans son appartement et sur sa propre personne, l'odeur de fumée domine. D'ailleurs, plus tôt ce soir-là, René le lui a fait remarquer. « Après chacune de nos rencontres, je lave tous mes vêtements qui sont lavables et je fais éventer le reste dehors au moins une bonne heure. Dans ma famille, personne ne fume. »

— Il faut qu'on fête ça ! Je vais me servir un peu de whisky.

— Depuis quand buvez-vous du whisky ? s'étonne Michel.

— Ça m'arrive de temps en temps. À ta santé, mon Michel !

— À votre santé, la mère !

Après avoir avalé une gorgée, Marie-Paule demande :

— Est-ce que par hasard tu connaîtrais une bonne cabane à sucre dans les environs ? Je voudrais vous inviter quand ça va être le temps des sucres.

— À brûle-pourpoint, je suis incapable de vous en nommer une. Mais je pourrais m'informer quand je fais mes tournées pour aller chercher des antiquités.

— Je compte sur toi pour me revenir là-dessus. Mais ne tarde pas trop, car le printemps est à nos portes. Il y a une autre chose dont j'aimerais te parler. Je ne sais pas si tu t'en souviens, mais je vais toujours chercher de l'eau de Pâques…

— Certain que je m'en souviens ! Quand j'étais petit, je pleurais pour y aller avec le père et vous.

— C'est vrai. Au Saguenay, je savais où aller, mais pas ici. Vas-tu pouvoir t'informer pour ça aussi ?

— Avec plaisir. Je m'engage même à vous y emmener.

— Je t'avertis, il faut y aller de bonne heure : entre quatre et cinq heures du matin.

— Pas de problème. Vous savez, c'est récent que je me lève aussi tard. Quand je travaillais sur les camions, je me levais à l'aube.

— Ça ne te manque jamais ?

— Les camions ? Non. Vous savez bien que je ne regarde jamais en arrière.

— Crois-moi, c'est une grande qualité.

* * *

Quand Michel revient chez lui, il est de belle humeur même s'il n'a pas allumé une seule cigarette depuis deux heures. Il a hâte d'apprendre la nouvelle à sa femme. Sa mère lui a demandé de la laisser se charger de convaincre Sylvie de cesser de fumer, ce qu'il respectera. Il ne croit pas que cette dernière va accepter, mais il verra bien. Chemin faisant, il se dit qu'il y a longtemps qu'il n'a pas invité sa femme à sortir. « Demain, j'irai lui acheter des fleurs. »

Il fait tellement beau ce soir qu'il a envie de demander à Sylvie de venir marcher avec lui. Une petite neige folle tombe doucement. Étant donné l'heure, il se retient de sonner à la porte. Pendant les vacances, il fait souvent le coup, mais pas les jours d'école. Il réveillerait les enfants. Michel entre, mais il enlève seulement ses bottes. Il se rend ensuite au salon. Bien installée dans le fauteuil de son mari – elle en profite chaque fois qu'il s'absente –, Sylvie écoute religieusement un épisode de *Rue des Pignons*. Elle est tellement concentrée qu'elle ne s'est même pas rendu compte que son mari se tient à côté d'elle. Michel utilise donc la manière forte : il se plante devant la télévision afin de susciter une réaction de sa femme. La réplique ne se fait pas attendre.

— Veux-tu bien t'enlever de là ! ordonne-t-elle d'une voix autoritaire. Tu vas me faire manquer la fin de mon émission.

— À une condition : que tu viennes prendre une marche avec moi après.

Sylvie veut tellement qu'il change de place qu'elle ne prend même pas la peine de se demander si elle a envie d'y aller. Elle répond :

— Oui, mais enlève-toi vite de ma vue.

Satisfait, Michel sourit et s'en va dans la cuisine. Il enlève son manteau et le dépose sur le dossier d'une chaise. Il regarde l'horloge ; il en a pour une dizaine de minutes à attendre. Cela lui laisse suffisamment de temps pour boire une bière. Il regarde quelques secondes la bouteille avant de se résoudre à l'ouvrir. « Il ne faudrait pas que je remplace une mauvaise habitude par une autre. »

Aussitôt son émission terminée, Sylvie le rejoint dans la cuisine.

— Si tu veux qu'on aille marcher, c'est maintenant ou jamais parce que demain j'ai un rendez-vous à l'hôpital à huit heures.

— Première nouvelle que j'en ai. Tu n'es pas malade, toujours ?

— Rassure-toi. Il s'agit juste de petits maux de femmes. La secrétaire de mon médecin m'a téléphoné pendant que tu étais chez ta mère pour me dire que je devais aller passer un examen à l'hôpital. Il paraît que mon utérus fait des siennes.

— J'ai une grande nouvelle à t'apprendre! s'écrie Michel d'une voix enjouée. La mère et moi avons décidé d'arrêter de fumer.

— Tu es sérieux? En tout cas, je vous trouve bien courageux. Moi, le simple fait d'y penser me rend malade. J'espère que ta mère va tenir le coup, cette fois. Est-ce qu'il fait froid dehors?

— Non, le temps est très doux.

# Chapitre 38

Pendant que le vent souffle de toutes ses forces, Junior souffre le martyre tellement il a mal aux dents, et ce, depuis le milieu de la nuit. Comble de malheur, on est dimanche, ce qui fait qu'il devra endurer la douleur au moins jusqu'au lendemain matin – et cela, c'est à la condition qu'il puisse avoir un rendez-vous en urgence. Sa mère a fait tout ce qu'elle pouvait, mais jusqu'à maintenant rien n'est arrivé à le soulager. Une compresse d'eau froide sur la joue, il essaie de souffrir en silence, mais il y a des moments où c'est au-dessus de ses forces. Il n'est pas douillet, mais il déteste avoir mal. Plutôt que de rester alité comme le ferait la majorité des garçons de son âge, Junior déplace sa peine de pièce en pièce à la recherche d'une oreille attentive pour écouter ses plaintes.

Fatiguée de l'entendre, Sylvie finit par lui apporter deux aspirines et un verre d'eau.

— Tiens! Ça devrait t'aider à dormir un peu.

— Mais ça fait à peine trois heures que j'ai pris des aspirines! J'aime mieux attendre.

— Alors, arrête de te plaindre! déclare Sylvie d'une voix autoritaire. Je n'en peux plus. Crois-moi, je sais à quel point ça peut faire mal une dent cariée. Mais c'est difficile d'entendre quelqu'un se lamenter sans cesse. Tout ce que tu peux faire, c'est prendre ton mal en patience jusqu'à ce que le dentiste arrache ta dent.

— Mais il n'est pas question que je la fasse arracher! objecte vivement Junior. Je vais la faire plomber.

— Tu feras ce que tu voudras. Mais une chose est certaine : ce n'est pas moi qui vais payer pour ça. Je veux bien régler l'extraction, mais tu vas devoir fournir la différence.

— Mais pourquoi ? Je n'ai vraiment pas envie de me retrouver avec des dentiers. Déjà qu'il me manque quelques dents en arrière, il n'est plus question que je m'en fasse arracher une seule autre.

— Comme tu voudras ! Tu connais les conditions ; c'est à toi de voir.

— Voyons, maman, c'est ridicule ! Tu es prête à payer pour faire arracher ma dent, mais pas pour l'arranger. Je ne comprends pas.

— C'est simple, pourtant. Une fois qu'une dent est arrachée, c'est fini, tandis que si tu la fais plomber, tu n'arrêteras jamais de payer.

— Oui, mais ce sont mes dernières dents. Il vaut donc mieux que j'en prenne soin si je ne veux pas me ramasser avec des trous dans la bouche comme monsieur Masson ou, pire encore, avec un dentier comme…

Junior ne veut pas manquer de respect à sa mère, mais il est loin d'être en admiration devant un sourire de porcelaine, même si toutes les dents sont parfaites – ce qui n'est pas son cas.

— Comme ton père et moi, complète Sylvie. Qu'est-ce que tu as contre les dentiers ?

— Tout. Je refuse d'avoir des dents artificielles dans la bouche. Il n'est pas question non plus que je les dépose dans un verre le soir avant de m'endormir. Jamais !

Junior est prêt à se priver de bien des choses pour ne pas avoir à porter de dentiers. Ça a beau être à la mode d'extraire les dents à la moindre petite douleur ou carie, il refuse de s'en faire arracher une de plus. Il paiera le prix qu'il faudra, mais il gardera sa dent.

— Il y a bien pire que ça ! riposte Sylvie.

Fâchée par les propos de son fils, elle dépose avec fracas les aspirines et le verre d'eau sur la table du salon et retourne dans la cuisine. Ce soir, non seulement Marie-Paule vient manger, mais Daniel, Alain et Lucie également. Christine devait être des leurs elle aussi, mais étant donné que Junior n'est pas en grande forme, Sylvie a dit à son fils qu'il valait mieux avertir la jeune fille de remettre à une autre fois. Elle n'avait aucune envie de courir le risque que Christine passe son temps à plaindre Junior.

Sylvie pourrait se montrer plus patiente avec Junior, mais depuis qu'elle a arrêté de fumer, elle a la mèche courte. Elle a beaucoup hésité avant d'accepter le défi de sa belle-mère et de Michel. Si elle s'y est résolue, c'est pour montrer aux enfants que lorsqu'on veut, on peut. Mais il y a parfois un long chemin à parcourir de la coupe aux lèvres. Elle savait que cesser de fumer lui demanderait des efforts, mais jamais autant. Elle a eu beau jeter tous les cendriers et ses paquets de cigarettes, chaque fois qu'elle cligne des yeux elle voit des dizaines de cigarettes alignées devant elle comme des petits soldats au garde-à-vous. Non seulement elle en voit partout, mais elle sent continuellement l'odeur de la fumée. La nuit, elle rêve qu'elle fume et qu'elle trouve des cigarettes partout dans la maison. Tout ce qui se rattache à la cigarette lui manque, même l'odeur laissée sur les vêtements. Les jumeaux étaient tellement contents qu'elle décide d'arrêter de fumer qu'ils sont allés lui acheter chacun une pipe en réglisse noire après avoir emprunté de l'argent à leur père. Quant à Luc, il s'est fait un plaisir de lui montrer des poumons de fumeur et des poumons de non-fumeur dans son livre sur le corps humain. Sylvie a été obligée d'admettre qu'elle préférait les poumons roses aux poumons goudronnés. Tout ce qu'elle a trouvé pour ne pas trop penser à fumer, c'est de se tenir occupée. Ce n'est qu'ainsi que les heures finissent par s'écouler et que le sommeil la gagne enfin, sans son habituelle cigarette avant d'aller dormir. Sylvie ignore si elle va y arriver, mais elle va faire tout son possible.

«J'aurais dû réfléchir plus longtemps avant d'accepter d'arrêter de fumer. Mais maintenant que je me suis engagée, il n'est pas question que j'abandonne. Il faut absolument que je réussisse. Je pourrais aller m'acheter de la gomme ; ça m'aiderait peut-être. »

Elle meurt d'envie d'essayer une nouvelle recette, mais pour un dessert seulement parce que, comme tous les dimanches soirs, elle va faire cuire un gros rosbif. Comme d'habitude, elle va le servir avec des patates pilées et une pomme de laitue coupée finement. Pour la vinaigrette, elle mélangera un peu de vinaigre, de l'huile, du sel, du poivre et un peu de poudre d'oignon, et le tour sera joué. Elle ajoutera un sachet de sauce au jus de cuisson avec un peu d'eau. Avec ce menu, elle est assurée de connaître le succès. «Je pourrais faire le gâteau aux fruits d'Alice. Elle m'a toujours dit qu'il était très facile à préparer. »

*Gâteau aux fruits d'Alice*
*- 2 tasses de farine*
*- 1 ½ tasse de sucre blanc*
*- 1 cuillère à thé de vanille*
*- 1 boîte de salade de fruits de 19 onces*
*- 2 cuillères à thé de soda à pâte*
*- 1 œuf*
*- ½ cuillère à thé de sel*

*Mélanger les ingrédients secs et ajouter la salade de fruits, la vanille et l'œuf. Verser dans un moule beurré de 12 x 9 pouces. Cuire à 350 degrés jusqu'à ce que le gâteau commence à lever. Réduire ensuite à 300 degrés et cuire pendant 1 heure.*

*Sauce sucrée*
*- 1 ½ tasse de lait Carnation*
*- 2 tasses de sucre blanc*
*- ¼ livre de beurre*

*Faire chauffer le tout sans bouillir en brassant de temps en temps, environ dix minutes. Verser sur le gâteau au moment de servir.*

Non seulement il neige à plein ciel, mais il vente tellement fort que si ce n'était pas dimanche, les écoles seraient sûrement fermées. De la fenêtre de la cuisine, Sylvie regarde dehors en songeant qu'il serait grand temps que les enfants rentrent. Luc arrive le premier. Il avait une réunion spéciale à son club 4-H.

— Il fait très mauvais dehors! s'écrie-t-il en voyant sa mère. Si ça continue comme ça, les écoles vont être fermées demain. Youpi!

— Ne te réjouis pas trop d'avance. La température a le temps de changer d'ici demain matin.

— Tu ne comprends pas, maman! Il est tombé au moins un pied de neige depuis ce midi. Tu devrais voir les autos: elles ont de la misère à avancer. Et il vente tellement fort que je pensais que les fils électriques allaient s'arracher.

— Ouais! soupire Sylvie. Tout ce qu'on peut faire pour le moment, c'est rester bien au chaud dans la maison.

— Je vais aller écouter de la musique dans ma chambre.

Depuis qu'il possède une radio en forme de bouteille de Coke, Luc écoute souvent de la musique dans sa chambre. Il est pourtant certain d'avoir laissé l'appareil à la même place que d'habitude, c'est-à-dire sur son bureau, mais il ne le voit pas. Il regarde partout autour de lui, et il va même vérifier dans sa garde-robe. Aucune trace de sa radio nulle part. Plus les secondes s'écoulent, plus il soupçonne les jumeaux de l'avoir prise, et plus il sa colère monte. En désespoir de cause, il va retrouver sa mère dans la cuisine. D'une voix remplie de rage, il lance:

— C'est pourtant facile à comprendre! C'est ma radio, pas la leur. Ils n'ont pas le droit de toucher à mes affaires.

Même si elle a une bonne idée de qui Luc parle, Sylvie essaie de gagner un peu de temps avant que la tempête éclate dans sa cuisine.

— De qui parles-tu au juste ?

— Tu le sais très bien : de mes charmants petits frères. Ils ont volé ma radio.

— Hé ! Hé ! Tu n'as pas le droit d'accuser François et Dominic sans preuves.

De plus en plus furieux, Luc commence à respirer difficilement, ce qui n'échappe pas à sa mère. Cela signifie qu'il est sur le point de faire une crise d'asthme. Même si ça fait des mois que cela n'est pas arrivé, jamais elle ne pourra oublier le son que Luc produit quand sa respiration devient sifflante. Mentalement, elle se prépare déjà à intervenir. « Où a-t-elle a rangé le sirop rouge ? Ah oui ! Dans la pharmacie. »

— Les jumeaux n'avaient pas le droit de prendre ma radio sans ma permission.

— Arrête de t'énerver un peu. Viens t'asseoir.

— Je ne veux pas m'asseoir, je veux avoir ma radio.

— Je comprends tout ça. Mais tu vas devoir prendre ton mal en patience parce que je ne me souviens même plus où sont allés les jumeaux.

— Ils sont sûrement encore allés se cacher dans la maison de catinage de tante Chantal, crache Luc dont la respiration devient de plus en plus difficile. Cette fois, ils vont me le payer.

— Si tu ne te calmes pas, je vais te donner du sirop rouge.

C'est comme si sa mère venait de l'insulter. Voilà des mois qu'il n'a pas eu de crises d'asthme et ce n'est certainement pas aujourd'hui qu'il va en faire une non plus. Il essaie de respirer normalement, mais il est tellement fâché qu'il n'arrive pas à reprendre son souffle – c'est même tout le contraire qui se produit. Voyant que l'état de Luc ne s'améliore pas, Sylvie court chercher la bouteille de sirop dans la salle de bain. Elle remplit ensuite une cuillère du liquide et revient vers Luc.

— Ouvre la bouche et vite ! commande-t-elle. Tu es tout pâle. Voir si ça a du bon sens de se mettre dans un état pareil pour une radio !

Réveillé par ce remue-ménage, Junior vient aux nouvelles. Il s'approche de Luc et lui dit :

— Au cas où tu la chercherais, je t'ai emprunté ta radio.

Si Sylvie ne se retenait pas, elle frapperait Junior. À cause de lui, Luc est en pleine crise d'asthme. À son âge, il aurait pu penser à laisser un mot.

— Va immédiatement chercher la radio, ordonne Sylvie à Junior. Avec le temps qu'il fait, je n'ai vraiment pas envie d'être obligée d''emmener Luc à l'hôpital.

Junior s'exécute sans rouspéter. Aussitôt qu'il se présente dans la cuisine, Sylvie lui arrache la radio des mains et la montre à Luc. « Il ne me reste plus qu'à prier pour que Luc retrouve vite son souffle. Ça n'a pas d'allure de s'énerver autant pour une pauvre petite radio. »

Pendant qu'elle prépare le gâteau aux fruits, Sylvie veille sur Luc comme une vraie lionne ; elle épie le moindre petit bruit suspect dans sa respiration. Ce n'est que lorsqu'elle finit le glaçage que son fils commence à mieux respirer. Rassurée, Sylvie songe qu'ils l'ont échappé belle. Dehors, les chemins sont sûrement impraticables. Elle vérifie l'heure. Aussitôt que le gâteau sera cuit, elle devra mettre le rosbif au four si elle veut qu'il soit prêt pour cinq heures. Sylvie sort ensuite le panier de patates et commence à éplucher les légumes. « Dommage que Sonia ne soit pas là. J'aurais volontiers accepté un petit peu d'aide. »

Alors que tout le monde vient de prendre place à table, même Junior, toutes les lumières s'éteignent d'un coup.

— Cré maudit ! s'exclame Michel. Je pense bien qu'on va devoir manger à la chandelle. Avec les forts vents qui soufflent, c'est un peu normal que les fils finissent par se toucher.

— Je vais aller chercher ma langue de poche ! s'écrie François.

— On ne dit pas une « langue de poche », mais une lampe de poche, le corrige Dominic.

— Eh bien, moi, je trouve que langue de poche c'est plus beau. En aurais-tu besoin, papa ?

— Oui, oui, va vite la chercher. On va s'en servir pour trouver les chandelles.

À part Dominic peut-être, tout le monde autour de la table sait que Michel n'a pas besoin de la lampe de poche de François pour trouver les chandelles puisqu'elles sont toutes rangées dans le deuxième tiroir, juste en dessous des ustensiles. Mais personne ne dit rien. Faire plaisir à François va leur valoir de rester quelques secondes de plus dans le noir, ce qui n'est pas trop cher payer pour voir le sourire sur les lèvres du garçon quand il revient dans la cuisine en pointant sa « langue de poche » sur son père.

Le temps était si mauvais que Michel a insisté pour que tout le monde reste dormir. Le matin venu, il était fier de son coup : pour une fois, il ne pelletterait pas seul la neige accumulée dans la cour.

Il est tombé tellement de neige que le lendemain les écoles sont fermées, et les bureaux de dentistes aussi. Junior a donc dû prendre son mal en patience une journée de plus. Mais au moins, cette fois, personne ne l'a entendu se plaindre. Il s'est couché sur le divan et a somnolé toute la journée, la radio en forme de bouteille de Coke près de son oreille. Quant à Luc, aussitôt qu'il a retrouvé sa radio, il a repris du poil de la bête.

# Chapitre 39

— Maman, il va falloir que tu m'achètes un chandail ! déclare Dominic en entrant dans la maison. Le mien a un gros trou sur le coude.

Occupée à préparer le dîner, Sylvie ne répond pas. Elle est à des milles de Longueuil, là où elle peut laisser libre cours à ses pensées. Depuis qu'elle a reçu un appel de Maude Jean, une ancienne amie dont elle n'avait pas eu de nouvelles depuis près de dix ans, elle ne sait pas quoi penser, ni quoi faire. « La vie nous réserve parfois des surprises de taille. » Ironie du sort, depuis quelques années, Maude travaille à l'orphelinat où Michel et elle sont allés chercher Sonia. Certes, elle savait que les Pelletier avaient adopté une petite fille, mais sans plus. Les deux femmes n'abordaient jamais ce sujet quand elles se voyaient. Alors qu'habituellement, Maude travaille à la réception, un beau matin, on lui a demandé d'aller donner un coup de main au bureau. En mettant de l'ordre dans les dossiers, celui de Sonia lui a glissé des mains. Ce n'était pas le premier dossier qu'elle échappait, elle a toujours eu les mains pleines de pouces, mais cette fois-là, elle a pris le temps de le lire du début à la fin en remettant les papiers en ordre. C'est là qu'elle a découvert qu'il s'agissait de la fille de Sylvie et de Michel. Elle a réfléchi pendant plusieurs semaines avant de se décider à les contacter. La mère de Sonia veut la retrouver ; celle-ci est même venue à trois reprises au bureau. Quand Maude a finalement mis la main sur le nouveau numéro de téléphone des Pelletier, elle a hésité plusieurs jours avant de les joindre. Elle savait qu'elle risquait gros en les avisant, mais il y avait une petite voix qui lui soufflait qu'elle devait le faire.

Quand Sylvie a raccroché, elle était furieuse après Maude. Comment cette dernière avait-elle pu faire une telle chose ? De quel droit venait-elle troubler leur bonheur ? D'accord, Martine veut connaître sa fille, mais c'était à elle d'y penser avant. Et de toute façon, tant et aussi longtemps que Sonia n'entreprend aucune démarche, sa mère biologique ne peut rien faire de plus.

Michel et Sylvie ont beaucoup réfléchi, mais ils n'arrivent pas à prendre une décision. S'ils apprennent à Sonia que sa mère biologique la cherche et que la jeune fille manifeste le désir de connaître celle-ci, ce sera la catastrophe – non seulement pour eux, mais aussi pour leur famille. Sylvie n'en veut pas à Michel de n'avoir rien dit quand il a su le nom de la mère de Sonia, c'est trop tard, mais il y a quand même des moments où elle est fâchée contre lui. Toutefois, elle se dit qu'elle aurait probablement agi de la même manière que lui si le bébé avait été un petit Belley. « Si on connaissait d'avance toutes les conséquences de nos choix, il y a beaucoup de choses qu'on ferait différemment. »

Sylvie redoute au plus haut point la décision de Sonia – quoique, pour pouvoir décider, il faudrait d'abord qu'elle sache que sa mère la cherche. Non seulement elle l'ignore, mais Michel et Sylvie non plus ne le sauraient pas si ce n'avait été d'une indiscrétion de la part de Maude. Ni Michel ni elle n'ont encore trouvé la force de s'asseoir avec Sonia et de lui raconter la vérité, même si tous les deux savent très bien que tôt ou tard, celle-ci va éclater. Aujourd'hui, c'est Martine qui veut connaître sa fille, mais demain, ce sera peut-être Sonia qui voudra savoir qui est sa mère biologique. Il y a de quoi devenir fou.

Dominic tire sur le tablier de sa mère, ce qui fait sursauter Sylvie. Le garçon dit :

— Maman, je t'ai parlé ! Regarde, mon chandail a un gros trou sur le coude.

Sylvie met quelques secondes à revenir sur terre. Mais aussitôt qu'elle comprend qu'il est question du chandail de laine de son fils, elle regarde celui-ci droit dans les yeux et lui lance :

— Eh bien, tu n'as qu'à t'en acheter un avec l'argent que tu as eu à Noël. Si tu veux, on ira au magasin jeudi soir.

Malgré la surprise provoquée par la réponse de sa mère, la réplique de Dominic ne se fait pas attendre.

— Mais tu sais bien qu'il y a longtemps que je ne l'ai plus.

— C'était à toi d'y penser. Tu comprends, je ne peux pas t'acheter un chandail : ce ne serait pas juste pour François.

En voyant l'air de son fils, Sylvie se retient de rire. On dirait que tout son monde vient de s'écrouler.

— Mais j'y pense… Si tu n'as pas assez d'argent pour te payer un chandail neuf, on pourrait aller voir à la Saint-Vincent. Je suis certaine qu'on pourrait te trouver quelque chose là-bas. À moins que Shirley ne me donne des vêtements qui ne font plus à son fils… Je pourrais lui demander.

François et Luc n'ont rien perdu de la discussion. Si leur mère pouvait lire dans leurs pensées, elle verrait qu'ils cherchent désespérément une solution pour venir en aide à Dominic. C'est alors que Luc déclare :

— J'ai une idée, Dominic. Je n'ai qu'à te donner un de mes chandails puisque j'en ai deux. Viens avec moi, je vais te le montrer.

— Mais il va être bien trop grand, se plaint Dominic.

— Tu n'auras qu'à rouler les manches, réplique François.

Il s'adresse ensuite à sa mère :

— Tu sais, maman, moi ça ne me dérangerait pas que tu lui en achètes un neuf.

— C'est très gentil de ta part, répond Sylvie, mais il n'en est pas question.

Cela est loin de satisfaire François. D'accord, Dominic a préféré prendre l'argent à Noël, mais celui-ci a vraiment besoin d'un nouveau chandail.

— Je sais ce qu'on va faire, énonce François. Je vais vendre mes petites cuillères. Avec l'argent, Dominic va pouvoir s'acheter un nouveau chandail.

— Il n'en est pas question ! proteste Sylvie. On ne peut pas vendre un cadeau.

François s'écrie :

— Pourquoi, alors, as-tu vendu à Shirley la grosse potiche que tu avais reçue en cadeau de mariage ?

Prise de court, Sylvie accuse le coup sans broncher. C'est le seul cadeau dont elle se soit débarrassée de toute sa vie et voilà que son fils le lui reproche. Pour ne pas perdre la face, il faut vite qu'elle trouve une solution.

— J'ai une proposition à te faire, François. Tu n'as qu'à me dire combien tu veux pour tes cuillères et je vais les acheter.

— Le prix d'un chandail pour mon frère, répond le garçon sans hésitation.

— Marché conclu ! Jeudi, Dominic et moi irons magasiner. Il a beaucoup de chance de t'avoir.

— Et j'en ai encore plus que lui ! s'écrie joyeusement François. J'ai enfin réussi à me débarrasser de ces fichues petites cuillères.

— Tu n'as pas le droit de parler comme ça.

L'air taquin, François annonce à sa mère :

— Je vais te les chercher.

— Si jamais tu veux les ravoir un jour, eh bien je m'engage à te les revendre le prix que je les ai payées.

— Ne compte pas trop là-dessus ! la prévient François.

Désormais seule dans la cuisine, Sylvie sourit malgré elle. Il faut reconnaître que les jumeaux ont de la suite dans les idées et que, lorsque l'un veut quelque chose, l'autre est prêt à tout pour le contenter. Bien que Luc ne fasse pas partie du duo, il est très solidaire avec eux et c'est réciproque. « Me voilà propriétaire de petites cuillères de partout dans le monde. Il faut que j'avertisse Chantal au plus vite d'arrêter d'en acheter pour François. »

Les enfants viennent à peine de sortir de la maison que la sonnette de la porte d'entrée retentit. Les deux mains dans l'eau de vaisselle, Sylvie soupire un bon coup en haussant les épaules. « J'espère que ce n'est pas ma sœur Ginette. » Elle s'essuie les mains sur son tablier avant d'aller répondre. Quand elle aperçoit la visiteuse, un grand sourire éclaire instantanément son visage.

— Tante Irma ! s'écrie-t-elle. Quelle belle surprise ! Suivez-moi, je vais nous préparer un bon café.

— Je ne te dérange pas trop, toujours ?

— Vous savez bien que vous ne me dérangez jamais. Vous êtes chanceuse, je peux même vous offrir un croquis.

— Tes petites bouchées au chocolat et au beurre d'arachide ?

— Celles-là mêmes.

Pendant que Sylvie prépare le café, la visiteuse l'observe. Sa nièce n'a pas l'air dans son assiette. Irma est suffisamment proche d'elle pour se permettre de lui demander sans aucun préambule ce qui ne va pas. Sylvie répond après quelques secondes seulement de réflexion. Il faut qu'elle se confie à quelqu'un, sinon elle va devenir folle.

— C'est Sonia.

— Il ne lui est rien arrivé de fâcheux, j'espère ? s'inquiète tante Irma.

— Non… en tout cas, pas encore. Mais laissez-moi tout vous expliquer.

Tante Irma l'écoute tout en grignotant un croquis. Quand Sylvie termine son récit, elle commente :

— Eh bien, ce n'est pas une mince affaire. J'en savais un petit bout, mais j'étais loin de penser que c'était aussi compliqué. D'abord, il faut que tu saches que Sonia est au courant que sa mère biologique la cherche depuis avant Noël. Elle m'en a parlé. C'est elle qui a pris le premier appel de Maude Jean. D'ailleurs, si je l'avais devant moi celle-là, je n'aurais pas de félicitations à lui faire. Une chose est certaine : il faut que Michel et toi vous vous asseyiez avec Sonia et que vous lui disiez toute la vérité sur sa naissance. Elle a le droit de savoir.

— Qu'elle veuille connaître sa mère, c'est une chose, mais Martine est quand même la cousine de Michel. Je n'ose pas imaginer tout ce que ça pourrait provoquer dans la famille. Je ne vous l'ai pas raconté mais, quand Martine est venue à l'Expo, elle a confié à Michel qu'il lui arrivait de penser que Sonia était sa fille. Vous auriez dû les voir ensemble : Martine et Sonia s'entendent comme deux larrons en foire. Évidemment, Michel s'est dépêché d'inventer quelque chose ; il a prétendu que la mère de Sonia habitait en Abitibi.

— Il a bien fait parce que la décision ne vous appartient pas. C'est à Sonia de décider si elle veut connaître sa mère biologique ou non. Il faut que tu lui fasses confiance. Ce n'est plus une enfant, et elle a un excellent jugement.

— J'ai terriblement peur de sa réaction quand elle va apprendre que Martine est sa mère. Mettons-nous à sa place…

— Je comprends tout ça. Mais vous avez fait tout ce que vous pouviez pour elle. Crois-moi, Sonia a eu beaucoup de chance de tomber sur Michel et toi. Certains enfants qui ont été donnés en adoption ont vécu de véritables histoires d'horreur.

Irma n'aurait jamais cru que tout ce qui entoure l'adoption de sa nièce est aussi grave. Michel a commis une grave erreur en ne révélant pas à Sylvie l'identité de la mère biologique de Sonia avant que celle-ci fête son premier anniversaire. Mais elle peut comprendre pourquoi il a agi ainsi. Dans les circonstances, seul un homme de cœur comme lui pouvait accepter de courir un tel risque. À sa manière, il a sauvé une toute petite fille qui ne demandait rien d'autre que d'être aimée. Évidemment, Irma n'a aucune idée de la réaction qu'aura Sonia quand elle connaîtra toute l'histoire. En voudra-t-elle à ses parents de lui avoir caché la vérité aussi longtemps ? Ou alors, refusera-t-elle de revoir Martine jusqu'à la fin de ses jours ? Ce ne sont là que deux hypothèses parmi plusieurs autres que ni Sylvie ni elle ne peuvent soupçonner parce qu'elles ne sont pas à la place de Sonia.

— Je peux vous inviter à manger avec Sonia, si vous voulez. Lionel pourrait peut-être vous aider ; mais si vous préférez être seuls avec votre fille, ce serait parfait aussi. Une chose est certaine : plus vite Sonia saura, mieux ce sera pour tout le monde. Telle que je la connais, je suis à peu près certaine qu'elle se morfond depuis qu'elle a parlé à Maude Jean.

— Pour être honnête, je n'ai pas remarqué de changements dans son comportement.

— C'est normal. Si elle avait voulu que tu saches, il y a longtemps qu'elle t'en aurait parlé.

— Vous avez raison.

— Bon, déclare tante Irma d'un ton joyeux, j'ai un cadeau pour toi. D'abord, je veux que tu saches à quel point je suis fière de voir que tu tiens le coup depuis que tu as décidé d'arrêter de fumer.

— Ce n'est vraiment pas facile…

— Personne n'a jamais dit que changer une vieille habitude se faisait en claquant des doigts. Alors voilà. Je sais que tu ramassais des timbres avec tes paquets de cigarettes. C'est pourquoi j'ai pensé faire ma part pour t'encourager à persévérer. Je reviens dans un instant.

Tante Irma va chercher le grand sac de papier brun à l'effigie de Metro qu'elle a laissé dans l'entrée en arrivant. Quand elle réapparaît dans la cuisine, elle dépose le sac devant Sylvie.

— J'ai fait une petite collecte auprès de mes amies et voici le résultat.

Plus tante Irma parle, plus Sylvie est excitée. Elle regarde le sac en souriant.

— Qu'est-ce que tu attends ? s'enquiert tante Irma. Tu ne vas quand même pas me faire poireauter encore longtemps ? Allez ! Ouvre le sac et vide son contenu sur la table.

Sitôt dit, sitôt fait. Quand Sylvie voit la montagne de timbres-primes devant elle, elle en a les larmes aux yeux. Depuis le temps qu'elle les collectionne, jamais elle n'en a vu autant d'un seul coup.

— Wow ! s'écrie-t-elle. Il n'y a que vous pour penser à ça. Je ne sais pas quoi dire.

— Un petit merci suffirait, ironise tante Irma.

Sylvie embrasse sa tante sur les deux joues. Elle imagine déjà toutes les choses qu'elle va pouvoir s'offrir.

— Et ce n'est pas tout, ajoute tante Irma. Chaque premier du mois, je vais venir te livrer le fruit de ma récolte. Mes amies et moi nous nous sommes engagées pour un an.

— Mais comment l'idée vous est-elle venue ?

— C'est grâce à Sonia. Tu te souviens, l'automne dernier, elle nous a emmenées Chantal et moi voir la pièce de théâtre *Les belles sœurs* de Michel Tremblay ? Eh bien, c'est en écoutant une critique à la radio que j'ai eu l'idée. Tu connais un peu l'histoire de la pièce ?

— Si je me souviens bien, c'est l'histoire d'une femme qui gagne un million de timbres-primes.

— C'est exact. Elle invite ses belles-sœurs pour l'aider à coller ses timbres dans des cahiers pour pouvoir les échanger. J'ai seulement modifié un peu l'histoire.

— En tout cas, ça m'encourage vraiment à poursuivre mon défi d'arrêter de fumer.

— Tant mieux, parce que c'est le but visé. Bon, il faut que j'y aille. J'ai promis à Marie-Paule de passer la voir.

Seule devant sa montagne de timbres-primes, Sylvie ne peut s'empêcher de sourire. « Tant que je ne saurai pas combien j'en ai, je ne serai pas tranquille. Si je fais vite, je devrais avoir le temps de finir de les compter avant que ce soit l'heure de préparer le souper. Je vais commencer par faire des piles par valeur. » Pendant qu'elle accomplit sa tâche, Sylvie en profite pour répéter ses solos. Certains jours, elle trouve qu'elle s'en est mis beaucoup sur les épaules. Mais chanter lui fait tellement de bien.

* * *

Chantal revient enfin chez elle après deux semaines à l'extérieur du pays. Elle est en pleine réflexion. Juste avant qu'elle parte, Xavier Laberge lui a téléphoné pour l'inviter à manger – et ce n'était pas la première fois. Elle aurait peut-être dû l'envoyer promener, mais elle en est incapable. Il y a quelque chose chez cet homme qui l'attire. Elle est bien avec Maurice, mais sans plus. Elle ne pense jamais à lui quand elle voyage pour son travail. Il ne lui manque absolument pas. « Il serait grand temps que je fasse du ménage dans ma vie. »

Chaque fois qu'elle pense à Xavier Laberge, elle a des papillons dans l'estomac. Elle adore cela. Peut-être qu'après sa prochaine rencontre avec lui, Chantal réalisera qu'elle s'est fait des idées. Mais tant qu'elle n'ira pas à la pêche, elle n'aura pas l'esprit tranquille. « C'est décidé : je vais dire à Maurice que c'est fini entre nous et je vais aller manger avec Xavier. »

# Chapitre 40

Comme chaque fois qu'il en a l'occasion, Michel écoute une tribune à la radio. Depuis que l'animateur a lancé le sujet du jour, il a frappé pas moins de 10 fois sur son volant tellement certains propos le font réagir. Hier, Ottawa a annoncé que le nouvel aéroport sera construit à Sainte-Scholastique, à 40 kilomètres de Montréal. Il paraît que 3 126 avis d'expropriation ont été envoyés aux résidants des environs parce que le gouvernement fédéral a besoin de 93 000 acres de terrain pour l'aéroport. « Maudits politiciens ! Pour une fois, ils auraient pu réfléchir un peu avant d'agir. Ils sont en train de gaspiller les plus belles terres du Québec pour un aéroport alors qu'on leur avait offert un emplacement parfait chez nous, en Montérégie. Le gouvernement du Québec a raison d'être en beau fusil. Voir si ça a du bon sens ! On est vraiment géré par une *gang* d'innocents. »

Une fois devant son magasin, c'est à contrecœur que Michel sort de son auto. Si la tribune se terminait dans quelques minutes, il en aurait attendu la fin. Mais comme elle restera encore plus d'une demi-heure à l'antenne, il ne peut pas se le permettre. Il entre vite dans le magasin. Aussitôt qu'il l'aperçoit, Paul-Eugène lui dit d'un ton joyeux :

— J'avais vraiment hâte que tu arrives. Tu ne devineras jamais ce qui nous arrive !

Sans laisser le temps à Michel de tenter une réponse, il poursuit sur sa lancée :

— Il y a une heure, un homme est venu. Imagine-toi donc qu'il veut qu'on meuble son auberge au grand complet juste avec des antiquités.

Suspendu aux lèvres de son associé, Michel attend la suite.

— On a jusqu'à lundi prochain pour lui faire un prix.

Michel fronce les sourcils.

— C'est bien beau tout ça, mais sais-tu au moins combien il y a de chambres dans cette auberge ? Connais-tu la dimension des pièces ? Et combien il est prêt à payer ? On ne peut pas faire un prix au hasard.

— Je sais tout ça. Laisse-moi finir. Il nous attend cet après-midi à son auberge. Il va répondre à toutes nos questions.

— Parfait ! Il va falloir demander à Fernand de s'occuper du magasin pendant notre absence. Si plusieurs clients arrivent, Germain ne suffira pas à la tâche.

— C'est déjà fait.

— Ma parole, tu es en feu !

— Si on peut décrocher ce contrat-là, ça va nous faire une maudite bonne publicité. L'auberge est située dans le Vieux-Montréal.

— Mais comment ce client est-il arrivé jusqu'à nous ? À ce que je sache, il y a des magasins d'antiquités dans le Vieux.

— Je lui ai posé la question. Il m'a dit que c'était une certaine Éléonor Springfield qui lui a parlé de nous. Est-ce que ce nom te dit quelque chose ?

Michel a beau chercher dans sa mémoire, il ne trouve rien. Mais au nombre de personnes qui passent au magasin, ni Paul-Eugène ni lui ne peuvent se souvenir de chaque client. D'après le nom, il y a fort à parier qu'il s'agit d'une des femmes de Westmount qui viennent faire leur tour régulièrement au magasin. « À moins que ce ne soit une amie de tante Irma… Je lui demanderai si elle connaît madame Springfield la prochaine fois que je la verrai. »

— Ce nom m'est inconnu.

— J'allais oublier. Daniel est passé te voir. Il a laissé une enveloppe pour toi ; je l'ai rangée près de la caisse.

Dans les minutes qui suivent, Michel informe Paul-Eugène de tout ce qui concerne la construction du nouvel aéroport. Même s'ils partagent la même opinion par rapport à la décision du gouvernement fédéral, tous deux s'emportent parfois. Il vient un temps où ils discutent si fort que Fernand vient voir ce qui se passe.

En l'apercevant, les deux amis se demandent pourquoi il a l'air inquiet.

— Vous parliez tellement fort qu'on devait vous entendre jusque de l'autre côté de la rue.

— On jasait du nouvel aéroport que le fédéral veut construire, explique Paul-Eugène.

— C'est un vrai sacrilège ! s'exclame Fernand.

Et voilà que les trois hommes partent dans une grande discussion qui prend subitement fin quand la clochette de la porte du magasin se fait entendre. Alors que Fernand retourne à son travail et que Michel va découvrir le message laissé par Daniel, Paul-Eugène s'avance vers le client et lui demande s'il peut l'aider.

Il y a bien longtemps que Paul-Eugène n'a pas été aussi content. La veille, il a fait la grande demande à Shirley. Il avait tellement peur qu'elle refuse qu'il ne cessait de remettre l'occasion à plus tard. Jamais il n'oubliera à quel point les yeux de Shirley pétillaient quand il lui a demandé de devenir sa femme. Des larmes coulaient sur ses joues. La seconde d'après, elle s'est jetée dans ses bras et l'a serré de toutes ses forces. Même s'il se doutait de la réponse, il avait besoin de l'entendre de vive voix. C'est pourquoi il s'est un peu éloigné de Shirley et lui a simplement glissé :

— Alors ?

— Tu sais bien que c'est oui ! a-t-elle répondu sans hésitation.

Il est l'homme le plus heureux de la terre. Non seulement il adore son travail, mais en plus il va se marier avec la femme qu'il aime. Lui, un vieux garçon endurci, va enfin avoir une famille. C'est plus qu'il n'aurait jamais osé espérer. Pour le moment, personne n'est au courant, pas même les enfants. Hier, Shirley et lui ont convenu qu'ils leur apprendraient la bonne nouvelle au souper. Paul-Eugène meurt d'envie de le dire à Michel et à Fernand. S'il n'y a pas trop de clients à l'heure du dîner, il va en profiter pour leur en parler.

En ouvrant l'enveloppe, Michel voit une partition. Il sourit. La dernière fois qu'il a vu Daniel, il a mentionné en passant qu'il aimerait apprendre à jouer cette pièce. La présence de Daniel dans sa vie lui fait beaucoup de bien. Plus il connaît le jeune homme, plus il l'aime. C'est un être incomparable. Michel n'aurait jamais pu souhaiter mieux comme ami de cœur pour Sonia. Daniel est posé, intelligent, poli, généreux. Il ne boit pratiquement pas, il ne touche pas à la drogue, il ne blasphème jamais. Michel sait bien que la perfection n'est pas de ce monde, mais comme il n'a pas encore trouvé un seul petit défaut au petit ami de sa fille, il se laisse parfois aller à dire qu'il est parfait. Sylvie sourit chaque fois que Michel lui parle de son protégé.

\* \* \*

— Mon frère s'est enfin décidé ! s'écrie joyeusement Sylvie quand Shirley lui annonce sa grande nouvelle. Je veux tout savoir !

— Il n'y a pas grand-chose de plus à raconter pour le moment, répond Shirley. Tout ce que je peux dire, c'est que je suis très heureuse de me marier avec Paul-Eugène.

— Ferez-vous un gros mariage ?

— Je ne sais pas. On n'en a pas encore parlé.

— Mais toi, souhaites-tu faire les choses en grand ?

— Il ne faut pas que tu oublies que ce sera un mariage civil. Mais je préfère un mariage intime.

— Vas-tu t'acheter une robe blanche ?

— Non. Je veux un mariage intime et simple avec les enfants et quelques invités. Même si Paul-Eugène et moi n'en avons pas encore discuté, je suis à peu près certaine qu'il va être d'accord avec moi. Sinon, on s'ajustera. J'ai l'intention de m'acheter un ensemble jupe et veste que je pourrai reporter au moins pour aller à la messe. Les occasions de m'habiller chic sont plutôt rares.

— Je suis si contente pour toi ! Est-ce que papa est au courant ?

— Je ne crois pas. J'imagine que Paul-Eugène va lui téléphoner ce soir après que nous l'aurons annoncé aux enfants. Ce serait très important que tu gardes ça pour toi pour l'instant.

— Je ne peux même pas en parler avec Michel ?

— Michel, c'est différent. De toute façon, il est sûrement déjà au courant. Avant de partir ce matin, Paul-Eugène m'a dit qu'il allait le mettre au courant.

— Comment penses-tu que les enfants vont réagir ?

— D'après moi, ils vont être très contents. Tu sais, ils aiment beaucoup Paul-Eugène. Dimanche passé, ils ont vu leur père. John est venu les chercher après le dîner et les a ramenés juste avant le souper. Isabelle m'a confié que tout s'était très bien passé. Quand les enfants sont revenus, ils sont tous allés embrasser Paul-Eugène, comme ça, sans raison apparente. Tu aurais dû voir ton frère : il avait les larmes aux yeux. Sérieusement, je ne pourrais pas demander mieux. Je l'aime de tout mon cœur et il m'aime tout autant, et les enfants l'adorent.

— Tant mieux.

Sylvie est très contente pour son amie. Après tout ce qu'elle a enduré aux côtés de John ces dernières années, elle méritait d'être heureuse. Et Paul-Eugène lui apporte beaucoup de bonheur : une vie simple et douce remplie de petites joies qui font du bien à un cœur meurtri – et Dieu seul sait à quel point celui de Shirley l'était. Même s'ils ont l'intention de faire un petit mariage, Sylvie désire faire un cadeau extraordinaire à Shirley et à Paul-Eugène. Elle ne sait pas quoi, mais elle veut les surprendre.

Chaque fois qu'elle assiste à un mariage, Sylvie verse quelques larmes quand les mariés échangent leurs vœux. Ce sera la première fois qu'elle assistera à un mariage civil. Justement, l'autre jour, Éliane lui a dit que c'était froid. Mais elle verra bien. « Il y a sûrement moyen de réchauffer l'atmosphère un peu. »

— Bon, si tu veux être bilingue un jour, il vaudrait mieux qu'on se mette au travail, déclare Shirley.

— Crois-tu vraiment que je vais y arriver ? s'inquiète Sylvie.

— Tu en doutes encore ? Arrête de te sous-estimer. Je te le répète : tu es très bonne, tu n'as pratiquement pas d'accent. Tout ce qu'il te manque, c'est de la pratique. OK ! *How are you today ?*

\* \* \*

Comme prévu, Michel et Paul-Eugène sont allés visiter la petite auberge. Selon eux, leurs chances d'obtenir le contrat sont excellentes. En serrant la main du client potentiel, Michel a tout de suite su que tous les deux, ils s'entendraient très bien. C'est d'ailleurs ce qui s'est produit, à tel point qu'à un moment donné Paul-Eugène s'est presque senti de trop. Outre les salutations en arrivant et en partant, il s'est contenté de noter tous les détails nécessaires pour préparer la soumission. Heureusement, ça ne l'affecte pas. Il reconnaît facilement que pour ce qui est de lever du nouveau gibier, Michel est une coche au-dessus de lui. Il n'y a qu'à le regarder agir avec les gens quand il part à la chasse aux antiquités ; il a ça dans le sang. « Michel pourrait vendre un frigidaire à un Esquimau. On a chacun nos forces et c'est très bien comme ça. »

Alors qu'ils s'apprêtent à fermer le magasin, Michel prend l'enveloppe que Daniel lui a laissée et sourit en la serrant sur son cœur. Comme Paul-Eugène est tout près, il se demande ce qui peut rendre son beau-frère si heureux. Il ignore pourquoi, et il meurt d'envie de le savoir, mais chaque fois que Daniel se présente au magasin ou qu'il vient porter quelque chose pour Michel, ce dernier rayonne instantanément de bonheur, et ce, peu importe ce qui s'est passé durant la journée. Paul-Eugène ne peut s'empêcher de se questionner.

— Il y a quelque chose qui me chicote, lance-t-il à brûle-pourpoint.

Michel se tourne vers son beau-frère et attend la suite. Comme elle tarde à venir, il déclare d'une voix enjouée :

— Vas-y, je t'écoute. Malheureusement, je ne suis pas encore capable de lire dans la tête des gens !

— Ha ! ha ! ha ! Je n'irai pas par quatre chemins. Je veux savoir ce qu'il y a au juste entre Daniel et toi.

— Qu'est-ce que tu veux dire ? demande Michel d'un air renfrogné.

— Tu ne te vois pas aller… Chaque fois qu'il vient ou qu'il te laisse quelque chose, ça a tellement l'air de te faire plaisir que c'en est presque trop. Ma foi du bon Dieu, j'ai parfois l'impression que tu en fais beaucoup plus pour lui que pour tes propres enfants… À bien y réfléchir, c'est plus qu'une impression, c'est une certitude.

Michel baisse légèrement la tête et se frotte le menton à quelques reprises. Il peut choisir de ne rien dire et Paul-Eugène n'en fera pas tout un plat. Il peut aussi décider de tout raconter. Cela lui ferait sûrement du bien. Au bout de quelques secondes, il lève la tête.

— Je vais te raconter toute l'histoire, mais à une condition : tu dois me jurer que, même sous la torture, tu ne révéleras jamais rien.

— Tu me fais presque peur. Tu me connais assez pour savoir que je peux garder un secret. Je t'écoute.

Michel a tellement fait d'efforts pour oublier cette histoire qu'il doit fouiller sa mémoire pour se souvenir de tout. Quand il arrive au bout de son récit, il dit :

— Tu peux me traiter de fou si c'est ce que tu penses.

— Je ne crois pas que tu sois fou. Je n'ai jamais perdu d'enfant, mais je peux imaginer à quel point ça doit faire mal.

— De toute ma vie, et Dieu sait qu'il ne m'est pas arrivé que de belles choses, jamais je n'ai vécu quelque chose d'aussi difficile.

Puis, d'une voix cassée par l'émotion, Michel ajoute :

— Je fais avec comme on dit, mais j'ai une blessure au cœur qui refuse de se refermer. Il y a des jours où j'ai tellement mal que j'aimerais mieux mourir.

Paul-Eugène pose son bras sur l'épaule de son ami.

— J'ai une idée. On va appeler nos femmes pour les avertir qu'on va être en retard. On va faire un petit crochet par la taverne. C'est moi qui t'invite.

# Chapitre 41

— Je ne pourrai pas aller voir ton père, annonce Michel. J'ai promis à ma mère de l'emmener chercher de l'eau de Pâques.

— Mais je ne peux pas te laisser tout seul ! s'écrie Sylvie.

— Ben voyons donc ! Pars en paix, je suis capable de m'occuper de moi. Et je suis à peu près certain que quelqu'un de Jonquière va venir voir ma mère, ce qui fait que je ne risque pas de rester seul longtemps.

— Mais alors, ta mère pourrait aller chercher de l'eau de Pâques avec sa visite. Comme ça, tu pourrais venir avec nous à L'Avenir.

De nature très docile, Michel n'a pas l'intention cette fois de s'en laisser imposer, surtout qu'il a promis de rendre service à sa mère.

— Non ! C'est à moi qu'elle l'a demandé et c'est avec moi qu'elle ira. Pour une fois que je peux faire quelque chose pour elle, je ne vais certainement pas lui faire faux bond. Et puis, je voudrais voir la visite. Avant, j'étais toujours obligé de me farcir cinq heures de route pour voir ma famille alors que maintenant, je suis à moins d'un mille. Je suis vraiment content que la mère soit venue s'installer à Longueuil.

— Mais attends ! À bien y penser, je pourrais aller chez mon père la fin de semaine prochaine.

— Tu fais comme tu veux. Mais si tu as envie d'y aller pour Pâques, ne te gêne surtout pas. Tu n'auras plus le temps de descendre à L'Avenir quand tes spectacles vont commencer.

— Tu as bien raison. Bon, advienne que pourra, je vais aller voir papa et Suzanne. Je vais proposer aux enfants de venir, mais j'ai bien l'impression que Sonia et Junior vont préférer rester ici, surtout que tu vas être là.

— Je n'ai aucun problème à ce qu'ils restent…

Puis, sur un ton taquin, Michel ajoute :

— À la condition qu'ils me fassent à manger.

La réaction de Sylvie ne se fait pas attendre. Comme elle est près de lui, elle le pousse en lançant d'une voix rieuse :

— Maudit Michel ! Ça prend juste toi pour dire des niaiseries pareilles !

— Ben quoi ? demande-t-il d'un air sérieux. C'est moi le chef de la famille, c'est normal qu'on s'occupe de moi !

Sylvie s'esclaffe. Son mari la fait rire depuis le jour où elle a fait sa connaissance sur le coin d'une rue alors qu'il pleuvait à boire debout. Michel est l'homme de sa vie. Après un peu plus de vingt ans de mariage, il lui plaît toujours autant. Et elle le trouve encore plus beau qu'au début. Chaque fois qu'elle le regarde, son cœur s'emballe – enfin, la plupart du temps. Comme tous les couples, ils ont traversé quelques zones de turbulence, mais jamais elle n'a pensé, ne serait-ce qu'une seule seconde, qu'elle pourrait finir par le détester. Non, elle l'aime beaucoup trop pour ça.

— As-tu parlé à Sonia depuis qu'on est allés manger chez tante Irma ? demande Sylvie.

Michel soupire avant de répondre. Toute cette histoire le dérange pas mal plus qu'il ne le voudrait. Il doit quand même reconnaître que les choses se sont plutôt bien passées quand Sylvie et lui ont tout raconté à Sonia. Alors qu'il craignait que sa fille éclate en larmes en apprenant que Martine est sa mère, elle est restée de marbre. Après plusieurs minutes, tante Irma s'est assise à côté d'elle et lui a dit qu'elle avait le droit de pleurer. Sonia a simplement hoché la tête. Pendant tout le reste de la soirée, elle a fait comme si de rien n'était, ce qui a eu pour effet d'inquiéter encore plus Michel. C'est loin d'être dans les habitudes de sa fille de ne pas laisser sortir ses émotions. En arrivant à la maison, Sonia s'est enfermée dans sa chambre avec le téléphone. Depuis, elle n'a pas reparlé de cette soirée, ni de Martine.

— Hier, j'ai essayé d'aborder le sujet. Mais dès les premiers mots, elle m'a demandé de ne pas aller plus loin. Alors que j'allais tourner les talons, elle m'a confié qu'elle n'avait encore rien décidé. Je m'en veux tellement de n'avoir rien dit quand j'ai vu le nom de Martine sur son baptistère. J'aurais pu lui éviter tout ça.

— C'est possible. Mais peut-être que Sonia aurait enduré bien pire si on ne l'avait pas adoptée. Mets-toi à sa place une minute. D'une certaine façon, elle a toujours mis Martine sur un piédestal, et ça ne date pas d'hier. Déjà, quand Sonia était petite, elle allait s'asseoir sur les genoux de Martine chaque fois qu'elle la voyait. Même si tout le monde lui tendait les bras au passage, c'est toujours vers sa mère biologique qu'elle allait. Je peux imaginer à quel point ça a dû être dur pour Sonia d'apprendre que non seulement Martine est sa mère, mais qu'elle l'a abandonnée le jour de sa naissance.

— Tu sais comme moi que ma cousine n'avait pas le choix.

— Oui, mais si j'étais dans la même situation que Sonia, je ne sais vraiment pas comment je réagirais. Il y a de fortes chances que je sois tentée de haïr ma mère biologique. Heureusement, Sonia est différente de moi. Je ne crois pas qu'elle va se mettre à détester Martine, mais il faut au moins qu'elle prenne le temps de digérer la nouvelle.

— Penses-tu qu'elle va nous pardonner un jour ?

— Je ne crois pas qu'elle nous en veuille. Tante Irma l'a dit : il faut faire confiance à Sonia. Notre fille a un bon jugement. Elle va peser le pour et le contre et, ensuite, elle va nous faire part de sa décision. De toute façon, qu'est-ce qu'on pourrait faire de plus qu'attendre ?

— Tu as bien raison. Mais c'est quand même beaucoup pour une aussi jeune fille.

— C'est vrai. Mais il paraît que Dieu nous envoie seulement les épreuves qu'on peut affronter.

— J'espère de tout cœur que c'est vrai.

Sylvie n'en dira rien, surtout pas à Michel, mais l'histoire de Sonia la gruge tellement qu'elle va faire brûler un lampion chaque jour. Soit elle s'arrête devant une église au hasard quand elle sort, soit elle s'organise pour passer devant un lieu saint. Et quand elle reste toute la journée à la maison, elle se trouve un prétexte pour sortir après le souper et elle va faire brûler un lampion. Ce n'est que seule et dans la tranquillité d'une église vide qu'elle trouve un peu de réconfort.

— Sais-tu ce que les jumeaux ont fait ? demande Sylvie.

— Ne me dis pas qu'ils sont encore allés embêter le curé ?

— Pas à ce que je sache. Imagine-toi qu'ils sont entrés dans la chorale de l'église. Tu aurais dû voir Dominic. Il était fier comme un paon quand il me l'a annoncé. D'après moi, c'était son idée et non celle de François parce que ça n'avait pas l'air de trop faire l'affaire de celui-ci. En tout cas, ça va les occuper au moins un soir par semaine.

— C'est une bonne chose. Quand Dominic a quelque chose dans la tête, il ne l'a pas dans les pieds. Il veut devenir enfant de chœur et il va tout faire pour y arriver.

— Il ne tient pas des voisins !

— C'est certain !

À part Sonia, Michel a un autre sujet d'inquiétude. Il y a un petit moment, Sylvie est allée passer des examens à l'hôpital. Non seulement ses règles sont trop abondantes, mais elle saigne entre les menstruations, ce qui est anormal. L'autre jour, elle a confié à Michel qu'elle se sentait fatiguée. Elle est allée s'acheter une bouteille de Wampole à la pharmacie pour essayer de reprendre le dessus. Elle a aussi servi du foie de porc deux fois cette semaine, au grand désespoir de toute la famille – à l'exception de Junior et de Michel. Même si le gaspillage de nourriture est très rare chez les Pelletier, après un repas de foie de porc c'est chaque fois pareil : la poubelle se remplit rapidement et il n'y a jamais assez de dessert pour satisfaire tout le monde.

— Sylvie, as-tu eu les résultats de tes examens ?

— Pas encore. Je me proposais justement d'appeler mon médecin demain. Ça regarde pas mal pour que je sois obligée de me faire faire la grande opération. J'ai bien averti mon médecin que si c'était le cas, ça irait juste après mes spectacles.

— Ta santé est pas mal plus importante que tes spectacles.

— Cesse de t'inquiéter pour moi. Avec le fer que je prends, je vais tenir jusque-là. Et puis, cette opération, ce n'est quand même pas la mort d'un homme. Toutes mes tantes, sauf tante Irma, sont passées par là et elles ne sont pas mortes pour autant.

— Tu détestes les hôpitaux…

— Oui, mais j'essaie de me raisonner. De toute façon, s'il faut que je me fasse opérer, je n'aurai pas le choix d'aller à l'hôpital. Dans le temps comme dans le temps ! Pour le moment, je m'inquiète bien plus à propos de ce que va décider Sonia que pour mes saignements.

Michel aurait voulu préciser que, pour lui, sa santé est plus importante que tout, mais ça n'aurait rien donné. Quand Sylvie a quelque chose en tête, il vaut mieux se lever de bonne heure si on veut la faire changer d'idée. Une chose est certaine : il va l'avoir à l'œil, sa femme.

Sylvie lui demande :

— Aurais-tu une gomme ? Si j'avais su que ce serait aussi difficile, jamais je n'aurais décidé d'arrêter de fumer. C'est fou, je ne pense qu'à ça.

— Tiens ! répond Michel en lui tendant son paquet de gommes. Tu peux le garder, j'en ai un autre dans ma poche de chemise. On va y arriver, c'est sûr. En tout cas, pour ma part, je commence déjà à voir des changements. Non seulement je ne tousse presque plus, mais je ne suis pas à moitié mort chaque fois que je monte un escalier. Le meilleur de tout, c'est quand j'entre dans la maison. Je peux enfin sentir autre chose que la cigarette. Et quand je mange, les aliments n'ont plus tous le même goût. Franchement, j'aurais dû arrêter avant.

— Tu es vraiment encouragé, en tout cas plus que moi.

— Sens tes vêtements et tu vas t'apercevoir que, rien que pour ça, ça vaut le coup. Avant, jamais je ne remarquais l'odeur de la fumée alors que, maintenant, ça me prend à la gorge. Parfois, cette senteur me donne même envie de vomir.

— J'espère que tu ne vas pas interdire à tout le monde de fumer dans la maison ?

— Je n'irai pas jusque-là. Quand je fumais, les gens me toléraient. Alors, je vais faire pareil, mais je vais ouvrir les fenêtres aussitôt que la visite va partir. Penses-y : il n'y a personne qui fume dans la maison. Et chez maman non plus. As-tu réalisé toutes les économies qu'on va faire ? Depuis qu'on a arrêté de fumer, chaque semaine je mets de côté ce que ça me coûtait pour acheter mes cigarettes. Si tu fais la même chose, on ne sera pas obligés d'attendre notre vingt-cinquième anniversaire de mariage pour aller en Égypte. C'est fou tout l'argent qu'on a dépensé en cigarettes. On serait riche si on l'avait économisé au lieu de le brûler.

— Tu ne trouves pas que tu exagères un peu ?

— À peine. Fais toi-même le calcul si tu ne me crois pas. Je fumais deux paquets par jour, sept jours sur sept. Même si tu fumais moins que moi, tu devais fumer près d'un paquet par jour. Est-ce que je me trompe ?

— Non.

— Une fois qu'on sait ça, c'est facile à compter. Trois paquets par jour x 365 jours x 20 ans x 45 cennes. Tu vas tomber en bas de ta chaise quand tu vas voir le chiffre que ça donne. Tu n'as même pas idée du nombre de robes que tu vas pouvoir t'acheter parce que tu as arrêté de fumer.

— Je m'en fiche, des robes ! s'écrie Sylvie, l'air bourru. Tout ce que je voudrais, c'est fumer une bonne cigarette.

— Ce que tu peux être de mauvais poil quand tu veux ! rouspète Michel avant de sortir de la cuisine.

Sylvie sait parfaitement qu'elle n'est pas toujours facile à vivre, particulièrement ces dernières semaines. On dirait que la vie tourne carré tellement il y a des choses bizarres qui arrivent. Martine veut faire partie de la vie de Sonia. Ses règles n'en finissent plus de finir. Sa rage de fumer. Et voilà maintenant que sa belle-mère s'est fait un *chum*. C'est tante Irma qui lui a appris la nouvelle ce matin quand elle est venue faire son tour. Elle a spécifié à Sylvie de ne pas en parler à Michel. Mais pour une fois, celle-ci a bien envie de faillir à sa promesse. Son petit doigt lui souffle qu'il vaudrait mieux qu'elle prépare son mari.

— Où vas-tu comme ça ? lui demande-t-elle d'une voix radoucie. Reviens, il faut que je te parle de quelque chose.

— C'est mieux d'être une bonne nouvelle, la met-il en garde en apparaissant dans le cadre de la porte de la cuisine.

— Tout va dépendre de toi. Je ne suis pas supposée t'en parler, mais j'ai pensé que plus vite tu le saurais, mieux ce serait.

Sylvie prend une grande respiration avant de laisser tomber d'un ton neutre :

— Ta mère s'est fait un *chum*. Je pense que tu le connais ; il s'appelle René.

Quelle n'est pas la surprise de Sylvie quand elle entend la réponse de Michel.

— Eh bien, tant mieux pour elle !

— C'est tout ce que ça te fait ?

— À l'âge qu'elle a, ma mère est assez vieille pour savoir ce qu'elle veut.

Certains jours, Sylvie pense connaître Michel suffisamment pour être capable de prévoir ses réactions. Cependant, il y en a d'autres, comme aujourd'hui, où elle a tout faux. Mais peu importe. Tout ce qui compte, c'est qu'elle ait prévenu son mari. Pour le reste, tant mieux si ça ne lui fait pas plus d'effet.

# Chapitre 42

Assise au volant de l'auto de Daniel, Sonia fait de gros efforts pour se concentrer. Il y a à peine quinze minutes qu'ils sont partis de la maison et elle a déjà oublié de faire deux arrêts. Jusque-là, Daniel n'a rien dit. Mais quand la jeune fille en manque un troisième, il ne peut s'empêcher de remarquer :

— Je ne sais pas ce qui te préoccupe, mais je crois qu'on serait mieux de remettre ça avant qu'on ait un accident. Ce n'est jamais bon de prendre le volant lorsqu'on a la tête ailleurs.

— Tu as raison, répond Sonia en se rangeant le long du trottoir. Je suis vraiment dangereuse. Il vaut mieux que tu prennes le volant.

Depuis quelques jours, Daniel voit bien que Sonia n'est pas dans son assiette. Il a tenté de savoir ce qui la tracassait, mais sans succès. Tout ce qu'elle lui a dit, c'est qu'il n'avait rien à voir là-dedans. Alors que Sonia est déjà de son côté, prête à prendre la place du passager, Daniel sort de l'auto. Au moment où elle va s'asseoir, il la retient par le bras. Puis, il lui demande d'une voix douce :

— Tu es certaine que tu ne veux pas me parler de tes soucis ? On pourrait aller au petit restaurant sur le bord du fleuve.

L'air renfrogné, Sonia réfléchit à la proposition de Daniel. Elle n'a pas très envie de raconter son histoire. Mais si elle veut que leur relation dure, elle doit partager son secret avec lui. Elle plonge son regard dans celui du jeune homme. Un pâle sourire s'installe sur ses lèvres. Elle embrasse doucement Daniel sur les lèvres.

— D'accord. Mais je t'avertis, c'est toute une histoire.

— En autant qu'elle te concerne, je suis prêt à l'entendre.

Ils passent plus de deux heures au restaurant à discuter. Si Sonia avait su tout le bien que cette conversation lui ferait, elle n'aurait pas tant tardé à se confier. Quand ils se lèvent de table, elle déclare à Daniel :

— Ma décision est prise. Je veux que les choses restent exactement comme elles sont. Cette histoire a duré trop longtemps. Ce soir, je ferai part de ma décision à mes parents. Je voudrais maintenant retourner à la maison. J'ai quelque chose d'important à faire.

— Comme tu veux. Si tu as besoin de quoi que ce soit, tu n'auras qu'à m'appeler.

— Je le sais et je t'en remercie. On y va ?

Lorsque Sonia entre dans la maison, c'est l'euphorie. Tout le monde a l'air si heureux qu'on dirait que quelqu'un a gagné à la loterie. Aussitôt que Michel voit sa fille, il lui demande pourquoi Daniel n'est pas avec elle.

De prime abord, Sonia est tentée de répondre qu'il avait un rendez-vous important. Mais comme ce n'est pas dans ses habitudes de mentir, elle répond simplement :

— C'est moi qui lui ai demandé de me laisser à la maison parce que j'ai quelque chose d'important à faire.

Curieuse de savoir pourquoi tout le monde est si heureux, Sonia se dépêche d'interroger son père.

— Demande plutôt à Alain. C'est à cause de lui et de Lucie si on boit du champagne en plein cœur de journée.

Puis, Michel interpelle son fils :

— Alain, ta sœur voudrait savoir pourquoi on fête.

Fier comme un paon, Alain pose ses mains sur les épaules de sa sœur. D'une voix remplie d'émotion, il annonce :

— Tu vas avoir un neveu ou…

Mais Sonia ne lui laisse pas le temps de finir sa phrase. Elle saute dans les bras de son frère et l'embrasse sans arrêt jusqu'à ce qu'il finisse par la déposer par terre.

— Ça, c'est une bonne nouvelle !

La seconde d'après, la jeune fille va féliciter Lucie.

— Et moi, est-ce que je pourrais avoir un peu de champagne ? demande-t-elle ensuite.

— Certain, ma belle fille ! répond Michel. Je vais te servir.

C'est dans des moments comme celui-là que Sonia est encore plus fière d'être une Pelletier. Sa famille est loin d'être parfaite, mais c'est la sienne et personne ne pourra la lui enlever. Elle fête avec les siens jusqu'à ce qu'Alain et Lucie partent. Aussitôt que la porte de la maison se referme, elle file dans sa chambre. C'est le moment pour elle de tourner la page. Elle sort une feuille de papier et un crayon de son sac d'école et se met au travail.

*Bonjour madame,*

*J'ai réfléchi longtemps avant de vous écrire cette lettre parce que je ne sais pas trop ce que je dois vous dire.*

*Je n'ai jamais voulu connaître ma mère biologique – enfin, je devrais plutôt dire vous connaître –, pour la simple et unique raison que j'ai des parents, que je suis fière d'être leur fille et que je n'en demande pas plus. Jamais je n'ai scruté le visage des femmes qui croisent mon chemin pour tenter de vous trouver. Ça ne m'a même pas effleuré l'esprit une seule fois.*

*Peut-être que, physiquement, je suis votre portrait tout craché, peut-être même que j'ai votre caractère, mais pour moi, ça n'a pas d'importance. Je suis ce que je suis, c'est-à-dire une jeune femme qui a eu jusqu'ici une vie tout ce qu'il y a de plus normale, dans une famille normale.*

*Je ne vous en veux pas. Comment le pourrais-je puisque je ne connais même pas votre histoire ? Mais je préfère en rester là, du moins pour le moment. Je vous demande de ne plus essayer de me contacter.*

*Celle que vous avez mise au monde par un beau matin.*

Sonia relit sa lettre, la plie et sort de sa chambre. À cette heure-là, elle est certaine de trouver sa mère dans la cuisine. Elle s'approche de Sylvie et lui dit :

— Je voudrais que tu ailles porter cette lettre à l'orphelinat où vous êtes allés me chercher, après que papa et toi l'aurez lue. C'est pour celle qui m'a mise au monde. Promets-moi que tu vas le faire.

Avant même que sa mère réponde, Sonia lui prend les mains et annonce :

— J'ai pris ma décision : je veux que les choses restent exactement comme elles sont.

Puis, sur un ton plus léger, la jeune fille ajoute :

— Veux-tu que je t'aide à préparer le souper ?

Incapable de répondre, Sylvie prend sa fille dans ses bras et la serre très fort. De grosses larmes de joie coulent sur ses joues.